Einaudi Tascabili. Stile libero
1180

Dello stesso autore nel catalogo Einaudi

Almost Blue
Il giorno del lupo
Mistero in blu
L'isola dell'Angelo caduto
Guernica
Un giorno dopo l'altro
Laura di Rimini
Lupo mannaro
Falange armata
Misteri d'Italia
Il lato sinistro del cuore

Medical Thriller
(con Eraldo Baldini e Giampiero Rigosi)

Foto in copertina di Freeman Patterson per gentile concessione dell'autore.
Da Freeman Patterson, *Photographing The World Around You. A Visual Design Workshop*,
Key Porter Books, 1994

Questo libro è stato stampato su carta ecosostenibile Cyclus Offset
prodotta dalla cartiera danese Dalum Papir A/S
con fibre riciclate e sbiancate senza uso di cloro.
Per maggiori informazioni: www.greenpeace.it/scrittori

www.einaudi.it

ISBN 978-88-06-16740-0

Carlo Lucarelli
Nuovi misteri d'Italia
I casi di *Blu notte*

Einaudi

Ringraziamenti

Se già a scrivere questo libro non sono stato solo, avendo avuto la cura paziente e appassionata dell'amico e collaboratore Mauro Smocovich, nonché dello staff di Einaudi Stile libero, figuriamoci se avrei potuto esserlo nel fare il programma da cui questo libro è nato. Io avevo scritto i testi e stavo davanti alla telecamera a parlare, ma dietro, sopra e attorno c'erano Giuliana Catamo e Paola De Martiis come autrici, assieme a Simona Carcasi e Ludovica Oddi in redazione, Lorenzo Hendel, Fabio Sabbioni, Stefano Chimisso e Sandro Patrignanelli alla regia, Tommaso Vinciguerra con Simone Mancini al montaggio, Alessandro Molinari alle musiche, Riccardo Bocchini alla scenografia con Federico Angeli, ETABETA alla produzione e all'organizzazione con Carlo Quattrocchi, Paola Vivarelli ed Elda Casula, tanti bravissimi tecnici del suono, elettricisti, macchinisti e operatori, sia in studio che fuori. Poi anche Francesco Nardella e Paolo Ruffini, capostruttura e direttore di Rai3.

E ancora, se fossimo stati soltanto noi, non saremmo andati molto avanti, e questo libro, soprattutto, non esisterebbe proprio, senza le inchieste, i dossier e le dritte del *team investigativo*, di un maestro come Francesco La Licata, della «Stampa», di grandi come Guido Ruotolo, ancora della «Stampa», e di Vincenzo Vasile, dell'«Unità», e di un giovane mastino come Nicola Biondo di «Avvenimenti» e altro. Senza dimenticare la consulenza legale dell'avvocato Giuseppina Bonito, dello studio Flamminii Minuto.

E alla fine, se ci fossero stati soltanto tutti questi, comunque non avremmo combinato niente, e forse neppure questo libro, senza tutti quelli che che hanno fermato il dito sul telecomando o hanno aspettato fino a tardi per guardarci e che poi hanno anche scritto, in parecchi. Soprattutto quelle lettere e quelle e-mail molto preoccupate e spesso anche davvero arrabbiate per cose che sapevano ma che avevano dimenticato, o non sapevano cosí a fondo, o non sapevano per niente e neanche le avevano sentite nominare, ma erano comunque cosí, molto preoccupati e anche arrabbiati, per come sono potute andare e ancora vanno le cose in questo strano e assurdo Paese di misteri e di segreti.

Se un po' di quella rabbia e di quella preoccupazione nascono anche da questo libro, io sono contento.

L'ho scritto anche per questo.

Nuovi misteri d'Italia

Salvatore Giuliano

Questa è una storia di bugie.

La Storia, anche quella con la *esse* maiuscola, è sempre piena di bugie, ma quella dell'Italia dal dopoguerra a oggi lo è particolarmente. È per loro che i misteri che ci accompagnano da piú di cinquant'anni di Prima e Seconda Repubblica sono misteri, per le bugie, tanto che quasi quasi non dovremmo neanche chiamarli misteri, ma *segreti*. La verità è lí, potremmo prenderla, guardarla, toccarla, leggerla, ma sopra c'è qualcosa, una menzogna, una deviazione, una bugia che ce la nasconde, la fa sparire, la rende *segreta*.

Questa è una storia di bugie.

È la storia di un uomo, di un bandito, cosí inafferrabile e astuto che nessuno riusciva a trovarlo. Cosí potente, sanguinario e feroce che faceva paura soltanto sentirne il nome. Ma anche cosí strano e complesso da diventare una leggenda.

Questa è anche una storia di carabinieri e poliziotti, di altri banditi, di confidenti e di spie, di giornalisti, di uomini politici, di sindacalisti e di povera gente.

Ma soprattutto è una storia di bugie, di fantasmi e di misteri, una di quelle storie che avvengono in Sicilia, dove spesso, quando si parla di certe cose, quelle cose potrebbero non essere come sembrano.

Questa è la storia del bandito Giuliano.

Per noi, adesso, inizia dalla fine.

E inizia con una fotografia e una bugia.

La fotografia è una delle piú famose della storia d'Italia.

C'è un uomo, a terra, in canottiera e sandali. Morto. Le gambe che si vedono dietro di lui sono di un carabiniere, e la cosa che ha vicino, poco distante dalla mano, come se gli fosse caduta, è un mitra. Il mitra di un bandito. Perché quell'uomo è un bandito, anzi, no, è il bandito piú ricercato d'Italia.

È il bandito Giuliano.

Che cosa è successo per arrivare a quella fotografia?

Siamo a Castelvetrano, in provincia di Trapani. È il 5 luglio 1950 e sono le 3,15 della mattina.

Sulla strada scendono tre uomini che non sanno di essere attesi dai carabinieri appostati nei dintorni. Uno è davanti, con le scarpe in mano, e gli altri due stanno dietro. Poi un carabiniere si muove, uno degli uomini se ne accorge, è armato e spara. I carabinieri reagiscono e sparano anche loro. Quello senza le scarpe scappa, gli altri due si fanno strada a colpi di mitra. Uno riesce a sparire nei vicoli di Castelvetrano, ma l'altro no, ha un attimo di esitazione. È a capo scoperto, passa sotto un lampione e i carabinieri lo riconoscono subito: è l'uomo che stanno cercando, il fantasma inafferrabile che da quasi cinque anni sta tenendo sotto scacco le Forze dell'ordine di tutta la Sicilia.

È il bandito Giuliano.

Inquadrato dal fuoco dei mitra, Giuliano fugge verso il cortile di casa De Maria, sparando. Una sparatoria intensa, quaranta colpi esplosi dal bandito e centonovantuno dai carabinieri.

Colpito di fianco da una raffica, poi di fronte, a meno di due metri, da quella di un ufficiale nascosto dietro un pozzo, Giuliano crolla a terra, in mezzo al cortile.

Appena il tempo di emettere un rantolo e muore.

Rapporto numero 213/24 del 9 luglio 1950, indirizzato al Comando forze repressione del banditismo in Sicilia, Gruppo squadriglie centro.

Firmato: capitano dei carabinieri Antonio Perenze, l'ufficiale che stava appostato dietro il pozzo, che ha sparato a Giuliano di fronte.

Ecco, non è vero.

La dinamica raccontata nel rapporto, Giuliano steso a terra ucciso in quel modo: non è vero. Alcuni giornalisti che arrivano sul posto sono i primi ad accorgersi che c'è qualcosa di strano nel cortile di casa De Maria. Tra questi Franco Grasso, che allora dirigeva la cronaca del giornale «La Voce della Sicilia».

> Il professor Grasso. Dice: «Giunsi in ritardo poiché la mia macchina si era guastata. Assistetti per un momento ai brindisi dei miei colleghi, avendo già in mente che la versione poteva essere falsa. Un fornaio che lavorava di notte mi disse che aveva prima sentito un colpo isolato e dopo una mezz'ora una tempesta di colpi».

Non torna. Poco prima dell'azione, i carabinieri hanno fatto allontanare due fornai in attesa che il pane lievitasse, e la loro versione sul conflitto a fuoco è diversa.

Basterebbe guardare la fotografia.

Il bandito Giuliano è a terra, morto. Indossa i calzoni con la cintura che ha saltato due passanti, come se gli fosse stata infilata da qualcuno. Un particolare poco visibile e comunque neppure molto importante, certo.

I sandali, allora... sono calzati, ma ce n'è uno slacciato. Un particolare, anche questo, neppure cosí univoco. Può voler dire tutto, e non solo che il corpo di Giuliano è stato manipolato.

Ma la canottiera no. Quella è davvero strana.

Perché il bandito Giuliano dovrebbe essere stato colpito al torace e dovrebbe essere caduto a terra, in avanti, sulla pancia, dove sarebbe rimasto disteso per molto tempo, senza essere toccato da nessuno.

Ma il sangue che uscendo delle ferite ha intriso la canottiera è sulla schiena. Cos'ha fatto, il sangue? È colato verso l'alto? Invece di scendere giú e trovarsi sulla pancia di Giuliano è salito su, impregnando la schiena?

> Il professor Grasso. Dice: «Sempre meno convinto della versione ufficiale, mi recai all'obitorio e mi accorsi che l'unica ferita da cui usciva il

sangue già rappreso era sotto l'ascella sinistra, mentre tutte le altre ferite erano prive di qualsiasi traccia di sangue, come se fossero state inferte a un corpo già cadavere. Lo dissi a Del Carpio e mi rispose: segreto istruttorio. Ma con un cenno della testa mi sembrò che approvasse la mia versione».

Non torna, non funziona, una bugia. La fotografia, cosí esplicita e cosí famosa, dimostra soltanto una cosa. Proprio come dice il titolo di un articolo di Tommaso Besozzi che uscí sull'«Europeo» il 16 luglio dello stesso anno, e che rimase nella storia del giornalismo investigativo: *Di sicuro c'è soltanto che è morto.*

Un filmato in bianco e nero riprende il corpo di Salvatore Giuliano trasportato su una barella di legno. Giuliano indossa solo i pantaloni e ha un fazzoletto sotto la nuca per tenergli ferma la testa. Gli occhi sono chiusi e la bocca è leggermente aperta, si vedono i denti. Alcuni militari si aggirano nel cortile della presunta sparatoria. Qualcuno accende una sigaretta.

Se tutto questo non è vero, allora che cosa è successo nel cortile di casa De Maria quella notte? Come è morto il bandito Giuliano? Come si è arrivati alla fotografia? E alla fine, chi era davvero Giuliano e qual è la sua storia? Ecco, attenzione, perché anche qui, di bugie, ce ne sono molte.

Il professor Francesco Renda, storico. Dice: «Su Giuliano sono state pubblicate finora ben trentasei biografie. Per cui la leggenda Giuliano è una leggenda che ha una larga popolarità e una attualità, perché queste trentasei biografie non sono di cinquant'anni fa, sono biografie di questi ultimi anni. Tuttavia, nonostante questa leggenda, questa fama, di Giuliano praticamente non si conosce nulla».

Per raccontare la storia di Salvatore Giuliano bisogna tornare indietro nel tempo, alla Sicilia dell'immediato dopoguerra. La Sicilia viene liberata nel 1943, quando gli Alleati sbarcano sull'isola e la conquistano rapidamente. Per agevolare lo sbarco, gli Americani hanno preso contatto con la mafia locale attraverso un noto boss di New York, Lucky Luciano. La mafia appoggia gli Americani e stabilisce con loro strette relazioni, tanto che, dopo la liberazione della Sicilia, la protezione degli Alleati porta noti mafiosi a capo delle amministrazioni locali, come don Calogero Vizzini, che diventa sindaco di Villalba, o Genco Russo, che diventa sindaco di Mussomeli.

I mafiosi siciliani hanno rapporti con l'Oss, il Servizio segreto americano. Tra i collaboratori dell'Oss c'è anche un giovane aspirante avvocato di nome Michele Sindona. Ma questa è un'altra storia.

È nella Sicilia liberata che Salvatore Giuliano diventa un bandito.

È il 2 settembre 1943 e sono le cinque di sera. Giuliano ha ventuno anni, e da uno almeno fa la borsa nera del grano assieme al fratello Giuseppe. A quei tempi, in Sicilia, si muore di fame. La legge impone che il grano e i generi di prima necessità vengano portati all'ammasso, in depositi comuni, dove debbono essere venduti a prezzi controllati, per esempio tre lire e sessanta centesimi per un chilo di pane. Ma chi ha il grano non ci sta e preferisce venderlo sottobanco – a «borsa nera», come si dice comunemente – o «fare l'intrallazzo» – come si dice nell'isola –, sia i grandi speculatori, protetti dalla mafia e da corrotti amministratori alleati, sia i piccoli mercanti clandestini, che possono rivendere quel chilo di pane a quaranta lire, quando lo stipendio di un operaio è di milleduecento lire al mese.

Giuliano è uno di questi. All'altezza della frazione di Quarto Mulino, incontra un posto di blocco nascosto in un boschetto di vimini. Giuliano si ferma e consegna i documenti, pronto a farsi sequestrare il carico. Ma i carabinieri vogliono di piú, vogliono sapere chi gliel'ha venduto. Poi, il passaggio di un altro borsanerista, un «intrallazzatore», li distrae, e Giuliano cerca di scappare. L'appuntato Antonio Mancino, che lo sta tenendo sotto il tiro del fucile, spara, ferendolo a un fianco e facendolo cadere a terra. Giuliano è armato. Ha una pistola calibro nove che un soldato iugoslavo gli ha venduto per un fiasco di vino, e spara al carabiniere.

L'appuntato Mancino, colpito al cuore, muore sul colpo.

E Salvatore Giuliano diventa un bandito.

Ferito, Giuliano si nasconde nel paese di Borgetto e da lí viene portato in una grotta sulle montagne sopra Montelepre. Non può tornare a casa perché ha lasciato la carta d'identità al posto di blocco. È un latitante, accusato dell'omicidio di un carabiniere.

L'appuntato Mancino è soltanto il primo. Tre mesi dopo, a Natale, i carabinieri fanno irruzione a casa sua, a Montelepre, avvertiti da una spia. Lo mancano per un pelo, ma arrestano i maschi della sua famiglia e li portano via su un autocarro. Giuliano si apposta sulla strada e spara contro il camion dell'Arma. Uccide il tenente Gualtieri, poi si sposta da un'altra parte e spara ancora, ferendo tre militi, che racconteranno di essere stati sotto il fuoco di almeno dieci persone.

È quasi un'azione militare. All'improvviso, da bandito, Salvatore Giuliano è diventato un guerrigliero.

Manca poco per diventare un capobanda. Travestito da contadino, Giuliano si nasconde a Monreale, dove si trova il carcere in cui è rinchiusa parte della sua famiglia. È facile organizzare un'evasione, basta far entrare in prigione una lima e un pezzo di corda. Giuliano ci riesce. Nella notte tra il 30 e il 31 gennaio 1944, evadono dodici persone.

È il primo nucleo della banda Giuliano. Il primo passo della leggenda.

> Il professor Renda. Dice: «Dopo lo scontro avuto con i carabinieri il 2 settembre del 1943, Giuliano si dà alla macchia. Poi organizza la banda e quindi svolge la sua opera di bandito, ed è in questo periodo che compie una serie di atti che acclarano la fama del bandito che ruba ai ricchi e concede ai poveri. Un Robin Hood, diciamo, di carattere piuttosto casereccio».

La banda di Giuliano è formata da una decina di effettivi, detti «i grandi», tutti latitanti, affiancati da una quarantina di «picciotti» reclutati di volta in volta per ogni azione, e che essendo incensurati vivono regolarmente in paese. Il capo assoluto e indiscusso, pena la morte, è lui, salvatore Giuliano. Tra i suoi luogotenenti ce n'è uno che si chiama Gaspare Pisciotta. Ricordiamocelo, perché sarà importante.

I colpi avvengono tra Montelepre, San Giuseppe Jato, Alcamo e Castellammare: furti di bestiame, rapine, estorsioni, sequestri di persona.

È una banda efficiente, quella di Giuliano. Forte, veloce e imprendibile. Qualcuno finisce per notarla. Quasi da subito.

Il professor Renda. Dice: «Nel maggio 1945 Giuliano viene reclutato dal Movimento separatista, diventa colonnello dell'Esercito per l'indipendenza della Sicilia e quindi inizia quella che avrebbe dovuto essere la guerra civile organizzata dai separatisti. C'è da dire che Giuliano questa parte la svolse anche con notevole efficacia e perizia».

Il Movimento separatista è attivo in Sicilia fin dal 1943. Prima come Movimento Sicilia e libertà, poi come Movimento per l'indipendenza della Sicilia, conta almeno cinquecentomila iscritti ed è protetto dagli agrari, dalla nobiltà latifondista e dagli Americani. Lo scopo è di separare la Sicilia dall'Italia rendendola indipendente o unendola addirittura agli Stati Uniti, come «quarantanovesima stella della bandiera americana».

Dal maggio 1945 il separatismo ha anche un esercito clandestino, l'Evis, di cui Giuliano entra a far parte con la sua banda, con il grado di colonnello. È la seconda fase della sua storia.

C'è un altro filmato in bianco e nero, realizzato dalla televisione. È un'intervista. Mariannina Giuliano è seduta su un divano marrone, tra due cuscini rotondi e vistosamente colorati. Indossa un maglione bianco con una grande rosa rossa. Dice: «Guardi, mio fratello Salvatore Giuliano ha preso contatti con il Movimento del separatismo nel 1945, e subito dopo sono andata a trovarlo di nuovo e c'hanno portato i gradi di comandante dell'Ente, i distintivi e le divise, e armi, munizioni, insomma...»

La guerra di Giuliano contro l'Italia provoca centosei morti tra le Forze dell'ordine: quattro soldati dell'Esercito, ottantuno carabinieri e ventuno poliziotti. È una guerra, fatta di assalti alle caserme e imboscate.

Come quella di Bellolampo: Giuliano attacca la caserma dei carabinieri del paese, ma è solo un diversivo. Da Palermo parte una colonna di soccorso; quando arriva, Giuliano è già scomparso. È andato a minare la strada, e appena i carabinieri la percorrono per tornare a Palermo, il camion di testa salta su una mina. Sei morti e dodici feriti gravissimi.

O come quando la polizia marcia su Montelepre con quattrocentocinquantotto uomini, per un rastrellamento, e Giuliano attacca una delle colonne in movimento, provocando una decina di morti.

Mariannina Giuliano, tra i cuscini rotondi. Dice: «Mio fratello agiva politicamente e sempre con la bandiera gialla e rossa, sempre a scopi politici. E voglio precisare una cosa: tutti gli omicidi che la polizia attribuiva a mio fratello, che mio fratello assassinava i carabinieri senza motivo... non è niente vero! Se ci sono state perdite nei carabinieri è stato semplicemente nella lotta del separatismo. Perché giustamente è stata una guerra. Anche da parte di mio fratello ci sono state perdite di uomini. Quindi lei mi insegna che quando c'è una guerra, le perdite ci sono sia da una parte che dall'altra... ma sempre a scopo politico!»

Contro il banditismo, contro l'esercito separatista e contro Giuliano in particolare, lo Stato manda i suoi uomini. Viene istituito l'Ispettorato generale di pubblica sicurezza per il coordinamento delle operazioni di polizia e carabinieri in Sicilia, diretto prima dall'ispettore Ettore Messana, poi, dopo vari successori, da Ciro Verdiani.

Ma l'Ispettorato non ottiene risultati, cosí il comando delle operazioni contro il banditismo passa ai carabinieri. Sarà una concorrenza, quella tra polizia e carabinieri, che segnerà tutta la lotta alla banda Giuliano, con reciproci depistaggi, ostacoli e azioni che bruciano informatori dell'una e dell'altra parte.

Intanto viene creato il Cfrb, Corpo forze repressione banditismo, agli ordini del colonnello Ugo Luca. Ventisei ufficiali dei carabinieri e sedici di pubblica sicurezza, millecinquecento carabinieri e cinquecento poliziotti. Quattromila chilometri quadrati vengono divisi in settanta sottozone, presidiate da squadriglie e comandi intermedi. È una guerra.

Il colonnello Luca ha i suoi uomini: il capitano Antonio Perenze, il tenente colonnello Giacinto Paolantoni e il maresciallo Giovanni Lo Bianco. Molti di questi vengono dai Servizi segreti del tempo di guerra, e hanno esperienza di lotta al banditismo in Libia e in Etiopia, quando erano colonie dell'Italia fascista.

È una guerra. Poi, l'occupazione del territorio da parte delle Forze dell'ordine dello Stato, i risultati militari, l'evoluzione democratica della Sicilia, ma soprattutto la concessione dell'autonomia alla regione Sicilia, tolgono spazio politico e militare al separatismo.

> Il professor Renda. Dice: «Nel marzo-aprile 1946, il Movimento separatista accettò di rifiutare la richiesta indipendentista. Sciolse l'esercito per l'indipendenza della Sicilia e volle essere accolto come partito legale che partecipasse alle elezioni. Sulla base di questa intesa, il Governo si impegnò a concedere l'amnistia, che fu poi l'amnistia Togliatti. Però di questa amnistia si giovarono soltanto i capi separatisti, anche quelli che avevano fatto azioni di banditismo. Mentre ne venne escluso Giuliano con la sua banda, in quanto avevano commesso delitti contro l'Esercito, i carabinieri e la polizia. Da quel momento comincia un'altra fase. Non ha piú rapporti con il movimento separatista. In qualche modo fu tradito. Giuliano entra nei misteri del terrorismo agrario mafioso».

C'è qualcun altro che ha messo gli occhi su Salvatore Giuliano, e lo ha fatto fin dal 1943, quando era un giovane bandito furbo e intraprendente che aveva organizzato l'evasione di dodici persone dal carcere di Monreale.

È la mafia. Uomini come don Calogero Vizzini, Genco Russo, Michele Navarra, Vanni Sacco. Senza la protezione della mafia, senza la sicurezza di movimento che questa poteva assicurargli, Salvatore non sarebbe mai potuto diventare quello che era: il bandito Giuliano, uno dei banditi piú famosi del mondo.

Giovane, bello, dotato di un fascino rustico e selvaggio, intelligente, Salvatore Giuliano diviene presto una leggenda. Ricercato da migliaia di poliziotti e di carabinieri che battono incessantemente il territorio, riceve giornalisti e visitatori nella sua grotta sulle montagne di Montelepre, si fa fotografare in posa e intervistare. Una giornalista svedese, Maria Cyliacus, resta affascinata da lui dopo un incontro e non vorrebbe andarsene piú dalla Sicilia, finché non viene ufficialmente espulsa.

C'è un film di repertorio. Si vedono alcuni banditi che passeggiano su una collina. Si vede Salvatore Giuliano che mette in bocca un pezzo di formaggio. Si avvicina a una casetta di mattoni dalla cui soglia un suo uomo scruta l'orizzonte con un binocolo. Salvatore sorride e mette un altro pezzo di formaggio in bocca. Si vede poi la giornalista svedese, bella e sorridente, con un cappotto posato sulle spalle e una borsetta tra le mani. È scortata dai carabinieri. La accompagnano e la fanno salire su una camionetta. Prima che il filmato venga interrotto, ha il tempo di girarsi verso la telecamera e sorridere di nuovo.

Non vanno solo le giornaliste sensibili al fascino erotico del maschio italiano a trovare Giuliano in montagna. Un giornalista americano, uno strano giornalista, intervista il bandito indossando una divisa da ufficiale dell'Esercito americano. Mike Stern, si chiama.

Stern dedica a Giuliano un servizio a puntate sulla rivista «True», che lo lancia negli Stati Uniti come una star.

Il professor Giuseppe Casarrubea. Presidente dell'Associazione vittime Portella della Ginestra. Dice: «Giuliano era un personaggio che i giudici di Viterbo definivano megalomane. Cioè era affetto da megalomania. Aveva manie di grandezza. In realtà era un ragazzo, un giovane disorientato, ma carico di violenza che gli veniva trasmessa da altri. A tredici-quattordici anni aveva preso a legnate un suo compagno, lo aveva ridotto in fin di vita, ma nessuno l'aveva denunciato. Durante la latitanza si era messo a scrivere sui sistemi cosmici. Scriveva trattati sull'universo».

Giuliano scrive poesie e si presenta come una specie di giustiziere popolare che aiuta vecchi mendicanti, condanna a morte chi ha rubato a una famiglia povera o ha finto di farlo in suo nome, lasciando sui corpi delle vittime cartelli con su scritto «Giuliano non deruba i poveri» o «Giustiziato in nome di Dio e della Sicilia».

Una specie di Robin Hood, appunto, costruito attraverso episodi non controllabili, contraddetti da azioni criminali che porteranno a un conto di quarantadue vittime civili.

Un'immagine che comunque si infrange definitivamente a Portella della Ginestra.

Le elezioni regionali del 1947 segnano una netta vittoria della Sinistra socialcomunista, il «Blocco del popolo», sulla Dc, sui monarchici e sui separatisti. È un momento particolare della vita politica siciliana. Il movimento di occupazione delle terre, la riforma agraria, le lotte sindacali stanno mettendo in crisi la grande proprietà e il latifondo, ed è proprio nelle campagne dominate dai grandi proprietari agrari e dalla mafia dei latifondi che lo scontro è piú duro.

È un periodo di imponenti manifestazioni, e a Portella della Ginestra la festa del Primo maggio è una tradizione interrotta soltanto dal fascismo. È un'ottima occasione per riprenderla, a maggior ragione quel primo maggio del 1947, con quei risultati elettorali.

Nella piana di Portella, alle 9,30, c'è tantissima gente, arrivata lí fin dalle sette del mattino. All'inizio, chi sente le esplosioni, proprio sulle prime parole dell'oratore, pensa a dei mortaretti e applaude. Poi, all'improvviso, Vito Alliota, un sindacalista che sta sul palco, crolla a terra. Ci sono anche alcuni muli che si piegano all'improvviso sulle zampe, un bambino che cade, una donna che si ritrova il vestito sporco di sangue.

Non sono mortaretti, stanno sparando.

Stanno sparando sulla gente.

È una strage. Quando cessano gli spari, sul prato di Portella della Ginestra restano dodici morti, tra cui un bambino di dodici e uno di sette anni, e trentatre feriti.

Una strage.

A sparare sono stati Giuliano e la sua banda. Si sono appostati dalla notte prima sul Pelavet, la montagna di fronte alla piana, armati di moschetti modello 91, fucili automatici americani e un fucile mitragliatore Breda col treppiede, armi da guerra, in grado di sparare fino alla piana di Portella. Si sono riuniti con un'altra frazione della banda formata da Salvatore Ferreri, detto Fra' Diavolo, personaggio importante, ricordiamocelo, e i fratelli Pianello, armati di mitra Beretta calibro 9.

Quattro cacciatori che si sono spinti fino al Pelavet quella mattina vengono sequestrati dai banditi. – Se qualcuno vi dovesse chiedere chi ha sparato a Portella, dite che erano cinquecento, – ordina Giuliano ai cacciatori prima di rilasciarli. C'è un altro testimone, invece, che deve aver visto troppo, e viene buttato in un pozzo.

Visto troppo. Ma cosa? Sí, perché anche nella ricostruzione della strage di Portella della Ginestra ci sono molti punti oscuri. Molte bugie.

Ci sono movimenti strani, prima della strage. Nei tre giorni precedenti, nella masseria Kaggio – di proprietà di un capomafia della zona, Giuseppe Troia – c'è stata una riunione. Di che cosa si è parlato, nella riunione? Di «estagli», diranno i partecipanti, ma gli estagli, gli accordi fra i padroni e i mezzadri, non si fanno in quella stagione. Di che cosa si è parlato, allora? Della pianificazione della strage, ipotizza la polizia.

> Il professor Casarrubea. Dice: «Alcuni giorni prima della strage, i mafiosi e i gabellotti della Piana degli Albanesi si mettono a raccogliere soldi e raccolgono una notevole quantità di denaro. Dicono, una volta sentiti dai giudici, che questo era accaduto per la festa di San Giorgio. In realtà non era mai successo che personaggi di un certo tipo, di un certo rilievo, fossero mobilitati a pressare i proprietari per il versamento di quote ingenti di denaro per una festa patronale. I dubbi che vennero allora, ma che non furono poi presi in considerazione dai giudici, furono che con quei soldi si dovevano comperare armi».

C'è un altro episodio, ancora piú strano. Due giorni prima della strage, Giuliano e i suoi sono accampati nella masseria dei fratelli Genovese. Arriva Pasquale Sciortino, il cognato di Giuliano, con una lettera della madre del bandito. Giuliano si mette in un angolo, la legge attentamente, poi la brucia con un fiammifero. Chiama gli altri e annuncia: – È giunta l'ora della nostra liberazione –. Cosa c'era nella lettera? La promessa di un'amnistia se Giuliano avesse compiuto la strage? O soltanto, come dirà la madre di Giuliano, i saluti di amici che stavano in America? Il maresciallo Lo Bianco, che allora era uno degli investigatori di punta del gruppo del colonnello Luca, ha un'altra idea.

Il maresciallo Giovanni Lo Bianco. Vecchissimo, magrissimo, porge l'orecchio sinistro per ascoltare meglio le domande. Seduto, si appoggia al bastone. Dice: «Giuliano doveva naturalmente dimostrare il suo prestigio verso coloro che spingeva ad ammazzare delle vittime innocenti. Disse che era venuto il momento della loro liberazione, e per questo bisognava andare a sparare contro i comunisti. Facendo pensare che qualcuno, proprio per lettera, lo avesse autorizzato a commettere la strage».

Qualunque cosa ci fosse nel biglietto, non è l'unico mistero. Anche la dinamica della strage resta ancora da definire. C'era davvero solo la banda di Giuliano sulla montagna davanti a Portella della Ginestra? La ricostruzione ufficiale indica un punto di fuoco. Ma lí sono stati ritrovati soltanto i bossoli calibro 6.05 del mitragliatore Breda di Giuliano, oltre a quelli dei moschetti 91 e dei fucili automatici di marca americana. È davvero l'unico punto di fuoco?

Il professor Casarrubea. Dice: «Abbiamo fatto sottoporre i feriti, i superstiti ancora viventi a delle indagini da parte dei medici legali del policlinico di Palermo, e abbiamo scoperto, con nostra sorpresa, che uno dei membri dell'Associazione delle vittime ha ancora conficcato in un muscolo del torace il proiettile del mitra che lo colpí il primo maggio a Portella della Ginestra. Un proiettile calibro 9. Giuliano sparava col mitra Breda 6.05. Era presente e sparò, non sappiamo quanti morti abbia fatto, ma almeno il colpo che ha attinto questo nostro socio era di un mitra calibro 9. Con tutta probabilità era il colpo partito dall'arma di Ferreri, che, dicono i giudici, era presente a Portella della Ginestra in quel momento».

Ci sono testimoni che parlano di colpi provenienti da altri punti, da un canalone, per esempio, sotto il Pelavet, dove molto tempo dopo, nel 1997, è stato ritrovato un caricatore di mitra calibro 9. Esistono ancora due posizioni: una sul monte Kumeta, davanti al Pelavet, l'altra su alcuni roccioni in direzione opposta a Piana degli Albanesi. Roccioni che si raggiungono con una strada che porta proprio alla masseria Kaggio, dove si era svolto il raduno.

C'era davvero soltanto la banda Giuliano a sparare a Portella della Ginestra?

Il professor Casarrubea. Dice: «Ci fu una serie di fatti piuttosto evidenti che potevano dimostrare, e dimostravano, e certamente dimostrano, anche se a distanza di tempo, la presenza della mafia nel contesto stragistico come elemento forte, determinante, senza il quale il controllo del territorio non si sarebbe potuto avere. Ad esempio: una serie di testimoni che avevano visto i capimafia dei comuni di Piana, San Giuseppe e San Cipirrello presenti sul posto».

Quella di Portella non è l'unica strage compiuta da Giuliano ai danni di associazioni di contadini e partiti politici della Sinistra. E non sarebbe la prima volta che la mafia interviene per eliminare sindacalisti scomodi in anni come quelli, di riforma agraria e ridistribuzione delle terre. C'è la storia di Placido Rizzotto, per esempio, segretario della Camera del lavoro di Corleone, ucciso da Luciano Liggio. In quel periodo è una strage continua di sindacalisti e militanti di sinistra.

Il professor Casarrubea. Dice: «Dopo Portella della Ginestra avvennero nuovi eccidi nella provincia di Palermo. A Partinico fu aperto il fuoco contro la Camera del lavoro, che funzionava allora anche come sede del Partito comunista italiano. Furono prese d'assalto pure le sedi di sinistra dei comuni di Borgetto, Monreale, Cinisi, San Giuseppe, San Cipirrello, Terrasini. Quindi una manovra eversiva ad ampio raggio che provocò anche questa volta morti e decine di feriti».

La banda Giuliano che spara a Portella assieme alla mafia per colpire i contadini che si stanno organizzando dopo la vittoria elettorale. Sparare per terrorizzare e disorganizzare, magari provocando reazioni autoritarie. È per questo che c'è stata la strage di Portella della Ginestra?

Forse Giuliano ha agito assieme alla mafia per conto di mandanti politici che vogliono sfruttare il terrore contro contadini e sindacalisti. E nella lettera che ha ricevuto dalla madre ci sarebbe scritto proprio questo: amnistia, benefici, in cambio di un'azione militare.

O forse Giuliano ha sparato contro i comunisti perché non lo lasciavano passare sulle loro terre, come dice il maresciallo Lo Bianco, e la lettera è solo un foglio candido.

Non è l'unico mistero che resta nella storia di Giuliano. Anzi, da questo momento i misteri si fanno piú densi.

Per esempio, quello di Salvatore Ferreri, «Fra' Diavolo».

È un tipo strano, Fra' Diavolo. Giovane, elegante, bello come un attore del cinema, è uno dei primi luogotenenti di Giuliano, con lui fin dal 1944, e ha sulle spalle tredici omicidi tra carabinieri, poliziotti e militari. Dopo il fallimento dell'avventura separatista se ne va Firenze, dove sembra essersi dimenticato di tutto, della Sicilia, della vita da bandito, di Giuliano. L'ispettore Messana, dell'Ispettorato generale di pubblica sicurezza, sa dove si trova e potrebbe arrestarlo, invece contatta il padre di Ferreri perché convinca Fra' Diavolo a diventare un suo informatore. Ed è cosí, nella veste di informatore della polizia, che Fra' Diavolo rientra nella banda di Giuliano e partecipa ad azioni come la strage di Portella della Ginestra.

Ma Fra' Diavolo è anche una delle prime vittime della strana sfortuna che perseguita Giuliano e i suoi subito dopo l'eccidio. Da quel momento, i carabinieri del colonnello Luca mettono a segno una serie di colpi che piano piano smantellano la banda.

Fortuna? Oppure il frutto di un lavoro ben fatto?

> Il professor Casarrubea. Dice: «Dopo le stragi, immediatamente succede un processo di rimozione dei testimoni. L'ultima strage si ha il 22 giugno del '47, il 26 giugno cadono una decina di uomini della banda Giuliano. Cinque sono quelli che fanno capo a Ferreri, e sono testimoni di primo piano. Cadono d'un colpo in un conflitto a fuoco che in cinquant'anni ha sempre suscitato le curiosità, le perplessità di quanti se ne sono occupati».

Sorpresi per strada grazie alla soffiata di un confidente, i banditi vengono uccisi dai carabinieri. Fra' Diavolo viene catturato vivo e portato in caserma. Lí perde la testa, salta addosso al capitano Giallombardo e gli sfila la pistola d'ordinanza dalla cintura. Ma c'è la sicura, e il capitano fa in tempo a prendere una Beretta 6.35 e a ucciderlo con due colpi alla fronte.

Però c'è qualcosa che non torna.

In realtà, l'azione che porta alla cattura di Fra' Diavolo sembra piú un'imboscata che una cattura. I carabinieri sono appostati in vari punti della strada e sparano da tutte le parti sul gruppo dei banditi, che vengono falciati da un tiro incrociato. Tra i morti c'è anche il padre di Fra' Diavolo, che aveva trattato con l'ispettore Messana il ruolo di informatore del figlio. Addosso all'uomo viene ritrovato un regolare porto d'armi, rilasciato dalla Questura di Trapani poco tempo prima. I fratelli Pianello, che fanno parte della banda, erano invece confidenti del tenente colonnello Paolantonio, in questo strano e complesso gioco di agenti doppi e tripli tra polizia e carabinieri.

Fra' Diavolo, ferito, viene scovato nascosto sulla soglia di un magazzino. Al momento dell'arresto dice subito di essere un agente segreto dell'ispettore Messana e mostra una tessera di riconoscimento intestata a un carabiniere, l'autista del tenente colonnello Paolantonio. Dice di voler parlare con l'ispettore Messana e di avere importanti informazioni che possono portare alla cattura di Giuliano. Poi viene condotto in caserma, e lí succede quello che ha raccontato l'allora capitano Giallombardo.

La strana sfortuna che perseguita la banda di Giuliano non si ferma con Fra' Diavolo e il suo gruppo. Il colonnello Luca, il capitano Antonio Perenze, il colonnello Paolantonio e soprattutto il maresciallo Lo Bianco mettono a segno altri arresti. Il maresciallo inizia una sottile opera di convincimento nei confronti di un mafioso che ha stretti contatti con Giuliano e i suoi: Benedetto Minasola.

> Il maresciallo Lo Bianco. Dice: «Minasola finí col dirmi: senti, io ci tenterò, ma bada che ci andrà di mezzo la mia vita e anche la tua. Io comunque mi dimostrai disponibile».

All'improvviso sembra che la mafia non abbia piú interesse a proteggere Giuliano, anzi, sembra proprio che lo molli. Perché? Perché non serve piú? Perché da questo momento può essere soltanto un pericolo?

In ogni caso l'accordo con Nitto Minasola funziona. Contatta alcuni dei componenti della banda, dice loro che Giuliano gli vuole parlare, e quando arrivano li consegna al maresciallo Lo Bianco, che si finge un amico. A cadere in trappola sono Frank Mannino, Titti Madonia e Nunzio Badalamenti, che vengono fatti nascondere dentro ceste di vimini. Credono di andare da Giuliano, invece quando si aprono i coperchi si trovano circondati dai carabinieri.

Ma il vero obiettivo è Giuliano.

E Giuliano arriva.

Insospettito dalla scomparsa dei suoi complici, Giuliano fa chiamare Minasola. A convocarlo manda uno dei suoi uomini migliori, il cugino Gaspare Pisciotta. Pisciotta porta Minasola da Giuliano, che lo interroga e scopre il tradimento. Minasola glielo dice chiaramente, a mollarlo sono stati i fratelli Miceli, i mafiosi da cui lui dipende.

Giuliano lascia Minasola nelle mani di Pisciotta, che dovrà ucciderlo. Ma appena rimangono da soli, Minasola parla a Pisciotta.

Gli dice che ormai è finita e gli offre una via d'uscita: incontrarsi con il maresciallo Lo Bianco. Pisciotta accetta. I carabinieri gli forniscono un falso lasciapassare a firma del ministro degli Interni, falsa anche quella, naturalmente. Il capitano Perenze lo prende sotto la sua diretta protezione, lo ospita in casa e lo porta anche dal dottore, perché Pisciotta soffre di tubercolosi.

L'obiettivo è Giuliano. I carabinieri vogliono che Pisciotta li porti da lui.

Poi, all'improvviso, il colonnello Luca annuncia ai suoi collaboratori che il bandito Giuliano ha soltanto trentasei ore di libertà.

Il maresciallo Lo Bianco. Dice: «Luca aveva una preoccupazione, quella di essere il protagonista assoluto della fine di Giuliano. Quando prese gli accordi con Pisciotta, dopo aver messo da parte me, continuò lui a trattare con Pisciotta su come poter arrivare alla cattura di Giuliano... gestirono loro tutta l'operazione».

Il colonnello Luca scarica Paolantonio, e Lo Bianco li esclude dall'operazione. Si affida soltanto al capitano Perenze.

Pisciotta porta il capitano Perenze e alcuni carabinieri a Castelvetrano, dove è nascosto Giuliano. Ma non li porta direttamente a casa dell'avvocato De Maria: li fa fermare alla villa comunale, perché, dice, i rifugi possono essere due, e se si sbaglia Giuliano scappa.

Il capitano lascia andare Pisciotta e lo attende, con preoccupazione crescente. Il tempo passa. Sono le quattro di mattina, comincia ad albeggiare e Pisciotta non si vede. Poi, all'improvviso, eccolo, senza scarpe e con una pistola in mano. Ho dovuto sparare a Giuliano, dice al capitano Perenze.

La versione ufficiale è un'altra, ma quella, ormai lo sappiamo, è falsa, come ammetteranno in seguito gli stessi carabinieri. È una bugia, una delle tante.

Cosa è successo realmente in quelle ore? Come è morto il bandito Giuliano? E chi lo ha ucciso?

Sulla sua morte ci sono sedici versioni diverse. Alcune di queste sono in profonda contraddizione, anche se ufficializzate da atti giudiziari. C'è chi dice che non sia morto lí, ma a villa Carolina, a piú di cento chilometri di distanza. C'è chi dice che a ucciderlo sia stato Luciano Liggio.

> Il maresciallo Lo Bianco. Si accalora, le mani che serrano il bastone, stacca la bocca che poggiava sulle dita. Dice, grida: «Minchiate! No, assolutamente! È morto a Castelvetrano! Non dicano balle, per cortesia. Sono tutte invenzioni, invenzioni... permettetemi, anche giornalistiche».

C'è una versione forse piú probabile delle altre.

La sera del 4 luglio Giuliano cena a casa dell'avvocato De Maria, dove ha trovato rifugio dai rastrellamenti dei carabinieri. Cena con pane, olive e formaggio, e beve un bicchiere di vino con un mafioso, Giuseppe Marotta. Verso le undici arriva anche Pisciotta, che ha lasciato i carabinieri davanti alla villa comunale. Pisciotta parla con Giuliano, che sa della sua collaborazione con i carabinieri. È stato lo stesso ispettore Verdiani a rivelarglielo con una lettera. Pisciotta nega tutto. Poi?

Seguito da Pisciotta, Giuliano va a letto. Il suo vino è stato drogato, e piomba in un sonno profondo. Pisciotta fa entrare un altro mafioso, Nunzio Badalamenti, e insieme si mettono a frugare per recuperare le carte del bandito. In quei giorni Giuliano ha scritto molto e ha messo tutto in un portacarte. Poi?

Qualcuno gli spara. Pisciotta dice di essere stato lui. Ma è cosí?

Il professor Casarrubea. Dice: «Recentemente l'avvocato De Maria, intervistato da un settimanale italiano, ha detto testualmente che a un certo punto della notte si presenta a lui Pisciotta, il quale gli dice: avvocato, stanno sparando. Ora, non è possibile che Pisciotta potesse avere ucciso Giuliano. È chiaro che non può essere contemporaneamente presente anche in un altro luogo. Perché Pisciotta si carica anche dell'omicidio di Giuliano? Quali vantaggi ne poteva avere? Allora dobbiamo sapere che presso il ministero dell'Interno esisteva un fascicolo che aveva il numero 29/s, anno 1950, che portava questa intestazione: *Dichiarazione di Pisciotta sull'uccisione di Giuliano*. Questo fascicolo è scomparso».

Chiunque sia stato, Pisciotta scappa dai carabinieri che lo attendono davanti alla villa comunale, e si allontana con una 1100. Le carte di Giuliano, misteriosamente, scompaiono. Il capitano Perenze corre a casa De Maria e trova Giuliano morto sul letto. Dopo averlo fatto rivestire alla meglio, lo fa portare fuori e gli scarica addosso una raffica di mitra. Poi il capitano Perenze confeziona la versione ufficiale, che in seguito ritratta. E i documenti di Giuliano?

Il maresciallo Lo Bianco. Dice, grida: «Tutte fantasticherie! Giuliano non fece mai un memoriale. Sono state stampate tante pagine di giornale di tutte le estrazioni. È tutto falso. Non è vero. Assolutamente».

Dopo la morte di Giuliano il Corpo forze repressione banditismo si scioglie, come se la banda Giuliano fosse l'unico problema criminale della Sicilia di quegli anni.

Con Salvatore Giuliano se ne va uno dei protagonisti principali di questa storia. Si poteva prenderlo vivo, dirà il maresciallo Lo Bianco. Forse era meglio che fosse morto, almeno per chi lo ha consegnato ai carabinieri. Giuliano era a conoscenza di molti segreti.

Ma Salvatore Giuliano non è l'unico testimone di questa storia e dei segreti che hanno portato alla sua cattura. Ce n'è un altro, Gaspare Pisciotta.

Dopo la morte di Giuliano, Pisciotta resta sotto la protezione dei carabinieri. Viene portato a Roma, dove incontra anche alcuni uomini politici e tratta per la propria immunità. Poi torna a Montelepre, dove ha la famiglia e la fidanzata. Ufficialmente è sempre un latitante. I carabinieri non lo cercano ma la polizia sí. Il questore di Palermo va personalmente ad arrestarlo. Pisciotta si nasconde in una botola ma la sua tosse da tubercolotico lo tradisce.

Il processo per la strage di Portella della Ginestra si tiene a Viterbo nel 1952.

Durante il processo, Pisciotta parla. Dice frasi inquietanti come «Siamo un corpo solo, banditi, mafia e polizia!», poi indica come mandanti della strage di Portella i deputati monarchici Gianfranco Alliata, Tommaso Leone Marchesano e Giacomo Cusano Geloso, oltre a parlare di coperture dell'onorevole democristiano Bernardo Mattarella. Ma sono affermazioni contraddittorie, e il processo a questi deputati verrà archiviato in istruttoria dal tribunale di Palermo.

Il processo di Viterbo alla banda Giuliano si conclude il 3 maggio con dodici ergastoli, quasi tutti confermati dalla sentenza d'appello.

Dice alcune cose, la sentenza. Dice: «Si può sicuramente affermare che tra la mafia e Giuliano vi fu un legame costante determinato da una convergenza di interessi di cui il capo bandito fu portatore». E per quanto riguarda la strage di Portella della Ginestra, dice: «È chiaro che la spinta fondamentale al delitto va pur sempre cercata nell'interesse a fermare la penetrazione comunista nelle campagne per conservare le vecchie strutture agrarie, interesse che era proprio anche di altri».

Nonostante questo, per la sentenza il movente non fu politico. Dal momento che non si può affermare che tutte le persone presenti a Portella per la festa del Primo maggio fossero lí per motivi politici, quella riunione può essere considerata una festa campestre. E quindi sparare ai contadini, secondo la sentenza, non fu un atto politico.

Per cui, nessun mandante da ricercare. Caso chiuso.

Anche Pisciotta viene condannato all'ergastolo. Si sente tradito, non erano questi i patti. Annuncia che dirà tutto quello che sa al processo d'appello, e intanto si mette a scrivere. Quattordici quaderni di appunti.

Ai primi di febbraio riceve il sostituto procuratore Pietro Scaglione, che ascolta a lungo il bandito. Ma è un colloquio informale, Scaglione non s'è portato dietro il cancelliere e promette di tornare dopo pochi giorni, per verbalizzare.

Non farà in tempo.

9 febbraio 1954, cella numero 4 del carcere dell'Ucciardone di Palermo. Ore 6,30 del mattino. Gaspare Pisciotta si sveglia, chiacchiera col padre, con cui divide la cella, e con la guardia che è venuta a svegliarlo. Poi prende una dose di *Vidalin*, un medicinale molto amaro che gli è stato prescritto il giorno prima per combattere la tubercolosi. E il caffè, secondo un rito consolidato.

Due tazze sotto i beccucci della caffettiera, quella di sinistra per sé e quella di destra per il padre, versandone un po' in una tazza di latta, perché il padre ne vuole meno. Chiede alla guardia se ne vuole un po', ma la guardia rifiuta.

All'improvviso, Pisciotta si sente male.

Prima ancora che arrivi l'infermiere, nella cella di Gaspare Pisciotta ci sono alcuni amici. Sono alcuni componenti della banda Giuliano, e anche quel Giuseppe Marotta che era a casa De Maria quando il bandito venne ucciso. Prendono la bottiglia del *Vidalin* e la conservano in cella, per restituirla piú tardi.

Nel frattempo, in infermeria, Gaspare Pisciotta muore.

Avvelenato dal caffè, con la stricnina, dirà la versione ufficiale.

Ma è vero?

Non è cosí facile bere un caffè con quella dose di stricnina, perché diventa amarissimo. Forse è piú facile bere una medicina già amara di per sé.

Il professor Casarrubea. Dice: «Perché le indagini si sono orientate sul caffè e non sul medicinale? Perché le indagini condotte sulla stricnina nel caffè conducevano a colpevolizzare il padre, che era detenuto in cella con lui. Le indagini sul medicinale, invece, avrebbero condotto a circuiti molto piú ampi. Pisciotta aveva delle relazioni con quasi tutti i personaggi dell'Ucciardone presenti in quel momento lí».

E cosí se ne va anche Pisciotta.

Però ci sono ancora i quattordici quaderni di appunti. Il memoriale di Pisciotta, che avrebbe reso noto in appello.

No, sono spariti anche quelli.

Non si trovano piú.

Qui finisce la storia del bandito Giuliano, che verrà raccontata dai cantastorie di tutta la Sicilia e anche da un bellissimo e ben documentato film di Francesco Rosi del 1961.

Una strana storia. Fatta di stragi, depistaggi e connivenze. Di bugie. E anche di uno strano uso del terrore che già nei primi anni della Repubblica assomiglia a qualcosa che vedremo piú avanti.

Si chiamerà «strategia della tensione», e avrà molti brutti esempi.

Ma quella è un'altra storia.

Wilma Montesi

Questa è la storia di un *giallo italiano*.

Un vero e proprio mistero da romanzo poliziesco, torbido, strano, pieno di incredibili colpi di scena. Uno di quei *gialli* che partono da quello che sembra un piccolo caso di cronaca nera, destinato a occupare poche righe sui giornali e sparire, invece si allarga a macchia d'olio, coinvolge sempre piú persone e arriva sempre piú lontano, come un sasso gettato nell'acqua, lontano e in alto, travolge giornalisti, poliziotti, faccendieri, belle donne e uomini politici, e diventa il primo grande scandalo della Repubblica italiana. È anche la storia di una donna, una donna giovane e bella, il cui ricordo, però, nel caos infernale che ruota attorno alla sua morte, finisce sempre per sparire.

È il 1953.

La Seconda guerra mondiale è finita da meno di dieci anni, e c'è già la Guerra fredda tra Stati Uniti e Unione Sovietica. Stalin è morto quell'anno. In Italia governa la Democrazia cristiana. Trieste è contesa tra l'Italia e la Iugoslavia.

Non ci sono le autostrade, la televisione non esiste ancora, e si fischiettano canzoni come *Acque amare*, *Luna caprese* o *La pansè*. Si vedono film come *Gli uomini che mascalzoni* e *I vitelloni* di Fellini. Guido Aristarco e Renzo Renzi vengono arrestati per un soggetto cinematografico che offende le Forze armate italiane durante la guerra in Grecia.

Sono gli anni Cinquanta, quando all'improvviso scoppia il caso Montesi.

Dopo, le cose, in Italia, non saranno piú le stesse.

Ma prima di tutto, questa storia è un giallo.

E come un giallo da romanzo inizia con una spiaggia deserta, alla mattina presto, con qualcosa di strano vicino all'acqua, che sembra un corpo abbandonato.

La spiaggia è quella di Tor Vajanica, quaranta chilometri a sud di Roma, e sono le 7,20 dell'11 aprile 1953.

A notare la strana forma sulla battigia, toccata appena dalle onde della risacca, è un muratore, Fortunato Bettini, che sta mangiando un panino sul muretto di una villetta in costruzione, in attesa degli altri operai del cantiere. Fortunato vede quella cosa, si avvicina e scopre che non si tratta di un mucchio di stracci ributtati a riva dal mare, ma di un corpo, il corpo di una donna, bella e giovane. E morta.

Fortunato si spaventa. Corre a raccontarlo ai compagni che nel frattempo sono arrivati al cantiere, poi monta in bicicletta e va ad avvertire la piú vicina stazione delle Forze dell'ordine, la caserma della Guardia di finanza di Tor Vajanica.

I finanzieri avvisano i carabinieri della stazione di Pratica di Mare, e alle 9,30 arriva il maresciallo, accompagnato dal medico condotto del paese, il dottor Agostino Di Giorgio. Siccome le onde hanno già spostato il corpo e lo stanno portando via, il maresciallo fa sollevare la ragazza dai suoi carabinieri e la fa stendere piú lontano sulla spiaggia, supina.

Prima, però, verbalizza la posizione originaria, con tutti i particolari.

Attenzione, perché sono importanti.

La ragazza era stesa a faccia in giú, parallela alla riva, con la fronte appoggiata alla sabbia, il braccio sinistro piegato in alto, all'altezza della testa, e l'altro disteso lungo il fianco. Indossava una camicetta di lana grezza, una sottoveste di maglia color avorio, reggiseno rosa e mutandine aderenti di picchè bianco, un pullover e un giaccone, abbottonato soltanto attorno al collo, senza infilare le maniche. Niente gonna, niente scarpe, niente calze. E niente giarrettiere, che allora, siamo negli anni Cinquanta, servivano a reggere le calze.

Il dottor Di Giorgio, che esamina per primo il corpo della ragazza, lí sulla spiaggia, nota che non è ancora rigido. La morte, vista anche la condizione dei vestiti e dello smalto sulle unghie, che facevano pensare a una permanenza in acqua non lunga, potrebbe risalire a diciotto o ventiquattr'ore prima.

Cioè al piú tardi alle otto del mattino del 10 aprile.

La causa della morte, per il dottore, è abbastanza evidente.

La ragazza è annegata.

Chi è quella ragazza?

Lo si scopre subito il giorno dopo, quando il padre e il fidanzato la riconoscono all'obitorio di Roma. È una ragazza del quartiere Salario.

Si chiama Wilma Montesi.

Le immagini di repertorio qui sono a colori. Due persone sedute su una panchina in un parco. Un uomo e una donna anziana. L'uomo è un giornalista, deve aver chiesto alla signora che rapporti avesse con Wilma Montesi, com'è che la conosceva. Una scritta appare in sovrimpressione alle immagini della donna: «Adalgisa Roscini, portiera stabile via Tagliamento».

Dice: – Io? Facevo la portiera.

– Eh... Senta, che tipo era questa ragazza?

– Per me era una brava ragazza, io nun posso di' gnente.

– Cioè... era una ragazza che si dava delle arie?...

– No, usciva sempre con la mamma e la sorella.

Poi c'è un signore distinto, probabilmente seduto sulla stessa panchina. La scritta: «Inquilino stabile via Tagliamento».

Dice: – Ho incontrato sempre questa famiglia completamente unita, sia col fratello e sia con la sorella e la mamma. Qualche notte pure, verso mezzanotte, l'una... non so, ho incontrato la mamma con la figliola che rientravano in casa.

Wilma è una ragazza di ventuno anni. Una bella ragazza, bruna e formosa, come si diceva allora. Abita al secondo piano di una palazzina al numero 76 di via Tagliamento, una palazzina modesta, perché la sua è una famiglia modesta, padre falegname, madre casalinga, un fratello e una sorella, e anche lei è modesta, non esce molto, quasi mai la sera e sempre assieme alla madre o alla sorella. Fidanzata con un poliziotto calabrese di stanza a Potenza, che avrebbe dovuto sposare di lí a poco.

Una ragazza qualunque, molto bella ma anche molto ordinaria, senza grilli per la testa, cosí dicono i familiari e i vicini di casa. Ancora vergine, come stabilirà l'autopsia.

Come c'è finita, una ragazza cosí, sulla spiaggia di Tor Vajanica?

L'ultima volta che la famiglia aveva visto Wilma era stato due giorni prima, il 9 aprile. La madre e la sorella erano andate al cinema *Excelsior* verso le quattro e mezzo del pomeriggio, a vedere *La carrozza d'oro*, un film d'amore con Anna Magnani. Wilma no, i film d'amore non le piacevano, e preferiva restare in casa.

Poi, invece, a metà pomeriggio si era vestita ed era uscita. Ma senza mettersi i gioielli che portava di solito. Gioielli, poi... niente di speciale, orecchini e una collana di perle, che rimangono sul comodino, in camera sua.

Di solito, Wilma rincasa alle otto, mai piú tardi. Alle otto e mezzo il padre comincia preoccuparsi. Il signor Montesi pensa a una disgrazia e va al policlinico a chiedere notizie, poi fa un giro sul lungotevere e alla fine, verso le dieci e mezzo, va al commissariato di via Salaria.

Il signor Montesi ha una strana paura, e lo dice anche agli agenti del commissariato. Teme che sua figlia Wilma si sia suicidata.

Suicidata? E perché?

Forse perché era molto legata alla famiglia e non sopportava l'idea di doversi trasferire a Potenza, quando avesse sposato il fidanzato poliziotto. Il signor Montesi gli manda anche un telegramma, al fidanzato, il giorno dopo: «Wilma si è ammazzata». La sorella, invece, vedendo che i gioielli di Wilma sono ancora sul tavolino di camera sua, pensa che sia dovuta uscire in fretta, magari per una telefonata.

C'è qualcosa di strano, in questa storia.

Comincia davvero a sembrare un romanzo giallo.

Ma siamo soltanto all'inizio.

Wilma scompare il 9 aprile. Il suo corpo viene trovato sulla spiaggia di Tor Vajanica l'11 aprile. Due giorni dopo, il 13 aprile, succede qualcosa.

A casa Montesi c'è un commissario della Squadra mobile che sta interrogando la famiglia, quando arriva una telefonata. È una donna che si chiama Rosa Passarelli ed è impiegata al ministero della Difesa, che allora si chiamava ancora ministero della Guerra. La signora Passarelli dice che vuole andare dai Montesi a vedere delle foto piú chiare, perché ha letto i giornali e crede di aver riconosciuto Wilma. Il commissario le dà il permesso, la donna va a casa Montesi, guarda le foto e conferma il riconoscimento.

È la ragazza che il 9 aprile, il giorno in cui Wilma scompare, alle cinque e mezzo di sera è salita su un treno alla stazione Ostiense e ha viaggiato fino a Ostia, seduta proprio davanti a Rosa Passarelli. Ostia, a circa venti chilometri da Tor Vajanica, dove verrà ritrovata Wilma due giorni dopo.

Non è l'unica cosa che la signora Passarelli dice in quell'occasione. Parlando con i Montesi, afferma che sarebbe stato meglio se si fosse trattato di una disgrazia. Un suicidio avrebbe sporcato il buon nome della famiglia, e con un'altra ragazza in casa, nubile, in quegli anni, gli anni Cinquanta...

Il giorno dopo, il 14 aprile, succede un'altra cosa.

Wanda, la sorella, si ricorda che Wilma voleva andare a Ostia per bagnarsi i piedi in mare. Fa mettere a verbale dalla polizia che sia lei che la sorella soffrivano di un eczema, un arrossamento al tallone provocato dalle scarpe, e per questo avrebbero dovuto fare delle spennellature di tintura di iodio. Cosí Wilma aveva pensato di andare fino a Ostia per un «pediluvio» nell'acqua di mare, che contiene, appunto, iodio.

Salta fuori un nuovo testimone: una bambinaia che dice di aver visto proprio Wilma, alle sei di quella sera, a Ostia, che camminava sulla spiaggia libera.

E un altro testimone ancora, la padrona di un'edicola della stazione di Castel Fusano, a un paio di chilometri da Ostia, che riconosce in Wilma la ragazza che quella sera aveva comprato una cartolina, aveva preso una matita dal portafoglio, ci aveva scritto sopra qualcosa, poi gliel'aveva affidata perché la impostasse per Potenza, dove aveva il fidanzato poliziotto.

Per la polizia è abbastanza.

Nel settembre del 1953, la Procura della Repubblica di Roma chiede l'archiviazione degli atti. La spiegazione della morte di Wilma è molto semplice.

Wilma è andata a Ostia per fare un pediluvio nell'acqua di mare, per l'arrossamento al tallone. Ha lasciato a casa i gioielli, perché non si rovinassero. Sulla spiaggia si è tolta le scarpe e le calze e le ha messe nella borsa, poi ha fatto una passeggiata nell'acqua.

E qui, probabilmente, si è sentita male. Wilma era in fase postmestruale, e forse il freddo improvviso le ha provocato un malore. Oppure è inciampata in una buca, o un'onda l'ha fatta cadere in acqua, Wilma non sapeva nuotare ed è annegata. Il resto lo hanno fatto le correnti, che l'hanno presa e trascinata fino a Tor Vajanica, dove le onde l'hanno ributtata sulla riva.

In dicembre, il giudice istruttore accoglie la richiesta di archiviazione.

Fine.

Il giallo ha trovato una soluzione molto semplice.

Wilma Montesi è morta per un pediluvio.

Ma c'è qualcosa che non torna.

Intanto ci sono gli orari.

L'impiegata del ministero della Guerra dice di aver visto Wilma sul treno per Ostia alle cinque e mezzo di sera. Ma quella è anche piú o meno l'ora in cui la portinaia del 76 di via Tagliamento dice di averla vista uscire da casa.

Immagini di repertorio. Adalgisa Roscini, sulla panchina, al giornalista.

Dice: – Io sono sicura dell'orario perché dovevo andare a restituire una chiave a li stagnari... e allora je domando io: Sabatini, che ora sono? Sono le cinque e dieci, mi disse.

– Le cinque e dieci.

– Sí, era le cinque e dieci. Alle cinque staccavano li stagnari.

– Quindi alle cinque e dieci lei ha preso la chiave e...
– E dopo se sono andati a vestire e se sono lavati, ed era le cinque e dieci quando sono andati via.

Poi ci sono i vestiti.
Il reggicalze, soprattutto, una fascia di raso nero alta venti centimetri, con sei ganci metallici. Wilma si è tolta le scarpe e le calze, doveva camminare in acqua, ma perché togliersi anche il reggicalze? Non ce n'era bisogno, bastava sganciare le calze e basta. Dov'è finito il reggicalze? E dove sono finite le calze, le scarpe e la gonna? E la borsa?
Poi c'è lo stato del corpo.
Se Wilma si fosse sentita male il 9, sulla spiaggia di Ostia, e fosse annegata lí per finire sulla spiaggia di Tor Vajanica l'11, sarebbe rimasta in mare per due giorni. Un sacco di tempo. E Wilma aveva ancora lo smalto sulle unghie.
E l'arrossamento al tallone, era davvero cosí grave?

Avvocato Alfredo Bucciante. Dice: «Clamorosa l'iniziativa del procuratore della Repubblica, che per dimostrare, per acquisire un elemento, che era quello, appunto, a base del pediluvio, cioè dell'arrossamento del tallone di Wilma Montesi, chiamò un medico legale, dispose una perizia. Ma questa perizia non fu eseguita sui piedi di Wilma Montesi, ma della sorella, perché si disse che geneticamente, in genere, ci sono delle analogie, delle affinità tra sorelle, quindi basta controllare il piede, la caviglia di Wanda Montesi, per stabilire che Wilma Montesi aveva anche lei l'arrossamento ai piedi ed era andata a Ostia, eccetera».

Wilma Montesi è morta per un pediluvio.
Sono in pochi a crederlo. I giornali, soprattutto. Ed è cosí che «il caso Montesi» si complica e comincia a diventare «l'affare Montesi».

Le immagini di repertorio mostrano la foto di Wilma Montesi sulla quale si sovrappongono i titoli a carattere cubitale di varie testate giornalistiche:

L'affare Montesi mondo corrotto
Giornali e autorità di fronte al caso Montesi
Sul mistero dei Montesi l'ombra degli stupefacenti
Indagine di polizia sulla vita di Wilma
Dieci giorni decisivi per il caso Montesi

Il primo a sostenere qualcosa di strano è un giornale napoletano, il «Roma». Dice che Wilma Montesi era stata vista dieci giorni prima della morte nei pressi di Tor Vajanica, in compagnia del figlio di una nota personalità politica governativa.

Poi è un settimanale satirico, il «Merlo giallo», molto famoso in quegli anni. Pubblica una vignetta che raffigura un piccione viaggiatore che vola con un reggicalze nel becco, e nella didascalia c'è scritto: «Dopotutto le note personalità a cui allude il "Roma" non sono poi tante e non possono sparire senza lasciare tracce, come piccioni viaggiatori».

A chi si riferiscono? Al figlio di chi?

C'è un politico di quegli anni che si chiama Attilio Piccioni. Non è un politico di secondo piano, è la personalità piú autorevole della Democrazia cristiana, ed è vicepresidente del Consiglio e ministro degli Esteri. Un politico importante, importantissimo.

> Maurizio De Luca, giornalista. Dice: «Attilio Piccioni era una delle figure principali della piú vecchia generazione democristiana, ed era stato indicato da Alcide De Gasperi come suo possibile successore alla guida della Democrazia cristiana. Dire alla guida della Democrazia cristiana significava anche indicarlo come uno degli uomini piú potenti all'interno dello Stato. Attilio Piccioni era di poche parole. Si racconta, e vi è conferma a questo racconto, che una volta venne avvicinato da un cronista, il quale chiese una sua valutazione sulla situazione politica. Piccioni rispose: Mah?, e se ne andò. Questo a testimonianza della prudenza estrema del personaggio che, sulla base proprio di queste sue caratteristiche, rappresentava l'antagonista nei confronti invece del vitalissimo Fanfani, irrefrenabile Fanfani, giovane Fanfani, che tentava, con successo, la scalata ai nuovi poteri, all'interno della Democrazia cristiana e anche del Governo».

Piccioni. Attilio Piccioni ha un figlio? Sí, si chiama Piero, è un giovane bravissimo musicista di jazz e compone colonne sonore per film.

Ecco, attenzione, adesso, perché sta per arrivare un colpo di scena.

C'è un settimanale romano che si chiama «Attualità» ed è diretto da Silvano Muto, un giornalista che ne è anche il proprietario. Nell'ottobre del 1953, Muto pubblica un articolo dal titolo *La verità sulla morte di Wilma Montesi*. Nell'articolo attacca l'indagine della polizia, definendola un'indagine superficiale e frettolosa, che non ha fatto luce sulla morte della Montesi per coprire qualcuno da un possibile scandalo. Muto non fa nomi, ma parla di traffici di droga, di festini a base di cocaina e di orge con ragazze proprio sul litorale romano.

E non è finita qui.

Muto scrive anche di una grossa macchina che si arena nella sabbia, tanto che alcune persone devono aiutare a disincagliarla, e sull'auto, assieme a un giovane, c'era Wilma Montesi. Non solo, la Montesi era anche a Castelporziano e a Capocotta, in una «festosa riunione», con due persone che Silvano Muto chiama X e Y.

È lí che Wilma Montesi si sente male. Gli altri la credono morta, e per non finire nei guai la scaricano sulla spiaggia, dove annega. E visto che X e Y sono persone influenti, la polizia insabbia tutto.

È un articolo molto preciso, quello di «Attualità». Silvano Muto sembra sapere molte cose.

> Silvano Muto, giornalista. Dice: «Quell'articolo nacque come nascono tutti gli articoli di giornale. Le voci innanzitutto, e la raccolta di voci che circolavano nell'ambiente politico, giornalistico romano. Altre voci e altri elementi giornalistici vennero presi dalla vicenda in se stessa. Alcuni poi furono degli articoli di giornali precedenti al mio che uscirono fuori prima e dopo l'articolo firmato da me».

Silvano Muto viene denunciato per diffusione di notizie false e tendenziose. Di fronte al procuratore della Repubblica di Roma, ritratta. L'episodio della macchina, X e Y, la Montesi a Capocotta, anche i depistaggi della polizia, tutto inventato per rendere piú interessante l'articolo.

Nel gennaio del 1954 c'è un'amnistia che cancella i procedimenti a carico dei tanti giornalisti che hanno fatto illazioni sul caso Montesi. C'è chi dice che sia un'amnistia fatta apposta per tacitare ogni cosa, chi ha avuto ha avuto e basta, tutto azzerato. Ma qualcuno ha fatto male i conti. Silvano Muto, sicuramente. Il suo articolo non ricade nei termini dell'amnistia per meno di una settimana.

Cosí Muto finisce sotto processo, e con lui, per forza, anche il suo presunto mondo di orge, festini e traffici di cocaina nelle ville dei litorali romani.

Maurizio De Luca. Dice: «L'Italia nel 1953 era ancora un'Italia rurale che andava a letto presto, che seguiva le sue giornate sul nascere e tramontare del sole. Un'Italia che non aveva il televisore in casa, che si informava, quando si voleva informare, soprattutto sui giornali, che aveva grande slancio nella maggioranza dei suoi cittadini nei confronti di incontri religiosi, di grandi processioni, di miracoli. Ecco, questa era la platea davanti alla quale cominciarono a snodarsi le vicende sotterranee, certamente discutibili, però di grande attrazione, del sottobosco politico romano».

Con il processo Muto, l'affare Montesi si allarga e comincia a coinvolgere seriamente tutto il Paese. Si tiene in un'aula del Palazzo di giustizia di piazza Cavour, gremita da centinaia di persone che si accampano nella zona e fanno lunghe file pur di assistere alle udienze. Ci sono addirittura i «fagottari», con la colazione al sacco, e a un certo punto la polizia è costretta a chiudere tre ponti sul Tevere e a far caricare la folla dalla Celere, a manganellate.

A seguire il processo con interesse ci sono anche molti uomini politici. Tra questi c'è anche Giulio Andreotti.

Onorevole Giulio Andreotti. Dice: «Si vide come si poteva, anche da un punto di vista giudiziario, essere talmente succubi dell'opinione pubblica cosí montata, da compiere una serie di ingiustizie e devo dire anche di falsi. Tutto questo ha una necessità, secondo me, di essere rivisto. Anche perché non solo distrusse politicamente una persona di grande valore, come era il senatore Piccioni, ma proprio perché il non dimenticare determinati fatti dovrebbe servire a evitare che si ripetano. Anche se è rimasto tuttora, credo, irrisolto il problema della morte di questa giovane che, tutto può essere, fuori che sia morta per pediluvio».

Fin dall'inizio, proprio all'apertura, c'è un colpo di scena.

Silvano Muto ritratta la ritrattazione. Non è vero che ha raccolto voci di corridoio e si è inventato tutto. Ha fatto una vera e propria indagine.

E ha anche dei testimoni.

Il primo è una ragazza della provincia di Caserta che si chiama Adriana Concetta Bisaccia.

La Bisaccia viene descritta come un'irregolare, una che frequenta gli «esistenzialisti», una che vorrebbe fare del cinema. Una che frequenta il sottobosco politico romano. Ma sul mondo dei festini sul litorale cade in contraddizione e viene arrestata per falsa testimonianza.

Il secondo testimone è Marianna Moneta Caglio, detta Anna Maria.

> Silvano Muto. Dice: «La Caglio era un mondo a se stante. Una ragazza di ottima famiglia che proveniva da Milano e che aveva il gusto della battaglia, dell'avventura, delle prese di posizione, e che sicuramente frequentava degli ambienti estremamente elevati sia da un punto di vista politico, sia da un punto di vista economico».

Quando arriva a Roma Anna Maria ha ventitre anni. È figlia di un notaio della Brianza, iscritto alla Dc. È a Roma per un motivo preciso: vuole fare il cinema.

> Anna Maria Moneta Caglio. Dice: «Io arrivo a Roma perché volevo fare un film per sposarmi. Perché mio padre non cacciava la dote, ecco, – ride, – e noi avevamo bisogno di soldi per metter su casa. Insomma, sembra che fossi una bella ragazza. Quando ero già andata a Roma altre volte precedentemente, m'han detto: perché non fa un film, perché non fa un film, cosí bella... e io ho detto: be', adesso vado a Roma, faccio un film, cosí guadagno, mettiamo su casa, eccetera. E allora mio padre mi ha mandato una lettera per il ministro delle Telecomunicazioni, Poste e telecomunicazioni, che era Spataro, che in quel momento sostituiva Scelba al Viminale. Le altre due lettere erano una per la Massoneria di piazza del Gesú, perché mio papà era massone, e l'altra per Andreotti, però non gliel'ho portata».

Nello studio del ministro Spataro, che in quel momento si trova al Viminale, Anna Maria conosce un uomo che sembra molto importante. Si chiama Ugo Montagna, marchese di San Bartolomeo. Gestisce la tenuta di caccia di Capocotta.

Anna Maria Moneta Caglio. Dice: «Sí, ho incontrato Montagna il 22 di agosto del 1952 al Viminale. Addirittura presso la segreteria personale del ministro. Bella gente si incontra al Viminale».

Ugo Montagna è un personaggio che si muove con disinvoltura nel mondo del sottogoverno. Circolano voci sul suo conto. Secondo i carabinieri avrebbe collaborato con i nazisti durante l'occupazione. Avrebbe procurato «donne di dubbia reputazione» a militari, uomini politici, funzionari, sia prima che dopo la liberazione. Voci non provate, Montagna non è mai stato processato per questo. Altre, sempre non provate, lo dicono coinvolto nel traffico di stupefacenti. Ha amicizie molto importanti, come quella con il capo della polizia Tommaso Pavone.

Anna Maria Moneta Caglio. Dice: «Mi disse che doveva andare a Capocotta con Piero Piccioni a caccia, caccia alle quaglie. E io gli dissi, siccome l'avevo già visto una volta con lui: ma se Piccioni non può neanche tenere in braccio un fucile, che dici... poi tu vai e io resto qui. No, no, io ho bisogno che tu te ne vada... E quando parlava lui... bisognava obbedirgli».

Anna Maria, racconta lei, si chiede perché debba allontanarsi da Roma soltanto per la caccia alla tenuta di Capocotta. Comunque, obbedisce e va a Milano. Fa avanti e indietro tra Milano e Roma, proprio in quel periodo, fino agli inizi di aprile.

Anna Maria Moneta Caglio. Dice: «Sono ritornata. La mia padrona di casa mi dice: ma sa che vicino a Capocotta è morta una ragazza, l'han trovata sulla spiaggia... Dice: ma lui non c'entrerà con... in qualche modo? Allora io ho preso il giornale e gliel'ho portato, gliel'ho fatto vedere. Ma io gliel'ho fatto vedere perché avevo paura che a lui succedesse qualcosa, non volevo che a lui succedesse qualcosa. Invece lui si è arrabbiato. Si è arrabbiato: io non c'entro niente! Io non ho fatto niente! Poi ho saputo che il 29 aprile c'è stato un congresso di giornalisti a Salsomaggiore e fu lí che uscí il nome di Piccioni collegato alla Montesi. Morale: lui telefona a Piccioni, io non so che cosa si siano detti ma c'è stata la telefonata. Montagna mi fa: bisogna andare dal capo della polizia perché cominciano a parlare di Piccioni collegato alla Montesi. Saliamo in macchina, andiamo al Viminale, la rampa di destra, ci fermiamo sulla piazzola che c'è davanti al Viminale, è arrivato Piccioni, è sceso Montagna e sono saliti. Sono saliti, e quando è sceso, Montagna mi ha detto: adesso è tutto a posto. Questo era il 29 aprile». Anna Maria ride. Dice: «Il primo di maggio ho dovuto prendere il treno e ritornarmene a Milano o con le buone o con le cattive. Lui diceva: tu sai troppo, te ne devi andare. Io il primo di maggio del '52 ero arrivata a Roma e il primo di maggio del '53 sono stata cacciata da Roma».

Anna Maria resta in rapporto con Montagna, un rapporto ambiguo fatto di reciproche ostilità e diffidenze. Secondo il racconto di Anna Maria, Montagna è strano, nervoso, vanta amicizie e relazioni potenti e dice frasi ambigue, come «Prima di mettere dentro me, ne faccio fuori venti» oppure «Chi mi tradisce paga col piombo», «Chi testimonia contro di me, sparo». A un certo punto Anna Maria pensa anche che Montagna abbia cercato di avvelenarla.

Qualunque cosa sia successa, Anna Maria si rivolge alle conoscenze paterne. Va dai gesuiti di Milano che la mettono in contatto con padre Alessandro Dall'Olio. Racconta tutto: Montagna, il giovane Piccioni, Pavone, Capocotta, Wilma Montesi. Padre Dall'Olio si rivolge a padre Virgilio Rotondi, fanno un'indagine per verificare l'attendibilità della ragazza, poi si rivolgono a un sacerdote fratello di un senatore della Dc, e arrivano fino ad Amintore Fanfani.

Maurizio De Luca. Dice: «Amintore Fanfani era in lotta con gli altri antichi, piú vecchi notabili della Democrazia cristiana, proprio per la conquista del potere democristiano. Raccontano che Amintore Fanfani abbia preso molti appunti durante il racconto, che gli veniva riferito anche dal padre gesuita, di Anna Maria Moneta Caglio. Dopodiché venne convocato un colonnello dei carabinieri, il colonnello Pompei. Perché un colonnello dei carabinieri? Perché Fanfani fece a padre Dall'Olio la domanda che già padre Dall'Olio aveva fatto ad Anna Maria Moneta Caglio. Cioè le aveva chiesto perché mai tutte queste cose non le avesse mai raccontate a un commissariato, e la Caglio aveva detto che non lo aveva fatto per le tante amicizie su cui il suo ex amico Montagna poteva contare all'interno della polizia».

In quel momento Amintore Fanfani è ministro degli Interni. Non è un magistrato, non ha il potere di ordinare inchieste e comunque dovrebbe usare la polizia, che dipende dal suo ministero. Invece il comandante della regione territoriale dei carabinieri di Roma, colonnello Umberto Pompei, dirà al processo che Fanfani lo fa chiamare e gli affida una controinchiesta. Riservata.

Sono soltanto sospetti, voci, nessuna prova. Però è sufficiente.

Il rapporto viene chiamato in causa dai difensori di Muto al processo per diffusione di notizie false e tendenziose, e da lí finisce alla stampa, sui giornali e anche sui muri di Roma, in una serie di manifesti.

Il caso Montesi scoppia in tutta la sua potenza e travolge ogni cosa.

Nel marzo del 1954 il tribunale di Roma sospende il processo a Silvano Muto, e la Procura della Repubblica apre un'istruttoria formale sulla morte di Wilma Montesi. E l'affida al giudice istruttore Raffaele Sepe.

> Maurizio De Luca. Dice: «Fu Raffaele Sepe, consigliere istruttore a Roma, uno dei primi magistrati certamente piú visibili, piú popolari, quindi piú protagonisti. Doveva il fatto anche alla sua mole imponente, pesava piú... quasi centocinquanta chili, al sorriso e al suo modo anche di lasciare immaginare all'opinione pubblica che tutti i retroscena di cui si parlava fossero veri».

Per prima cosa l'istruttoria del giudice Sepe fa piazza pulita della storia del pediluvio.

Gli orari, per esempio. Sepe fa personalmente il sopralluogo: sei chilometri e trecento metri da casa di Wilma alla stazione Ostiense, quindici minuti in macchina, mezz'ora in autobus o un'oretta a piedi. Se è uscita alle cinque, come dice la polizia, escludendo un passaggio in macchina da uno sconosciuto, con l'autobus sarebbe arrivata giusto in tempo a salire sul treno delle cinque e mezzo, quando la vede l'impiegata del ministero della Guerra. A piedi assolutamente no. Se invece ha ragione la portinaia, che Wilma è uscita quando se ne sono andati gli stagnini, cioè dopo le cinque e dieci, allora gli orari saltano tutti.

> Adalgisa Roscini, sulla panchina.
>
> – Perché l'orario che gli ho detto io non faceva in tempo a prendere il treno. Quando sono andata al processo, dicevano che il mio orario era sbagliato. Mi hanno modificato il primo verbale.

– Chi gliel'ha modificato?
– Ah...
– In Questura?
– Non lo so chi è stato! Io l'ho saputo a Venezia.

Anche i testimoni, a una rilettura delle carte, non erano poi cosí certi neppure nelle deposizioni raccolte dalla polizia.

L'impiegata del ministero della Guerra, quando ha riconosciuto Wilma da una fotografia, ne ha dato una descrizione diversa da com'era vestita quel giorno: con un giaccone di un altro colore e scarponcini alti invece delle scarpe con la fibbia che portava quel giorno.

La bambinaia che l'aveva vista passeggiare sulla spiaggia non la riconosce con certezza dalle fotografie, e ricorda un'ora, le sei di sera, in cui Wilma non poteva essere ancora lí.

La giornalaia parla di una ragazza con una collana di perle, ma Wilma la collana non l'aveva, l'aveva lasciata a casa; parla anche di una matita estratta da un portafoglio, ma Wilma, di solito, non aveva con sé né l'una né l'altro. E per scrivere una cartolina inviata a Potenza, forse al fidanzato, che però non ne ha mai ricevuta nessuna.

Gli orari che non tornano, i testimoni incerti... per il giudice istruttore Sepe la storia di Wilma Montesi che va a Ostia per un pediluvio per l'arrossamento al tallone proprio non regge.

Poi c'è il ritrovamento del corpo a Tor Vajanica. Da lí alla spiaggia di Ostia ci sono venti chilometri che il corpo di Wilma avrebbe percorso in trentasei ore, piú di mezzo chilometro all'ora. Quella sera c'era stato un temporale e c'era vento forte, dice la polizia. Ma non regge lo stesso.

Nei polmoni di Wilma viene ritrovata molta sabbia. Segno che è annegata in pochissima acqua, quasi sulla spiaggia. Non solo: la sabbia nei polmoni di Wilma non è del tipo ferroso che si trova nella spiaggia di Ostia, ma è piú simile a quella della spiaggia di Tor Vajanica.

Per il giudice istruttore Raffaele Sepe la verità è semplice. Wilma Montesi ha avuto un malore, si è sentita male, sí, ma non sulla spiaggia, da un'altra parte. Chi era con lei si è spaventato, ha creduto che fosse morta e per disfarsene l'ha portata sulla spiaggia, dentro una macchina o su un cavallo, e l'ha abbandonata.

Ma Wilma non era morta, era svenuta. E lí, sulla spiaggia, in una spanna d'acqua, lentamente, respirando acqua e sabbia, è annegata.

Per il giudice istruttore Sepe Wilma si era sentita male. Ma dove? A Capocotta, che si trova proprio a due passi da Tor Vajanica. Capocotta, dove secondo Silvano Muto e Anna Maria Moneta Caglio si tenevano festini a base di alcol, droga e belle donne.

Orge e festini a base di droga. Cosa c'entra Wilma con tutto questo?

Le indagini del giudice istruttore Sepe cercano di dimostrare che Wilma Montesi non è proprio la brava ragazza che sembra. Che ha un tenore di vita superiore alle sue possibilità. Sono soltanto voci, chiacchiere, ma il giudice ne è convinto lo stesso. Wilma Montesi è entrata nel giro delle orge e degli stupefacenti, ed è morta durante uno dei festini che si tenevano a Capocotta.

Chi l'ha uccisa?

Ugo Montagna e Piero Piccioni. Secondo il giudice istruttore Sepe. Anna Maria Moneta Caglio dice che frequentavano Capocotta assieme a Wilma Montesi.

Nel settembre del 1954, proprio sotto casa del padre Attilio, Piero Piccioni viene arrestato per omicidio colposo. La sera si costituisce Ugo Montagna, marchese di San Bartolomeo. Un mandato di comparizione viene inviato anche all'ex questore di Roma, Saverio Polito, per depistaggio, per essersi inventato la falsa pista del pediluvio.

Inizia il processo del secolo.

Maurizio De Luca. Dice: «In quel periodo non era stata ancora coniata la formula *Dolce vita*. Nessuno aveva pensato a quell'aggettivo cosí calzante. Nessuno la conosceva nelle sue caratteristiche vere. Per cui fu una conoscenza scioccante per l'opinione pubblica del Paese vedere i potenti che si ritrovavano in ville appartate e che condivano le loro cene anche con stupefacenti. Parlando magari di appalti e accomodandosi, come veniva detto a quell'epoca a Roma, e trovando cosí il suggello di equilibri, che altrimenti non sarebbero stati confessabili all'aperto».

È il 1954.

In Italia governa la Democrazia cristiana assieme ai socialdemocratici, ai repubblicani e ai liberali. Il presidente del Consiglio è Mario Scelba. Muore Alcide De Gasperi. Si risolve la questione di Trieste.

La televisione inizia le sue trasmissioni. Le canzoni che si cantano allora sono *Aveva un bavero* del Quartetto Cetra e *Teresa non sparare* di Fred Buscaglione. Fausto Coppi viene denunciato per abbandono del tetto coniugale e la sua convivente arrestata per adulterio.

Le immagini di repertorio sono in bianco e nero. Mostrano Piccioni che procede scortato da diverse persone tra le calli di Venezia, scendendo da un ponte. Si vedono alcune gondole e i giornalisti che fotografano con i flash a padella.

Da Roma il processo Montesi viene subito spostato a Venezia, e per mesi resta la notizia di prima pagina di tutti i giornali. La gente si affolla per vedere i protagonisti dell'affare: Silvano Muto e Anna Maria Moneta Caglio, che sui giornali diventa «Il cigno nero», la grande accusatrice, la moralizzatrice dei costumi. Ugo Montagna e Piero Piccioni, gli imputati, poi i vari testimoni. Non solo, ci sono anche gli avvocati, i principi del foro dalla retorica coloritissima, come Francesco Carnelutti e Giuseppe Sotgiu.

Fin dall'inizio il processo, ma soprattutto gli scoop che appaiono sui giornali, entrano nella lotta politica di allora. Tra i primi effetti concreti ci sono le dimissioni di Attilio Piccioni, il successore designato di De Gasperi, l'avversario politico di Amintore Fanfani nella lotta per la segreteria della Democrazia cristiana, il padre dell'imputato di concorso in omicidio colposo Piero Piccioni. Attilio Piccioni si dimette da ministro degli Esteri in un momento cosí delicato come quello della crisi di Trieste. La sua carriera politica si chiude qui, per sempre.

Ma non c'è solo lo scontro interno alla Democrazia cristiana sullo sfondo del processo Montesi. C'è anche l'opposizione, c'è anche il Partito comunista di allora, che cavalca lo scandalo con decisione e accusa la Democrazia cristiana, i democristiani «moralisti e bacchettoni», di ipocrisia e immoralità. Dal titolo di un editoriale dell'«Unità» nasce il termine «questione morale». I partecipanti alle «festose riunioni» nelle ville del litorale romano vengono chiamati «capocottari», e capocottari sono chiamati i democristiani dall'opposizione, ogni volta che il dibattito in Parlamento si fa piú acceso.

È uno scontro durissimo, senza esclusione di colpi.

Giuseppe Sotgiu è l'avvocato difensore di Silvano Muto. È anche un uomo politico comunista, è uno dei piú duri nell'attaccare l'immoralità dei «capocottari» democristiani. C'è un fotografo, Tazio Secchiaroli, che ispirerà il personaggio del paparazzo nel film *La dolce vita* di Fellini. Secchiaroli ha uno scatto che riprende l'avvocato Sotgiu e la moglie davanti a una nota casa di appuntamenti romana. Con molta tempestività, un giornale di destra, «Momento Sera», pubblicherà la foto. E l'avvocato Soggiu griderà al complotto.

> Maurizio De Luca. Dice: «La vicenda Montesi dilagò sui giornali, i settimanali, i quotidiani dell'epoca e certamente i giornali fecero un salto in avanti nelle vendite. Fecero però forse un salto indietro nella credibilità. Fu un dilagare di memoriali. Chi aveva anche soltanto incrociato per un attimo Anna Maria Moneta Caglio o addirittura se riconosceva nella Montesi una persona vista per strada, subito faceva interviste, scriveva un memoriale e lo metteva, ahimè, all'asta tra i vari giornali che pagarono documenti insulsi riletti con la logica di oggi».

Ci sono almeno trecento testimoni che firmano esclusive con i giornali. Molti di questi ritratteranno. Il novanta per cento dei testimoni al processo Montesi risulterà aver rilasciato dichiarazioni false o inesatte.

Va bene, la lotta politica, gli scandali, i capocottari, la Dc e il Pci... ma Wilma, chi l'ha uccisa?

Da quel punto di vista, il processo si sgonfia.

A carico di Montagna e di Piccioni, infatti, a parte le rivelazioni di Anna Maria e alcune voci, non c'è nulla. Anzi, nelle rivelazioni di Anna Maria ci sono anche tante altre cose, alcune di queste difficilmente credibili.

> Onorevole Giulio Andreotti. Dice: «Alla lettura del memoriale della Caglio io ho sempre maturato poi la convinzione dell'assurdo di tutta questa vicenda. Il memoriale iniziava con queste parole: Ugo, cioè Ugo Montagna, se l'intendeva con Claretta Petacci, Mussolini lo sapeva ma non faceva niente perché aveva paura di Ugo... Mussolini aveva paura di Ugo... Lette queste parole iniziali io dissi che, con tutto il rispetto per il gesuita che aveva raccolto queste confidenze, che ne informava le pubbliche autorità, il memoriale sembrava un documento utile per fare ora la notte di Natale, per andare a messa a mezzanotte, ma non certo per mettere a soqquadro la vita dello Stato. Quando il giudice Sepe mi parlò del problema e io gli domandai: ma mi dica, c'è una prova che Piero Piccioni abbia conosciuto, non dico ucciso, conosciuto la Montesi?, sa cosa mi rispose? Anche qui testualmente, disse: ma lei conosce Piero Piccioni? Io dissi: be', l'ho visto qualche volta dal padre... Ah, disse: amante di Alida Valli, compositore di Jazz... Io dissi: che c'entra? Allora se vendeva corone di rosari in piazza della Minerva, lei non l'avrebbe preso in considerazione? Mi disse: eh, voi politici trovate sempre la risposta giusta».

Un musicista di jazz, amante di un'attrice famosa, uno che fa una vita strana... basta per un'accusa di omicidio? No. Tra l'altro, Piero Piccioni ha anche un alibi.

Piccioni dice che nei giorni in cui Wilma Montesi scompare, lui si trova ad Amalfi. Torna a Roma nel pomeriggio del 9 aprile, si chiude in casa perché ha la febbre e lí rimane anche nei giorni successivi. C'è un professore che lo visita e gli rilascia una ricetta per le medicine e un esame delle urine, con la data.

Sembra tutto a posto, e invece no, perché le cose, in questo processo, si complicano sempre. Al giudice istruttore Sepe arrivano tre lettere anonime che dicono che le ricette sono false. Sottoposte a perizia, le date e la firma sulle ricette risultano contraffatte. Bene, dice il giudice Sepe, non è una prova a difesa, è una prova a carico.

A questo punto, però, arriva un altro personaggio famoso: l'attrice Alida Valli, fidanzata di Piero Piccioni. Testimonia al processo e convalida il suo alibi. Piero è stato con lei ad Amalfi, all'hotel *Luna*, fino al 9 aprile, quando è tornato a Roma perché aveva la febbre e si è fatto visitare dal professore. Ci sono almeno dieci testimoni che possono confermarlo, come anche che Piccioni è rimasto a letto fino al 13 aprile. E i certificati contraffatti? Per il tribunale di Venezia è stato il dottore ad agire di sua iniziativa, per correggere un suo errore.

Maurizio De Luca. Dice: «Wilma Montesi venne uccisa. Questo senza alcun dubbio. La storia del suo malore dovuto a un pediluvio fatto per dar refrigerio a una irritazione che aveva ai piedi, non regge. Mancano gli indumenti. Inutile star qui a ricordare quanti elementi non tengono in piedi una tale ipotesi. Detto questo, però, non vi è nessun elemento, anzi, tutti gli elementi sono a favore del fatto che Piero Piccioni con una tale vicenda non c'entrasse assolutamente niente, e che anzi il clamore o gran parte del clamore che accompagnò il suo coinvolgimento fosse dovuto soltanto a bassi interessi politici per la distruzione della carriera e delle possibilità di progredire nel potere di suo padre Attilio Piccioni».

Il processo di Venezia dura tre anni.

Nel maggio del 1957 Piero Piccioni, Ugo Montagna e l'ex questore Saverio Polito vengono assolti con formula piena. Con questa storia loro non c'entrano.

Per il tribunale di Venezia le festose riunioni a Capocotta ci sono state. Wilma Montesi non è morta per un pediluvio ma è stata uccisa.

Da chi, però, non si sa.

Processo chiuso.

L'avvocato Bucciante. Dice: «Invece la Procura della Repubblica, che era rimasta scottata dalla sentenza di Venezia, non trovò niente di meglio che ritrovare una vecchia denuncia di calunnia, mi pare del Montagna, e riattivare il processo, portare davanti ai giudici il Muto e la Caglio per rispondere di calunnia».

C'è un colpo di scena, infatti.

Nel 1964 il tribunale di Roma condanna Silvano Muto e Anna Maria Moneta Caglio per calunnia. Secondo il tribunale di Roma hanno mentito su tutto. Wilma Montesi è morta per un incidente.

Mentre faceva un pediluvio.

È una sentenza in contrasto con quella del tribunale di Venezia, per cui Wilma è stata uccisa. È un assurdo giuridico, ma non importa. Altri tempi, altra situazione politica, altre notizie all'attenzione della cronaca. Altri casi da prima pagina.

Maurizio De Luca. Dice: «La vicenda di Wilma Montesi incise profondamente nella società italiana, sulla politica e sull'informazione. Tutto si modificò, o meglio cambiò, rispetto a com'era precedentemente. E ci fu anche l'affiorare di due parole nel linguaggio politico e dell'informazione. La parola che ho usato anch'io per definire la vicenda Montesi, la morte di Wilma Montesi, e cioè la parola "scandalo" e accanto a questa la parola "memoriale". Da quel momento, dal 1953, saranno parole abbastanza usuali ogni qual volta vi saranno accese, profonde, anche soltanto sotterranee lotte di potere in Italia».

Lotte di potere combattute a colpi di scandali, dossier e campagne giornalistiche. Processi che toccano, sporcano e non si risolvono in niente. È la storia dei misteri d'Italia, va bene. Ma in tutto questo forse ci siamo dimenticati di qualcosa.

Ci siamo dimenticati di Wilma.

Una ragazza di ventuno anni anni, che forse è finita in un gioco piú grande di lei o forse no. Ma che comunque è morta.

Annegata lentamente, respirando acqua e sabbia in una spanna di mare.

Perché è morta, Wilma? Chi l'ha uccisa?

Non si sa.

La strage di Ustica

Questa è una storia che fa paura.

Come ritrovarsi all'improvviso al centro di un intero universo sconociuto, nero e misterioso, popolato di ombre che si muovono minacciose, di occhi che ti guardano. Tu sei lí, al centro di tutto questo, e non sai cosa accada in quel mondo nero, quali siano le sue leggi e i suoi segreti, se non che all'improvviso dal buio può arrivare qualcosa che ti colpisce, ti sbrana, ti cancella, ti uccide.

Questa è la storia della strage di Ustica.

È una brutta storia, fatta di militari, alti ufficiali, uomini politici e agenti dei Servizi segreti di tutto il mondo.

E ottantuno morti.

La nostra storia ha un inizio preciso al minuto, ore 20,08 del 27 giugno 1980, preciso al minuto perché è l'orario di partenza di un aereo, un Dc9 di una compagnia privata che si chiama Itavia, un aereo che ha sulla fusoliera la scritta I-TIGI, India Tango India Golf India, secondo lo strano alfabeto dell'Aeronautica, un aereo che parte dall'aeroporto *Marconi* di Bologna diretto all'aeroporto di Punta Raisi, a Palermo.

Settantasette passeggeri hanno atteso due ore prima dell'imbarco, due ore di ritardo, perché l'aereo sarebbe dovuto partire alle 18.

Se fosse un film, se fosse *Airport '77* o uno dei tanti film americani ambientati su aerei di linea, a questo punto ci sarebbe la presentazione dei personaggi, in modo da farci affezionare a loro e farci soffrire di piú se gli succedesse qualcosa.

Ma non è un film, è la realtà. Però che sull'aereo ci fosse il signor Pier Paolo, per esempio, questo è vero. Il signor Pier Paolo è un tecnico della Snam progetti. La sera prima era stato chiamato dalla ditta per un guasto al metanodotto dell'Anic di Gela, in Sicilia. Per cui ha dovuto prendere il primo aereo e andare a vedere, e il primo volo disponibile era il volo Itavia IH 870 Bologna-Palermo delle 18, in ritardo e in partenza alle 20.

Come è vero che sullo stesso volo sale Giuliana, che ha undici anni e che sarebbe dovuta partire il giorno prim. Ma ha aspettato, perché ha fatto gli esami di quinta elementare, è stata promossa e soltanto quella mattina le davano la pagella da mostrare al babbo che sta in Sicilia. E cosí anche lei ha preso il volo Itavia IH 870 Bologna-Palermo delle 18, in ritardo e in partenza alle 20.

E come è vero che c'è Alberto, trentasette anni, di Bologna.

Tutta gente vera, non personaggi da film, espedienti narrativi. Gente vera.

> Daria Bonfietti è la sorella di Alberto. Oggi è anche senatrice e presidente dell'Associazione parenti vittime-Strage di Ustica. Dice: «Mio fratello era un giovane meraviglioso di trentasette anni. Aveva una moglie e una figlia, e le stava raggiungendo quella sera a Palermo perché la bimba compiva gli anni due giorni dopo. Avrebbe compiuto sette anni, e lui, mio fratello, non si sentiva di essere lontano nel giorno del suo compleanno».

Pier Paolo, Giuliana e Alberto. Settantasette passeggeri, con undici bambini e due neonati, piú quattro uomini d'equipaggio. Sono tutti sul volo Itavia IH 870 che alle 20 parte dall'aeroporto *Marconi* di Bologna, rulla sulla pista, si alza in volo, fa una curva e si immette nell'aerovia Ambra 14 – una specie di autostrada dell'aria, una rotta larga una ventina di chilometri, segnalata dagli impulsi elettronici di alcuni radiofari – che a Firenze cambia nome, si chiama Ambra 13, passa sopra il Tirreno e arriva fino all'aeroporto di Palermo.

Nel suo volo il Dc9 I-TIGI dell'Itavia viene seguito dal radar che controlla quella parte di cielo, il radar di Ciampino, vicino a Roma. Il radar manda verso l'aereo un impulso elettromagnetico, che viene riflesso, torna indietro e appare sullo schermo del radar come un puntino luminoso, un «plot». Parte, arriva e torna in sei secondi, e cosí ogni sei secondi, un plot dietro l'altro, un puntino luminoso dietro l'altro, l'operatore che segue il volo e la sua posizione nel cielo. Il radar invia anche un secondo segnale a un apparecchio che si trova sull'aereo e che si chiama «transponder». Il transponder rimanda a sua volta un altro segnale che indica la quota dell'aereo e un numero in codice che gli è stato assegnato per quel viaggio, come fosse un numero di targa.

Venti minuti dopo il decollo, il Dc9 I-TIGI dell'Itavia riceve dalla torre di controllo di Ciampino il numero di targa 1136. Ogni sei secondi, da Ciampino al Dc9 I-TIGI dell'Itavia e ritorno, un plot, un puntino luminoso che appare sullo schermo del radar, con l'indicazione della quota e il numero di targa 1136. Un plot dietro l'altro, come è normale, come accade sempre, come è normale per un volo tranquillo e regolare come quello.

Alle 20,26, però, il radar di Ciampino e anche un altro che sta a Ferrara e che appartiene alla Difesa aerea, chiedono all'I-TIGI di identificarsi. Perché? Non c'è il transponder, con il numero di targa, a farlo automaticamente? No, il segnale risulta confuso, le tracce non sono chiare. Richiesta ripetuta poco dopo, alle 20,30. Tracce non chiare, segnale confuso. Ciampino chiede all'I-TIGI di «squoccare», premere di nuovo il dispositivo che aziona il transponder, e il segnale arriva. 1136.

Ciampino allora vuole verificare la posizione dell'I-TIGI, e il pilota dell'aereo risponde che sono perfettamente allineati col radiofaro di Firenze.

– Adesso vedo che sta rientrando, – dice Ciampino, – quindi, praticamente, diciamo che è allineato, mantenga questa prua.

Che sta rientrando? Il capitano non capisce, e lo dice anche, a Ciampino: – Noi non ci siamo mossi, eh?

È strano, ma non importa. Qualcuno si sarà sbagliato. Per il resto è tutto a posto, tutto regolare.

Alle 20,44, l'I-TIGI è sul lago di Bolsena, proprio dove dovrebbe essere, e comunica con la torre di controllo di Ciampino. Il pilota dell'aereo verifica la quota e la rotta, poi dice una cosa strana. Da Firenze fino a lí hanno trovato tutti i radiofari spenti.

– Abbiamo trovato un cimitero stasera, – dice il pilota, – venendo da Firenze in poi praticamente non ne abbiamo trovata una funzionante.

La torre di controllo risponde che sí, in effetti è tutto spento, anche quello di Ponza.

Ore 20,56. L'aereo si trova a quarantatre miglia nautiche a sud di Ponza. È al limite della portata del radar di Ciampino, che autorizza l'aereo a prendere contatto con l'aeroporto di Palermo per iniziare la discesa.

Alle 20,57 l'I-TIGI contatta Punta Raisi.

Mancherebbero venticinque minuti all'atterraggio. L'aereo vola a venticinquemila piedi d'altezza, con una velocità di ottocento chilometri all'ora. A Palermo è previsto tempo buono, temperatura di ventitre gradi e leggero vento. Tutto tranquillo, tutto regolare.

In cabina il pilota e l'equipaggio stanno ridendo. Si raccontano barzellette, alcune sporche. Qualcuno lo dice, anche: – Sporca, questa, – e: – Allora sentite questa!

Poi, all'improvviso, qualcuno dice soltanto mezza parola, solo una sillaba. Dice: – Gua...

Nient'altro, perché la frase si tronca.

Ore 20,59 e 45 secondi. Dal radar di Ciampino il Dc9 I-TIGI dell'Itavia, il volo IH 870, è sparito.

Alle 21,04 un operatore di Ciampino, allarmato dal silenzio dell'I-TIGI e dalla mancanza dei suoi plot, chiama la cabina dell'aereo, ma niente. Nessuna risposta. Chiama Palermo, Punta Raisi, se ce l'avessero loro in contatto, ma niente, neanche lí.

Alle 21,05 Ciampino chiama un aereo dell'Air Malta che si trova su quella rotta e gli chiede di mettersi in contatto con l'I-TIGI. L'Air Malta lo fa ma non risponde nessuno.

Ciampino allora prova ancora con Palermo, se ce l'hanno loro. No, niente. Prova con i radar della Difesa, con quello di Marsala, alle 21,09 e alle 21,14, ma niente. Alle 21,16 Marsala chiama il comando di Martina Franca, vicino a Taranto, che fa da coordinamento tra i vari radar, che a sua volta chiama il radar di Licola, vicino a Napoli.

Niente. Niente neanche lí.

Dov'è finito il Dc9 I-TIGI dell'Itavia?

Dov'è scomparso il volo IH 870?

Le immagini di repertorio mostrano un *Tg1*. In sovrimpressione appare una data: 27 giugno 1980, ore 23,30 circa. Il giornalista legge la notizia: «Secondo un'informazione giunta pochi minuti fa, sarebbero stati persi i contatti radio con un Dc9 dell'Itavia in volo tra Bologna e Palermo. È stata formulata anche l'ipotesi del dirottamento, ma, ripetiamo, è solo un'ipotesi».

Dov'è finito il volo IH 870?

Le immagini vengono sempre dal *Tg1* del 27 giugno 1980. Mostrano la hall dell'aeroporto di Palermo. Viene inquadrato il tabellone con l'orario di arrivo dell'aereo da Bologna. Si vedono delle persone che passeggiano nervosamente, che singhiozzano dentro fazzoletti, scuotono la testa. Occhi arrossati, sigarette ardenti, cabine a gettoni prese d'assalto. Gente che si accalca al banco informazioni per avere notizie, volti preoccupati, sguardi impazziti.

Se lo chiedono anche i parenti e gli amici delle ottantuno persone che sono a bordo dell'aereo e che dovrebbero arrivare ma non arrivano. Se lo chiedono i colleghi di Pier Paolo, il padre di Giuliana, la moglie e la figlia di Alberto, fermi ad aspettare al terminale degli arrivi dei voli nazionali. Dovrebbero uscire dalle porte scorrevoli da un minuto all'altro, ma da un minuto all'altro non arrivano, ritardano, non ci sono. Passano i minuti, passano le ore, tre ore di ritardo.

Non ci sono. Non ci sono piú.

Dove sono?

Dal *Tg1*: «L'ultimo contatto radio è avvenuto con la torre di controllo di Ciampino alle 20,37. Doveva arrivare a Palermo alle 21,45. Da circa mezz'ora è terminata l'autonomia di carburante».

Dov'è finito l'aereo?

Se lo chiedono anche a Bologna i parenti e gli amici di quelle ottantuno persone. Loro li pensavano tranquilli, a destinazione, e non immaginano neanche che possa essergli successo qualcosa.

Daria Bonfietti. Dice: «Verso mezzanotte un'amica mi telefonò da Venezia chiedendomi se Alberto, mio fratello, era poi salito su quell'aereo. Mio padre l'aveva accompagnato all'aeroporto. Mio fratello era salito su quell'aereo e capii dalle urla che faceva questa mia amica che doveva essere successo qualcosa. Andai immediatamente all'aeroporto *Marconi* di Bologna e ci dissero che l'aereo era dato per disperso. Io ho nella mente scalfite queste parole, non capivo il senso di queste parole. Cosa vuol dire «un aereo disperso»? Io chiedevo cos'era successo, se era stato dirottato, era caduto... dicevano: era disperso. Queste sono state le parole che hanno usato quella mattina del 28 giugno del 1980».

Alle 21,22 il centro di controllo di Martina Franca inizia le procedure di soccorso allertando il Quindicesimo stormo di Ciampino. Gli elicotteri si alzano alle 22, trentotto minuti dopo la richiesta di soccorso. Dopo un'ora e dieci arrivano sul luogo in cui è scomparso il Dc9. È un tratto di mare al largo di una piccola isola siciliana che si chiama Ustica. Ma è tardi, è buio e non si vede niente. Tra l'altro le coordinate fornite dal radar sono sbagliate di cinquanta chilometri, tanti.

Immagini di repertorio. Si sente il rumore di un elicottero e si vede una massa blu in movimento. È il mare. La telecamera allarga il campo e fa scoprire la presenza di un'imbarcazione. Si vede poi l'elicottero che sorvola un tratto di mare. Alcune macchie bianche che galleggiano, sembrano tessuti. Una macchia rossastra che affiora dal blu dell'acqua. Del fumo giallo e verde che si trasforma in bianco prima di disperdersi.

Soltanto verso le 5,05 della mattina dopo un elicottero partito da Catania segnala alcuni detriti in affioramento. Alle prime luci dell'alba, un aereo specializzato per la ricerca dei sommergibili avvista sull'acqua una chiazza di cherosene. Prima è soltanto una chiazza oleosa, poi, verso le 7,30, cominciano ad affiorare cose, cuscini, sedili, salvagente sgonfi.

Verso le nove, comincia ad affiorare qualcos'altro.

Immagini di repertorio. Si vede una macchia chiara che galleggia tra il blu del mare e il bianco dei riflessi di luci. Non si distingue bene cosa sia. Poi, all'improvviso, prima che l'immagine svanisca, si intravedono due strisce sottili che si allungano dalla macchia principale. Si capisce nettamente che si tratta di due braccia mosse dalle onde.

Affiorano i corpi.

Daria Bonfietti. Dice: «Io sono rimasta a Bologna con mio padre. Non potevo certo pensare di vedere quelle salme, di vedere quei corpi. Mia cognata era invece giú a Palermo, perché aspettava appunto mio fratello. Quindi lei riuscí a fare anche questo. Quando tornò su, mi ricordo, il 2 o il 3 di luglio, non riuscí a spiegarmi cosa provò. Ma mio fratello non c'era, mio fratello è rimasto in fondo al mare».

Le salme recuperate sono trentotto, e ci sono anche altri resti umani che appartengono a corpi non identificati, per un totale di quarantatre. Gli altri, gli altri trentotto, sono rimasti in fondo al mare.

Le salme dei passeggeri vengono portate prima a Napoli, poi a Palermo, dove vengono eseguite le autopsie. Ma c'è confusione, alcuni parenti vogliono indietro i corpi dei loro cari, altri non vogliono l'autopsia. C'è confusione anche nel recupero dei relitti che affiorano sul mare, di cui non viene fatto un inventario preciso. Ci sono pezzi di aereo, cuscini per sedili, valigie, borse da viaggio.

Si vede una motovedetta percorrere un tratto di mare. Alcuni corpi vengono trasportati in barella all'interno di un elicottero. Sono avvolti da un telo bianco e legati da cinghie. Si intravede il piano di una portaerei.

E ci sono delle cose che sicuramente non appartengono all'ITIGI. Due salvagente e una sonda meteorologica.

Le prime autopsie dicono che i passeggeri sono morti per gravissime lesioni polmonari da decompressione, e presentano anche molte lesioni traumatiche. Vuol dire che sono morti quando la cabina pressurizzata dell'apparecchio si è spaccata, in aria, e l'aereo è venuto giú.

Ma perché?

Perché il volo IH 870 è caduto a poche miglia dall'isola di Ustica?

> *Tg1* del 28 giugno 1980, ore 20 circa. Emilio Fede legge la notizia: «Si apre ora la ricerca delle cause del disastro. La società Itavia ha smentito l'informazione secondo cui la direzione di volo della società avrebbe attribuito il disastro a un possibile sabotaggio. È già al lavoro la commissione che è stata nominata dal ministro dei Trasporti Formica».

Il giorno dopo, il ministro dei Trasporti Rino Formica forma una commissione tecnica d'inchiesta e ne affida la presidenza all'ingegner Carlo Luzzatti. Contemporaneamente si muove anche la magistratura, prima con il sostituto procuratore di Palermo, Aldo Guarino, poi con quello di Roma, Giorgio Santacroce. Non è un'inchiesta facile. Cos'è successo nel cielo di Ustica?

Oltre al radar di Ciampino, che era comunque al limite della sua portata, avrebbero potuto seguire il volo del Dc9 anche i radar militari della Difesa aerea. In zona ce ne sono due, soprattutto: uno a Licola, in provincia di Napoli, e l'altro a Marsala. Prima il sostituto procuratore Guarino, poi il sostituto procuratore Santacroce, chiedono la consegna dei dati forniti dai radar di Ciampino, Licola e Marsala.

Ma c'è qualche problema.

Il radar di Licola è manuale. Significa che i plot degli aerei, i puntini luminosi che ne indicano il tragitto, non vengono registrati automaticamente, ma sono visti da un operatore che li comunica a un altro operatore che li scrive su un registro che si chiama DA1.

Quando i magistrati chiedono all'Aeronautica militare se qualcuno, al radar di Licola, ha notato qualcosa di strano, gli viene risposto che no, nessuno ha notato niente. E il registro DA1? Cosa c'è scritto su quel registro? Non si sa. Quando i magistrati chiederanno di poterlo vedere, si scoprirà che è scomparso.

Il radar di Marsala invece è automatico, ma subito dopo l'incidente è stato spento. Inizialmente le versioni sono confuse, poi però parlano di una Synadex, un'esercitazione che prevede che il computer rimanga spento per una simulazione virtuale. Il computer viene spento, viene inserito un nastro con la simulazione, poi però accade il disastro, il nastro viene tolto e il computer riacceso. Questa operazione, inserire e togliere il nastro, di solito dura quattro minuti. Quella sera, però, per motivi tecnici, ce ne sono voluti undici per mettere il nastro e ventotto per toglierlo. I magistrati chiedono i nastri il 14 luglio, ma gli vengono consegnati soltanto il 3 ottobre, con un certo ritardo, e comunque su quei nastri non c'è niente di strano.

Ma perché? Che cosa doveva esserci di strano?

Andrea Purgatori, del «Corriere della Sera», è uno dei giornalisti che si sono occupati da subito del disastro. Dice: «Immediatamente mi resi conto che l'ipotesi che potesse essere stato un missile, o comunque che ci fosse stato qualcosa che aveva a che fare con un atto militare, come causa dell'esplosione del Dc9 era assolutamente verosimile. Il "Corriere della Sera", il 29 di giugno del 1980, in prima pagina, tra le quattro ipotesi mise appunto quella del missile».

Una delle prime voci che circolano, quasi subito dopo che il Dc9 è caduto, è che a far cadere l'I-TIGI sia stato un missile. Lo dicono alcuni militari impegnati nei comandi radar, lo dicono i dipendenti dell'aeroporto ai familiari che stanno aspettando, lo dicono alcuni controllori ai giornalisti, lo dice anche il generale Rana, che dirige il Rai, il Registro aeronautico italiano, al ministro dei Trasporti Rino Formica.

Un missile francese, dice addirittura qualcuno. Oppure americano. C'era un'esercitazione in corso, si dice. Volavano aerei militari. Oppure una collisione, uno scontro con un aereo militare che ha attraversato l'aerovia Ambra 13 quando è passato il Dc9.

Una collisione o un missile. C'è qualcosa nei tracciati radar di Ciampino. Qualcosa che fa pensare. Il sostituto procuratore Santacroce li prende e, assieme ad alcuni tecnici della Commissione Luzzatti e ad altri tecnici dell'Itavia, va a Washington dove ci sono degli esperti in grado di decifrarli.

La commissione degli esperti americani evidenzia tre plot, tre puntini luminosi, due soprattutto, -17 e -12, che non appartengono ai puntini luminosi che segnalano la rotta del Dc9. Secondo un ingegnere che fa parte della commissione degli esperti, l'ingegnere Macidul, un aereo non identificato avrebbe seguito il Dc9, poi all'improvviso avrebbe fatto una virata per attraversare in velocità la rotta dell'I-TIGI dopo che questo era già scomparso dal radar. Secondo l'ingegner Macidul, è la classica procedura d'attacco di un caccia militare.

È una falsa eco, dicono gli esperti dell'Aeronautica militare. È il radar che funziona male e fa vedere plot che non esistono. Secondo l'Aeronautica militare non era in corso nessuna esercitazione quella sera, almeno non in quella zona. Non solo, nel raggio di cinquanta miglia dal punto in cui è caduto il Dc9 vicino a Ustica, non c'era nessuna attività aerea.

Dice le stesse cose il ministro della Difesa Lelio Lagorio, che sulla base delle informazioni fornitegli dall'Aeronautica, il 10 luglio 1980, riferisce al Senato.

Però, forse c'è qualcuno che ha visto qualcosa. La portaerei americana *Saratoga*, che fa parte della Sesta flotta di stanza nel Mediterraneo. La portaerei *Saratoga* era nel porto di Napoli.

Che cosa ha visto la portaerei?

> Il professor Mario Vadacchino, consulente Associazione parenti vittime-Strage di Ustica. Dice: «I responsabili hanno dichiarato che i radar della portaerei *Saratoga* erano spenti. Naturalmente io non ho modo di smentire su basi logiche un'affermazione di questo genere. Anzi, da un punto di vista logico, a quanto mi dicono, per quanto si sa, ci sarebbe una ragione. Nel senso che il segnale radar avrebbe potuto disturbare, per esempio, tutte le radio locali, eccetera, perché è un segnale molto forte. E quindi non è insensato che una portaerei di quel genere quando è in porto spenga i radar».

Ma c'è un colpo di scena. Non è un film questo. Qui i morti ci sono davvero, le cose sono accadute veramente, non sono espedienti narrativi. Però i colpi di scena, in questa brutta storia che fa paura, non mancano.

Sui monti della Sila, in Calabria, viene ritrovata la carcassa di un aereo militare, un Mig libico. Il 18 luglio 1980, quasi un mese dopo la caduta del Dc9, due contadini di Castelsilano, vicino a Crotone, sentono un tuono e vedono del fumo levarsi in lontananza.

Immagini di repertorio. Si vedono delle montagne. Un elicottero che sorvola la zona. La telecamera si avvicina e riprende dei carabinieri tra i cespugli. Uno di loro scaglia davanti a sé un pezzo di metallo lungo, un altro ha un foglio grande e bianco in mano, forse una carta topografica. La telecamera inquadra un rottame, e si legge: 06950.

I contadini chiamano gli agenti della Forestale, che trovano un uomo steso bocconi in divisa da pilota e venti metri piú avanti la carcassa di un aereo militare. Mezz'ora dopo arrivano i carabinieri che mettono tutta la zona sotto sequestro, essendo un affare che riguarda la sicurezza militare.

È un Mig23 di nazionalità libica. Da dove viene? Non si sa. Il Flight Data Recorder, l'apparecchio che registra il volo dell'aereo, la scatola nera insomma, è danneggiato e non dice niente.

Ma cosa ci fa un Mig libico sulla Sila? È un volo di addestramento che si è perso per un malore del pilota, dice la Libia, che identifica anche il militare: Azzedin Fadal Kalil. No, dicono altri, è un aereo che andava a fare rifornimento e revisione in Iugoslavia, magari utilizzando alcune piste in disuso della Seconda guerra mondiale che si trovano in Sicilia, e magari, dice qualcun altro, con la tacita connivenza dei nostri Servizi segreti. Forse, chissà. Comunque non è l'unico mistero attorno al Mig libico caduto sulla Sila.

Da un Tg del 21 luglio 1980. Una telecamera scorre tra i loculi di cemento di un cimitero. Alcuni sono spaccati, altri vuoti. Ci sono dei fiori secchi in un vasetto o buttati per terra. Si arriva a un loculo che reca una scritta graffiata sul cemento: «Pilota dell'aereo precipitato a Colimiti», ma qui la scritta comincia a essere indecifrabile e non si riesce a leggere altro.

Uno dei medici legali che hanno effettuato l'autopsia sul corpo del pilota dice che era in avanzato stato di decomposizione, «avanzatissimo» farà scrivere sulla perizia. Avanzatissimo quanto? Quindici o venti giorni, dirà all'inizio, cioè abbastanza vicino al 27 giugno. Poi però cambierà idea.

Le indagini sulla caduta del Mig libico si chiudono in fretta. Pochi giorni dopo, il 31 luglio, la magistratura di Crotone archivia l'inchiesta. I resti del pilota vengono restituiti subito alla Libia, molto in fretta, come anche i resti dell'aereo. Non tutti, però. Molti rimangono in un hangar nella base militare di Pratica di Mare, vicino a Roma, a disposizione dell'Aeronautica militare. Ma questa è una cosa che si scoprirà soltanto piú avanti.

Lasciamolo da parte, il Mig libico. Forse c'entra, forse no. Torniamo al Dc9 Itavia, all'I-TIGI caduto vicino a Ustica.

Per l'Aeronautica militare, almeno all'inizio, l'ipotesi piú accreditata è un'altra, e anche la piú semplice.

Cedimento strutturale.

Il Dc9 dell'Itavia è caduto da solo, perché era vecchio, perché aveva avuto una manutenzione scadente, perché c'è stata una turbolenza che l'ha spaccato e l'ha fatto venire giú. C'è un rapporto del Sios, il Servizio segreto dell'Aeronautica, che dà una versione possibile dell'incidente: si è staccato il troncone di coda. Per saperne di piú bisognerebbe recuperare la scatola nera dal fondo del mare, e visto che non si può è inutile pensarci.

Ma anche senza la scatola nera, quella del cedimento strutturale è un'ipotesi che non convince quasi nessuno. Il Dc9 I-TIGI era un aereo vecchio ma solido, era partito la mattina del 27 giugno all'alba e aveva percorso le tappe del suo viaggio, avanti e indietro, come faceva quasi tutti i giorni. Non aveva lamentato anomalie, era stato regolarmente revisionato, e quella sera non c'erano state particolari turbolenze atmosferiche.

Il comandante poi, il pilota dell'aereo, il capitano Domenico Gatti, non era uno sprovveduto. Era un pilota esperto, con piú di settemila ore di volo nell'Aeronautica sia militare che civile, ed era anche un ingegnere.

> Il professor Vadacchino. Dice: «Quello che subito doveva far capire che non era stato un cedimento strutturale era il fatto che il cedimento strutturale avviene, negli esempi che si hanno, con tempi relativamente lunghi. E quindi sovente il pilota ha tempo di avvisare. In questo caso in-

> vece l'evento è stato talmente improvviso, talmente veloce, che addirittura c'è una famosa frase detta dal pilota che viene spezzata».

No, quella del cedimento strutturale è un'ipotesi che non regge. Viene esclusa quasi subito dalla Commissione Luzzatti, e in seguito anche dalle altre, nonostante l'Aeronautica militare e i Servizi segreti militari la sostengano ancora per un po'.

Niente cedimento strutturale, dice lo Stato maggiore dell'Aeronautica, però neanche un missile. Non c'è nulla che lo confermi nei tracciati e nei dati dei radar. Ogni tracciato aereo è stato identificato e non c'è niente di strano. È stato visto tutto e non c'è niente.

Nessuna attività aerea nel raggio di cinquanta miglia dal Dc9. E allora? E allora niente.

È difficile dire cos'è successo nel cielo di Ustica il 27 giugno del 1980. Ci vorrebbero piú dati, ci vorrebbero piú informazioni, piú perizie, ci vorrebbero i resti dell'aereo, ma il Dc9 I-TIGI è in fondo al mare, a tremilasettecento metri, e tirarlo fuori da lí non si può. Ci vogliono dieci miliardi, miliardi di allora, e non si sa dove trovarli. Cosí, piano piano, l'inchiesta rallenta e praticamente si ferma.

> Daria Bonfietti. Dice: «Nessuno ebbe nessuna notizia di alcunché. Il Governo, il Parlamento, non sapevamo nulla, se si erano attivati... Imparammo dopo, ricostruendo la vicenda. Ma a noi nessuno comunicò nulla. E quindi cominciammo a capire. Cominciai a voler pretendere dalle Istituzioni, dalla magistratura, intanto, che venisse fatto qualcosa, che ci raccontassero qualcosa, che ci dicessero che cosa stavano facendo».

Oltre ai parenti delle vittime, che vorrebbero sapere che cosa è successo, perché Pier Paolo, Giuliana e Alberto sono finiti in fondo al mare invece di sbarcare normalmente all'aeroporto di Palermo come sarebbe stato naturale, ci sono anche alcuni giornalisti che si interessano fin da subito della vicenda. Che indagano, cercano, riflettono. Daria Lucca del «manifesto», per esempio, oppure piú avanti Giovanni Maria Bellu di «la Repubblica», o Giovanni Bianconi, allora dell'«Avvenire», solo per citarne qualcuno.

Ma soprattutto Andrea Purgatori, del «Corriere della Sera».

Andrea Purgatori. Dice: «Questa è una storia lunga, dentro la quale uno cresce... Ho attraversato varie fasi personali e professionali. All'inizio diciamo che ho capito, ho intuito che c'era qualcosa dietro questa semplice spiegazione dell'esplosione dell'aereo per motivi tecnici, che poteva portarmi a una verità molto piú grave per il Paese».

Non è un'inchiesta facile neppure per i giornalisti. È in quegli anni che nasce un'espressione coniata da Andrea Purgatori e che diventa anche il titolo di un film di Marco Risi che racconta questa brutta storia. «Il muro di gomma».

Andrea Purgatori. Dice: «Fino al 1986, cioè per sei anni, quasi nessuno se ne è occupato. Tranne che nell'immediatezza. È in questi sei anni che si è sviluppato il muro di gomma. Vale a dire: le notizie che venivano pubblicate cadevano nel vuoto, rimbalzavano indietro, nessuno rispondeva».

Nel marzo del 1982 la Commissione Luzzatti finisce la sua perizia. Niente cedimento strutturale. L'aereo è esploso in volo, quindi o una bomba, la bomba di un terrorista, o un missile.

Nel gennaio del 1984 il sostituto procuratore Santacroce passa l'inchiesta al sostituto procuratore Bucarelli. Che dopo altri undici mesi nomina un'altra commissione e ne affida la presidenza al professor Massimo Blasi. Che dopo altri quattro anni darà una risposta. Sono tanti, quattro anni, perché cosí tanti? Perché mancano i pezzi dell'aereo rimasti in fondo al mare, dicono tutti, e senza quelli non si può fare molto.

Daria Bonfietti. Dice: «Bisognava che anche noi, come parenti delle vittime, ci facessimo sentire, perché fino ad allora non esistevamo come associazione. E allora io scrissi ai parenti. Presi l'elenco che avevo, che ritrovai da qualche parte, l'elenco dei morti. Scrissi agli indirizzi che di fianco a ciascun morto vi erano, pensando e sperando che vi abitassero i parenti delle vittime, e chiesi di fare, di metterci insieme. Chiesi, dicendo di essere la sorella di una delle vittime, di incontrare questi altri parenti e questi familiari delle vittime. A questa lettera risposero subito in moltissimi. Sembrava che tutti fossero lí ad aspettare che qualcuno si muovesse».

Il 27 giugno 1986, nel sesto anniversario del disastro, i parenti delle vittime, che ancora non si sono costituiti in associazione ma che lo faranno presto con la presidenza di Daria Bonfietti, rivolgono un appello al presidente della Repubblica Francesco Cossiga. È un appello particolarmente accorato che riesce a smuovere qualcosa. Il presidente della Repubblica Cossiga scrive una lettera al presidente del Consiglio Bettino Craxi, invitandolo a far riprendere le indagini. Il presidente del Consiglio Bettino Craxi investe di questo incarico il sottosegretario Giuliano Amato, che va a riferire in Parlamento e, frugando tra le pieghe del bilancio, finalmente trova i soldi per cominciare il recupero.

> Le immagini di repertorio mostrano una ripresa subacquea che fa scorgere i resti dell'aereo sul fondale marino. I colori sono tutti sul blu sgranato. Si intravedono diversi rottami tra i quali si distinguono un carrello con una ruota e alcune parti rivestite di vernice bianca. La ripresa prende colore e mostra il piano di una nave sul quale vengono depositati i resti dell'aereo con una gru. Si vede una fila di camion che trasporta su strada varie parti dell'aereo, e infine un uomo prende in mano una cassetta nera, un po' sporca, con delle incrostazioni. La scarica da un furgone: è la scatola nera del Dc9.

Una ditta francese specializzata in recuperi riceve l'incarico di riportare su i resti del Dc9 finiti a tremilasettecento metri di profondità. La nave *Nereit* perlustra il mare vicino a Ustica e in un mese localizza il punto in cui si trova l'aereo. Ci mette un anno e mezzo, e nel maggio 1988 riporta a galla tutto quello che rimane del Dc9, compresa la scatola nera.

Tutto quello che rimane? C'è qualcuno che se lo chiede. Circolano voci secondo cui la ditta di recupero è legata ai Servizi segreti francesi, e all'inizio si era parlato proprio di un missile francese. Comunque, in ogni caso viene varata una seconda campagna di recupero nel 1990, affidata a una ditta inglese, che porta in superficie altri reperti che erano rimasti in fondo al mare. Tra questi c'è anche il serbatoio supplementare di un caccia.

Nel repertorio si vede l'interno di un hangar. C'è il primo piano di parti del Dc9, tra cui alcuni quadranti incrostati di salsedine e terra. La telecamera scorre dentro l'aereo ricostruito. Sembra il ventre scheletrico di un enorme pesce. I vari pezzi sono stati fissati a un reticolo che ricostruisce la forma del Dc9. Le singole parti sono contorte e ammaccate. Da lontano si intuisce benissimo la forma originaria, ma è un aereo sgretolato.

I resti del Dc9 vengono concentrati in un hangar nella base militare di Pratica di Mare. Lo stesso che contiene quelli del Mig libico. Sono davvero tutti? E siamo sicuri che non sia passato nessuno prima dell'87 sotto quel tratto di mare?

Il professor Vadacchino. Dice: «Il relitto era a tremilasettecento metri in fondo al Tirreno, che è un'enorme profondità. Laggiú tutto rimane fermo, la sabbia resta immobile. E invece si vede che in questa zona ci sono delle tracce come di aratura, come di un trattore che fosse sceso giú».

Intanto, anche nel muro di gomma si smuove qualcosa, e saltano fuori elementi interessanti.

Nel 1988 sta andando in onda una trasmissione che ha fatto scuola nel modo di raccontare la cronaca in televisione. Si chiama *Telefono giallo*, la conduce Corrado Augias, e il 6 maggio sta facendo una puntata interamente dedicata al disastro di Ustica, quando all'improvviso telefona qualcuno.

Corrado Augias siede accanto a Giuliano Amato durante la puntata di *Telefono giallo*. Dietro di loro ci sono i centralinisti e la scritta «Giallo». C'è il modellino dell'Itavia sul tavolo. Augias dice: – Pronto? – nella cornetta gialla, e la posa sul bancone.

Si sente una voce che dice: – Pronto?

Augias: – Sí?

– Mi sente?

– La sento... piano, ma la sento.

– Mi scusi, perché per riuscire ad arrivare in trasmissione... Io ero un aviere in servizio a Marsala la sera dell'evento della caduta del Dc9, e purtroppo non mi volevano prima passare la telefonata perché gli elementi che comunico sono molto pesanti. A ogni modo, noi abbiamo esaminato le tracce di dieci minuti di trasmissione di cui parlate... di registrazioni... che non sono stati visti. Non è vero. Perché noi li abbiamo visti perfettamente. Soltanto che il giorno dopo il maresciallo responsabile del servizio ci disse praticamente di farci gli affari nostri, e di non avere piú seguito in trasmissione...

– Shhh, silenzio. Per favore! – Augias batte la mano contro il banco.

– ...Io dopo dodici anni, rivedendo la trasmissione, ho avuto questo fatto emotivo interiore di dover dire la verità. Anonimamente, perché cado nel nulla. Però la verità è questa: ci fu ordinato di starci zitti, e la saluto, e saluto anche l'onorevole Rodotà e tutti quelli che hanno cercato...

– No, ci scusi un momento, ci scusi, gentile...

– ...di dire la verità perché non voglio rogne e non voglio fare brutte fini. Buonanotte e vi saluto tutti quanti.

Augias: – Gentile amico, non attacchi.

Si sente il rumore della cornetta posata.

Augias: – Ha attaccato il telefono.

«Ci avevano ordinato di stare zitti»... che cosa significa?

Chi c'era a Marsala quella sera?

Due persone, aveva sempre detto l'Aeronautica. In seguito alla telefonata, il sostituto procuratore Mario Borsellino apre un'inchiesta e si fa consegnare dal radar di Marsala il registro dei militari presenti.

Decine di ufficiali e sottufficiali nel turno di notte.

Sí, dice l'Aeronautica, però erano tutti fuori dalla stanza o non stavano guardando il radar.

Ma c'è un altro militare che parla. Il maresciallo Luciano Carico, in servizio presso il radar di Marsala con compiti operativi, contraddice i suoi superiori e afferma di aver visto qualcosa sul radar. Tra le 20,50 e le 20,59, proprio nel momento del disastro. Due tracce, all'altezza di Ponza, che scendevano assieme. Poi una si è affievolita fino a scomparire.

C'è un alto ufficiale dei carabinieri, il generale Bozzo, un collaboratore del generale Dalla Chiesa, che si trova in vacanza in Corsica, e che quella sera vede molti aerei francesi alzarsi in volo e dirigersi verso il mare.

Non sono le uniche novità che emergono in quegli anni. Già note alla magistratura ma poco prese in considerazione, oppure scoperte quando le indagini passano nelle mani del giudice istruttore Rosario Priore, ci sono anche altre cose. Per esempio salta fuori che non erano soltanto i radar di Ciampino, Licola e Marsala a poter seguire le varie fasi del volo del Dc9, ma ci sono anche quelli di Poggio Ballone a Grosseto, Poggio Renatico a Ferrara, quello di Potenza Picena, di Siracusa e anche di Martin Franca, vicino a Taranto.

Ma Martina Franca non ha visto niente. Poggio Ballone non ha visto niente e non può presentare i registri perché nel frattempo sono stati distrutti. Potenza Picena uguale, non ha visto niente e non può presentare né nastri né registri. Poggio Renatico non ha visto niente, ma ha un piccolo registro ridotto che è regolare, in ordine, a parte un particolare: manca la pagina del 27 giugno. Secondo il giudice istruttore Rosario Priore, sarebbe stata tagliata con una lametta.

Intanto a Poggio Ballone vengono trovati quattro tabulati sui quali forse c'è qualcosa. Una traccia alle 20,14 che non appartiene all'I-TIGI, e che potrebbe essere di un aereo che arriva da ovest.

Il radar di Siracusa invece era spento ma non avrebbe dovuto esserlo, perché avrebbe dovuto coprire anche quello di Marsala, fuori uso per l'esercitazione che ha provocato i due buchi nei nastri. E allora?, si chiede il giudice Rosario Priore. Era veramente spento il radar di Siracusa o è l'esercitazione che non è mai avvenuta?

> Il generale dell'Aeronautica militare Enrico Pinto coordina il Comitato studi per Ustica. Dice: «Nell'intorno del punto della destrutturazione, nel raggio di cinquanta o sessanta miglia, non c'era nessun altro velivolo. Tranne appunto il Dc9 che ha subito l'incidente».

Saltano fuori altre cose. Oppure erano già note ma vengono prese in considerazione soltanto adesso.

Per esempio, che alle 20,20 di quella sera dalla base di Grosseto si sono alzati in volo due caccia F104 dell'Aeronautica militare italiana, uno con a bordo due istruttori e uno con un istruttore e un allievo. Alle 20,26 l'F104 con a bordo i due istruttori squocca un segnale: «7300», un segnale in codice che significa «emergenza generale». Sette minuti dopo il segnale si ripete. Perché? Cos'hanno visto i due piloti? Non si sa. Allora non gli venne chiesto e in seguito non fu piú possibile farlo perché nel frattempo erano morti.

Ma i due F104 non sono gli unici aerei nel cielo vicino a Ustica. Ce ne sarebbero altri quattri che partono da Grosseto tra le 20,18 e le 20,45, e che spengono subito il transponder di bordo. Ci sono gli aerei che partono dalla Corsica visti dal generale Bozzo. C'è un aereo americano che decolla dalla base di Sigonella, un'ora dopo il disastro, e c'è anche un Awaks, un aereo radar americano, che incrocia sull'Appennino tra la Toscana e le Marche.

Il professor Vadacchino. Dice: «Il cielo del Tirreno in quelle ore è ricco di tanti segnali. E molti di questi segnali sono, come si dice, di solo primario, senza transponder, cioè sono segnali di aerei che non vogliono o pensano che non sia utile dare la propria individuazione. Come dire, è un cielo pieno di macchine senza targa».

Sono cose nuove? L'Aeronautica disse allora, e continua a dirlo anche adesso, che le aveva riferite subito tutte alla magistratura, e che comunque non significavano niente: nessuna attività aerea nel raggio di cinquanta miglia dal punto in cui è caduto il Dc9.

Nuove o vecchie che siano, ce ne sono altre. Registrazioni. Sono le conversazioni tra le torri di controllo, i centri radar e i comandi militari, registrate a volte in automatico, e che saltano fuori tra le pieghe dell'inchiesta.

Dal repertorio, la registrazione tra due torri di controllo. Tra un rumore sordo costante e un gracchiare alternato si sentono due voci che conversano.

Ciampino: – Senti un po'...

Martina Franca: – Dimmi.

Ciampino: – Qui è venuto il... un ufficiale del...

Martina Franca: – Itavia.

Ciampino: – Dell'Acc... del controllo.

Martina Franca: – Ah, sí!

Ciampino: – E ha detto che se volete lui può metterci in contatto tramite l'ambasciata americana.

Martina Franca: – Sí.

Ciampino: – Eh, se... siccome c'era traffico americano in zona, molto intenso...

Martina Franca: – Sí.
Ciampino: – In quel periodo... eh, può attingere notizie attraverso quella fonte, quella via.
Martina Franca: – E come, nella zona dove stava il Dc9?
Ciampino: – Sí...
Martina Franca: – ...Ho capito. Un attimo, che adesso... ma... qualche portaerei?
Ciampino: – Eh, questo non me l'ha detto...
Martina Franca: – Ebbe'...
Ciampino: – Però si suppone, no?...

Ci sono altre registrazioni, altrettanto inquietanti.

Alle 20,58, un minuto prima che il Dc9 venisse giú, due militari a Marsala stanno parlando. Devono notare qualcosa di strano nei tracciati del radar, perché uno di loro dice: – Sta' a vedere che quello dietro mette la freccia e sorpassa –. Cosa, mette la freccia e sorpassa? Un altro aereo? E dietro cosa, dietro il Dc9?

Poco dopo il militare dice: – Quello ha fatto un salto da canguro –. Chi, ha fatto un salto da canguro?

Alle 22,04 a Grosseto altri due militari stanno parlando. Sono seduti davanti alla console del radar, e non si sono accorti che il collegamento con Ciampino è ancora aperto e che sta registrando in automatico. Uno di questi dice: – Qui poi il Governo, quando so' americani... ma tu, che cascasse...

– È scoppiato in volo, – dice l'altro militare.

Alle 22,05 due militari del centro radar di Ciampino stanno parlando tra loro al telefono. Parlano del centro radar di Siracusa, dice che hanno visto «razzolare» alcuni aerei americani.

– Io stavo pure ipotizzando una eventuale collisione, – dice uno.

– Sí, – dice l'altro, – o un'esplosione in volo.

Alle 22,39 dal centro radar di Ciampino parte una telefonata verso l'ambasciata americana. Interno 550. Ma l'operatore non riesce a mettersi in contatto.

Perché l'ambasciata americana?

Il generale Zeno Tascio era il capo dei Servizi di informazione dell'Aeronautica militare. Al *Tg1* dell'1 settembre 1999, dice: «Io so che dal momento in cui ero nel possesso di quest'incarico non ho avuto degli scambi, come dalla stampa mi viene asserito, con l'ambasciata americana. Non ho avuto alcuno scambio di questo... certamente i miei dipendenti avranno richiesto delle informazioni che sono state transitate, che hanno portato a dire che non c'era traffico militare americano nella zona».

Diciotto ore di registrazione, i due nastri radar di Marsala, il nastro radar di Ciampino e i quattro tabulati di Poggio Ballone e qualcos'altro.

Tutto materiale a disposizione fin dall'inizio, dice l'Aeronautica. E comunque non significa niente: nessuna attività aerea nel raggio di cinquanta miglia dal punto di caduta del Dc9.

Il generale Tascio, al *Tg1* dell'1 settembre 1999. Dice: «Tutto questo materiale è stato regolarmente dato, su richiesta. Le ultime perizie del magistrato, di alcuni periti radar che egli aveva nominato, hanno escluso che le registrazioni radar consegnate dalle Forze armate siano state manomesse».

Non è un'indagine facile, quella sul disastro di Ustica.

Il giudice Rosario Priore si trova alla prese con una serie di perizie e controperizie, eseguite soprattutto sui resti del Dc9 recuperati dal fondo del mare.

La Commissione Blasi prima si esprime a favore di un missile, esploso probabilmente nella parte anteriore dell'aereo. Poi però si divide. Due a tre. Tre per il missile e due per una bomba esplosa dentro il Dc9.

Il giudice Priore dispone un'altra perizia affidata a due esperti, Casarosa e Held, che invece dicono «collisione in volo», anzi, «quasi collisione», un aereo che ha sfiorato il Dc9 e lo ha fatto cadere.

Anche l'Aeronautica nomina le sue commissioni, che propendono tutte per l'ipotesi della bomba.

Ci sono anche delle morti sospette.

Come nella migliore tradizione dei misteri italiani, alcune persone che hanno a che fare col caso all'improvviso muoiono. Sono tante, tantissime. E per molte di queste è appurato che si tratta di coincidenze. La gente muore, soprattutto nell'arco di tanti anni.

Per esempio muoiono i due piloti istruttori che si trovavano sull'F104. Quelli che avevano squoccato «7300», emergenza generale. Ma muoiono in un modo che è difficile pensare che sia stato provocato, ed è una coincidenza che anche in un romanzo giallo sembrerebbe inverosimile.

Le immagini di repertorio mostrano le Frecce tricolori tracciare il cielo con i loro fumi. All'improvviso piegano verso destra e ne appaiono altre che vanno loro incontro. È una questione di secondi, le due squadre si incontrano in una fiammata. Si sente qualcuno urlare. Un aereo gira su se stesso e precipita a testa in giú sul terreno, esplodendo. Alcuni pezzi rimbalzano verso la folla. Le persone urlano e scappano via, disperdendosi. Si vedono delle auto tra le fiamme, alcune guardie corrono verso il fumo. È un fumo scuro, venato di fiamme arancioni.

Sono Mario Naldini e Ivo Nutarelli, i due piloti delle Frecce tricolori che il 28 agosto del 1988, durante un'esibizione alla base Nato di Ramstein, in Germania, si toccano accidentalmente e precipitano sulla folla. Provocando cinquantanove morti e trecentosessantotto feriti. È difficile pensare che sia stato provocato.

La morte del maresciallo Mario Alberto Dettori, però, è sospetta. Era in servizio presso il centro radar di Poggio Ballone la sera del disastro. La moglie dice che quando è tornato a casa era molto scosso e le ha detto: – È successo un casino, qui vanno tutti in galera.

Il 31 marzo del 1987 viene trovato impiccato a un albero, in campagna, vicino a Grosseto. Suicidio. Ma piú che depresso, il maresciallo Dettori sembrava preoccupato. Al ritorno da un suo viaggio di addestramento in Francia nell'86, continuava a cercare microspie nascoste.

E anche che il maresciallo Franco Parisi venga trovato impiccato a un albero, il 21 dicembre del 1995 è sospetto, perché proprio pochi giorni dopo avrebbe dovuto presentarsi davanti al giudice Priore per essere interrogato. Prestava servizio presso il radar di Otranto, ma non era di turno la sera in cui è caduto il Dc9. Era di turno il 18 luglio 1980, quando sarebbe caduto il Mig libico sulla Sila.

Un'inchiesta difficilissima, quella sul disastro.

Anche per la stampa che vuole sapere che cosa sia successo veramente la sera del 27 giugno 1980 sul cielo di Ustica.

Andrea Purgatori. Dice: «In tutti questi anni non è che ci sono state solo sensazioni... ci sono fogli di carta, lettere di capi di Stato maggiore della Difesa. Ai direttori del "Corriere della Sera" ci sono querele che sono state tutte quante vinte. Ci sono state pressioni di ogni genere. Naturalmente perché questa è una vicenda che andava a toccare delle cariche istituzionali molto importanti. L'Aeronautica militare è parte del ministero della Difesa, il ministero della Difesa è parte del Governo. Il Governo risponde in pieno di questa vicenda. Di ciò che fa e di ciò che non fa. Rispetto a ciò che non fa, io devo dire che nonostante molti siano stati i tentativi, ci sono alcune lacune estremamente importanti da colmare ancora».

Ventiquattro anni, un milione e ottocentomila pagine di atti giudiziari, cinquemila pagine soltanto di sintesi, piú di un centinaio di perizie.

Secondo il giudice istruttore Rosario Priore, non è vero che i cieli sono sgombri quella sera, non lo sono vicino a Ustica. Secondo il giudice Priore ci sono molti aerei, aerei militari, e ce ne sarebbe uno che a un certo punto si accoda all'I-TIGI, molto vicino, visto appena dai radar.

Il professor Vadacchino. Dice: «Viaggiava vicino al Dc9, e quindi volontariamente o involontariamente non era tanto visibile dal radar. Analizzando i dati qualche minuto, due o tre minuti, prima dell'incidente, noi siamo convinti, con elevata probabilità, che l'aereo sotto fa una manovra consistente e si stacca dal Dc9».

Un aereo sconosciuto che seguirebbe il Dc9, da vicino e di nascosto. Un altro aereo che seguirebbe parallelamente la rotta del Dc9 e vira, secondo una tipica manovra d'attacco. L'aereo sconosciuto che accelera raggiungendo il Dc9, forse quel salto come un canguro di cui parlavano i militari, poi il Dc9 dell'Itavia esplode proiettando una miriade di puntini luminosi sullo schermo del radar.

Perché? Perché l'aereo che attacca avrebbe sparato un missile contro l'aereo sconosciuto e avrebbe colpito il Dc9. Oppure il missile gli è esploso vicino e il Dc9 è caduto. Oppure uno dei due aerei ha compiuto una virata vicino al Dc9, gli ha staccato un'ala e il Dc9 è caduto.

Una vera e propria battaglia nei cieli di Ustica, una battaglia durante la quale il Dc9 si sarebbe trovato nel punto sbagliato al momento sbagliato. Una battaglia nei cieli di Ustica, perché?

> Andrea Purgatori. Dice: «Se fosse un Mig, se fosse un aereo americano che si nascondeva, se fosse stata una punizione nei confronti di un Mig che faceva il viaggio di trasferimento dalla Iugoslavia, dove aveva fatto manutenzione, fino in Libia, per magari spiare che cosa accadeva sulla verticale della Sesta flotta o saggiare le difese della base di Solenzara in Corsica, quindi dei francesi, questo è difficile dirlo, perché i transponder degli aerei militari, che la Nato però ha verificato, esistono e sono moltissimi, erano spenti. Quindi noi non abbiamo le targhe di questi aerei».

Per i generali dell'Aeronautica militare coinvolti nell'inchiesta, per alcune perizie prodotte da alcuni esperti, per i membri del Comitato studi per Ustica la verità è molto diversa.

> L'avvocato Francesco Gironda è il portavoce del Comitato studi per Ustica. Dice: «L'unica verità che emerge, giorno dopo giorno, dal dibattimento processuale, è che a Ustica non c'è stata nessuna battaglia aerea, nessuna semicollisione. Ma che l'aereo Dc9 Itavia è purtroppo caduto per un'esplosione interna, quando intorno all'aeroplano, per cinquanta miglia, non esisteva niente e nessuno che potesse prendere e confliggere con l'aeroplano».

Le perizie dell'Aeronautica, infatti, affermano un'altra cosa: il Dc9 dell'Itavia è esploso in volo. Ma non per un missile, per una bomba. La bomba di un terrorista caricata probabilmente a Bologna ed esplosa nella toilette anteriore dell'aereo, per errore o volontariamente.

> Andrea Purgatori. Dice: «Vorrei sapere quale bomba, collocata all'interno della toilette di un aereo, è capace di far esplodere l'aereo e nello stesso tempo di lasciare assolutamente intatto il lavandino e il water della toilette, come se appunto non ci fosse stata alcuna esplosione».

Ma perché poi una bomba? Un atto terroristico per cosa? C'è un'altra ipotesi, tornata alla ribalta di recente, che collega la strage di Ustica a un'altra strage, quella della stazione di Bologna, avvenuta il 2 agosto del 1980, poco piú di un mese dopo. Una strage fatta forse per depistare le indagini da Ustica, oppure fatta dagli stessi attentatori di Ustica perché il segnale non era arrivato, oppure fatta da altri per rispondere alla strage di Ustica.

> Andrea Purgatori. Dice: «Tutte le ipotesi che sono state fatte non hanno trovato alcuna possibilità di verifica. Quindi possiamo immaginare qualunque cosa. Che la strage di Bologna sia stata una vendetta di Gheddafi nei confronti di chi aveva abbattuto il suo Mig e quindi provocato la strage di Ustica, ammesso che non sia stato Gheddafi a provocarla e gli altri a rispondere. Possiamo immaginare che la strage del 2 agosto alla stazione di Bologna sia stato un tentativo di depistaggio, per evitare che si concentrasse troppo l'attenzione sulla strage di Ustica. Possiamo anche immaginare che si tratti di due eventi assolutamente separati. D'altra parte l'Italia è un Paese che ancora in quel periodo viveva la coda della cosiddetta strategia della tensione».

Restiamo a Ustica. Restiamo al Dc9 caduto all'improvviso dal cielo per finire a tremilasettecento metri sotto il mare.

L'indagine del giudice istruttore Rosario Priore si conclude con una sentenza-ordinanza nei confronti di ignoti. Non c'è il nome o la nazionalità di chi abbia sparato quel missile, che il giudice Priore ritiene l'ipotesi piú probabile.

Ma c'è un'altra cosa. Nella sua sentenza-ordinanza, il giudice Priore parla di «distruzioni e sparizioni non casuali, non è piú possibile sostenerlo, ma tutte in esecuzione di un preciso progetto di impedire ogni fondata e ragionevole ricostruzione dell'evento, dei fatti che lo avevano determinato e di quelli che ne erano conseguiti».

Il 31 agosto 1999, il giudice Rosario Priore chiede il rinvio a giudizio anche per i generali Lamberto Bartolucci, capo di Stato maggiore dell'Aeronautica, Franco Ferri, sottocapo di Stato maggiore dell'Aeronautica, Corrado Melillo, generale di brigata aerea, e Zeno Tascio, capo del Servizio informazioni dell'Aeronautica, per attentato contro gli Organi costituzionali con l'aggravante dell'alto tradimento. Per aver omesso di fornire informazioni alle autorità politiche e giudiziarie e per averne invece fornite di errate. A loro si aggiungono una quarantina tra ufficiali e militari dell'Aeronautica accusati di falsa testimonianza.

No, dicono i generali messi sotto accusa. Non è vero, Semmai la colpa è dei magistrati che hanno condotto le prime inchieste.

Il generale Pinto. Dice: «Circa l'occultamento, la falsificazione, la dispersione dei documenti, l'Aeronautica militare ha puntualmente, caso per caso, fornito le spiegazioni e le giustificazioni richieste dai magistrati inquirenti. Per quanto concerne tutta la situazione di ritardi di consegna, modificazioni, dispersioni o mancati ritrovamenti, va tenuto presente che tutta l'azione indagante, inquirente, non ha proceduto in modo sistematico e tempestivo all'acquisizione di tutte le documentazioni necessarie, ma lo ha fatto nel tempo, a volte in ritardo. Addirittura, in alcuni casi, documentazioni già sequestrate immediatamente dopo la data dell'incidente sono state prelevate dal giudice indagante nel 1980, solamente nell'ottobre, quindi quasi con tre mesi e mezzo di ritardo per volontà specifica del giudice. Per altro, molte documentazioni che non sono state immediatamente reperite, non lo sono state perché le richieste di queste documentazioni sono state fatte a distanza di dieci, fino a quindici anni dal momento dell'incidente».

Anche la Commissione stragi presieduta dal senatore Libero Gualtieri, che si è occupata della strage di Ustica, ha un giudizio molto duro nei confronti dei responsabili militari dell'Aeronautica di allora. Nella relazione finale, presentata nell'aprile del '92, la Commissione stragi accusa alti ufficiali dell'Aeronautica e dei Servizi di «avere trasformato una *normale* inchiesta sulla perdita di un aereo civile, con tutti i suoi ottantuno passeggeri, in un insieme di menzogne, di reticenze, di deviazioni, al termine del quale, alle ottantuno vittime, se ne è aggiunta un'altra: l'Aeronautica militare che, per quello che ha rappresentato e rappresenta, non meritava certo di essere trascinata nella sua interezza in questa avventura».

Il titolo della relazione della Commissione stragi è molto eloquente: *L'ottantaduesima vittima è l'Aeronautica militare*.

Daria Bonfietti. Dice: «Noi vogliamo, ed è questo che preme ancora a noi come parenti delle vittime, andare avanti. Non è finita. Io credo che sia, a questo punto, un problema, come vado dicendo in questi ultimi anni, di dignità nazionale, ormai, voler sapere chi in tempo di pace ci ha abbattuto un aereo civile».

Il 26 novembre 2003, il tribunale di Roma ha condannato i ministeri dei Trasporti, della Difesa e degli Interni a risarcire la compagnia Itavia, fallita dopo il disastro, con centootto milioni di euro, ritenendoli responsabili di non aver garantito la sicurezza della via aerea usufruita dall'I-TIGI. Il processo a carico dei generali per attentato agli Organi costituzionali e quello a carico dei militari per falsa testimonianza sono ancora in corso, e spetta a loro, e soltanto a loro, stabilire qual è la verità.

Però sono passati ventiquattro anni da quando il Dc9 è partito dall'aeroporto di Bologna, il 27 giugno 1980.

Sono troppi.

Perché la gente non dimentica. Ci sono libri, ci sono articoli, ci sono servizi televisivi, c'è l'Associazione dei parenti delle vittime, c'è un bellissimo spettacolo teatrale scritto da Daniele Del Giudice e Marco Paolini, però quello che manca è la verità.

Piú che sul come sia successo, sul perché sia successo.

Sul perché ci siano stati depistaggi e sul perché non si siano mossi i governi e subito. E tutti.

Perché quello che è successo, è troppo grosso.

Ci sono ottantuno persone su un aereo. Davanti c'è il capitano Gatti e dietro c'è Pier Paolo, c'è Alberto e c'è Giuliana. Seduti al loro posto, le cinture allacciate, i tavolini chiusi e i sedili alzati, come da regolamento quando si sta per atterrare.

Poi, all'improvviso, nella cabina, il capitano ha solo il tempo di dire una mezza frase, di dire: – Gua... – e il motore destro si stacca. Si stacca tutta la fiancata con tutti i finestrini, va via la luce, l'aereo si depressurizza e muoiono tutti i passeggeri, poi si ferma anche l'altro motore, il Dc9 si spezza in due, si apre sopra, cade verso il mare, si disintegra contro l'acqua, e Giuliana, il capitano Gatti, Pier Paolo e Alberto finiscono sott'acqua, a tremilasettecento metri di profondità, e là restano.

Perché è successo?

Non può rimanere senza una risposta.

Le immagini di repertorio mostrano l'aereo all'interno dell'hangar, riassemblato come in un mosaico. La telecamera scorre dentro il Dc9 ricostruito. Sembra il ventre scheletrico di un pesce. Le singole parti sono tutte contorte e ammaccate. Da lontano si intuisce benissimo la forma originaria di un aereo che non esiste piú.

Alceste Campanile

Questa è una storia complicata.

Una di quelle storie che sembrano semplici, con una dinamica molto chiara, sempre la stessa per ogni omicidio di questo tipo, e invece c'è qualcosa che non torna, qualcosa che non quadra, e tutto finisce per restare un mistero.

È una di quelle storie di cui, qualunque sia la spiegazione finale o lo sviluppo, c'è sempre qualcuno che sospetta qualcos'altro. Qualcosa di strano.

Questo è il mistero della morte di Alceste Campanile.

Il nostro mistero inizia come iniziano i romanzi gialli. Con una scena che apparentemente non c'entra niente ma che invece riserva una sorpresa.

Inizia a quindici chilometri da Reggio Emilia, sulla strada che da Sant'Ilario porta a Montecchio.

È il 12 giugno 1975.

È notte, e in un casolare in riva all'Enza, sulla sponda del torrente che è già nella provincia di Parma, c'è un contadino che sta guardando la televisione. Sta guardando *Tribuna politica*, un comizio di Amintore Fanfani, allora segretario della Dc, perché siamo alla vigilia delle elezioni amministrative. Tutto a posto, tutto tranquillo, quando all'improvviso il contadino sente due spari.

Due colpi, nella notte, che vengono dal buio oltre il torrente, dalla sponda che sta in provincia di Reggio.

Due spari. Sono le 23,10. Il contadino se lo ricorda bene. Cambiamo scena.

È passata qualche decina di minuti, e c'è una coppia, un uomo e una donna, che sta percorrendo in macchina la strada provinciale che da Montecchio va a Sant'Ilario, quando la donna chiede di fermarsi un momento, perché non si sente bene. Solo un momento. Non c'è problema. Di solito è una strada di traffico, ma a quell'ora sicuramente no, per cui è un attimo accostare e fermarsi. Ma appena la donna scende dall'auto, vede qualcosa, nell'erba. Qualcosa che fa paura.

Il dottor Francesco Fochi. Dice: «La notte tra il 12 e il 13 giugno mi trovavo con alcuni amici, alcuni conoscenti, in un locale per mangiare un panino, dopo avere passato la sera a una riunione a Reggio Emilia. Abbiamo avuto la sgradita sorpresa di avere una coppia di amici, marito e moglie, che, di ritorno da una loro serata a Parma, avevano rinvenuto sulla strada di Sant'Ilario il corpo di una persona giovane, gravemente ferita o morta. Per cui erano corsi in paese a chiedere aiuto a qualcuno. Siamo andati a vedere cos'era successo. È stato subito evidente che si trattava di un cadavere. Portava una camicia di jeans e un giubbino di jeans nonostante fosse abbastanza caldo... però pioveva un po', quindi il caldo non era forte».

È un uomo, un giovane, poco piú di un ragazzo. È steso sulla schiena, con le gambe leggermente divaricate e il braccio destro infilato sotto il corpo. Indossa un giubbotto di tela, una camicia e calzoni di velluto a coste.

Forse è stato un incidente, ne avvengono su quella strada. È notte, l'asfalto è scivoloso, pioviggina, qualcuno è caduto oltre il parapetto ed è finito nel campo.

E invece no. Perché il ragazzo ha un buco sul petto, il foro insanguinato di un proiettile. Porta un paio di occhiali che nella caduta gli sono risaliti sulla fronte, e quando il dottor Fochi glieli toglie si accorge subito che c'è un buco anche lí. È di un proiettile che è entrato dalla nuca ed è uscito dalla fronte.

Un omicidio, senza nessun dubbio.

Il dottor Fochi. Dice: «Il secondo colpo non era visibile, che poi si dimostrò essere il primo, anzi, era chiaramente il primo. In quanto che era un colpo sparato alla nuca con foro d'uscita sulla fronte. Ecco, non ho detto che il cadavere giaceva supino, quindi non si vedeva il foro d'entrata nella nuca, logicamente, e il foro d'uscita sulla fronte era coperto dalla montatura degli occhiali. Da quel foro c'era un piccolo rigagnolo di sangue misto apparentemente a materia cerebrale che scolava di lato, perché il capo era reclinato parzialmente di lato».

Chi è quel ragazzo steso a terra, nell'erba di un campo a pochi passi da Montecchio? Addosso non ha documenti, non ha carta di identità, non ha agende, non ha niente che possa far capire chi è e da dove venga. Steso nella camera mortuaria di Montecchio, rimane senza nome fino al giorno dopo, quando viene riconosciuto.

È un ragazzo di ventidue anni, di Reggio Emilia.

Si chiama Alceste Campanile.

L'avvocato Cesare Bonazzi. Dice: «Alceste Campanile negli anni Settanta credo che fosse il capo carismatico della Sinistra qui a Reggio Emilia. Era un ragazzo estremamente brillante, un bel ragazzo, suonava la chitarra, cantava. Molti lo vedevano come un vero leader. Era sempre primo in tutte le discussioni, era davanti a tutti negli scontri anche fisici che allora non erano infrequenti con gli uomini della Destra, con i ragazzi che militavano nella Destra».

Alceste Campanile è un militante della Sinistra extraparlamentare. Fa parte di un gruppo che si chiama Lotta continua ed è il responsabile reggiano del circolo *Ottobre*, una rete di associazioni culturali promosse proprio da Lotta continua.

Un militante della Sinistra extraparlamentare. Ucciso in quel modo, con due colpi di pistola, è una cosa che fa pensare male. È una cosa che fa pensare subito a una ipotesi molto precisa: alla violenza politica, al terrorismo. E questo per due motivi.

Uno è relativo proprio a quei giorni. È il 12 giugno 1975, è giovedí, e di lí a poco, il 15, domenica, ci sarebbero state le elezioni amministrative in quasi tutta Italia, anche a Reggio Emilia.

L'altro è relativo a quegli anni.

L'avvocato Bonazzi. Dice: «Erano anni molto difficili. Erano anni di scontri soprattutto fra i giovani della Destra e della Sinistra. Erano anni in cui non era neanche possibile andare a teatro a vedere le rappresentazioni di Gian Maria Volontè. Perché la Questura vietava le rappresentazioni teatrali di Gian Maria Volontè o di Dario Fo. Quindi si doveva ricorrere a dei sotterfugi, come ad esempio il tesseramento Arci, per poter andare a teatro. Quindi potete immaginare quello che era il clima. Questo clima poi si tramutava spesso in scontri di piazza fra giovani di destra e giovani di sinistra».

Quando Alceste viene ucciso è il 1975.

È un anno di grandi tensioni. Ci sono le Brigate rosse, e proprio in quel 1975 un commando di quattro persone libera Renato Curcio, uno dei capi storici delle Br, dal carcere di Casale Monferrato, mentre poco dopo la sua compagna, Mara Cagol, viene uccisa in un conflitto a fuoco con i carabinieri.

Ci sono gli scontri in piazza, tra estremisti di destra e di sinistra, e non solo. Mikis Mantakas, uno studente greco di destra, e Sergio Ramelli, del Msi, uccisi a Roma e a Milano, Claudio Varalli, uno studente di sinistra, ucciso da esponenti di Avanguardia nazionale, Pietro Bruno, di Lotta continua, ucciso dalla polizia, Pier Paolo Pasolini, massacrato all'Idroscalo di Ostia. C'è la Strategia della tensione. Solo l'anno prima c'è stata la strage di piazza della Loggia, a Brescia, ed esponenti politici come Randolfo Pacciardi ed Ergardo Sogno vorrebbero un'azione forte, forse un golpe, per un'Italia diventata «un baccanale orgiastico di delitti e di rapine».

Ci sono tensioni anche a livello internazionale, con i Vietcong che stanno per prendere Saigon, il Portogallo che non è piú una dittatura, e Francisco Franco, che è morto, in Spagna.

E le elezioni amministrative sono un vero e proprio terremoto politico, con la Dc che perde voti e sostituisce Amintore Fanfani con Benigno Zaccagnini, e il Pci, il Psi e i partiti «laici» che avanzano tutti.

Se in un contesto simile un militante della Sinistra extraparlamentare come Alceste viene ucciso in quel modo, la cosa fa scalpore, fa notizia, e fa anche paura.

Renzo Bonazzi era sindaco di Reggio Emilia, in quegli anni. Dice: «La campagna elettorale si era svolta fino a quel momento in modo molto acceso ma senza nessuna particolare asprezza. Quindi la notizia di quel fatto fu un detonatore imprevisto e formidabile che arroventò il clima e allarmò l'opinione pubblica della città».

Il Comitato antifascista di Reggio Emilia, presieduto da Otello Montanari, si riunisce lo stesso pomeriggio, mentre i comitati antifascisti si mobilitano in tutta Italia.

Le immagini di repertorio mostrano il funerale di Alceste Campanile. La cassa viene portata a spalla da alcuni ragazzi. Durante il tragitto, passa tra diverse persone che hanno il braccio alzato con il pugno chiuso, in segno di saluto. Si vede un corteo. Ci sono striscioni, sventolano bandiere di un colore grigio scuro – il filmato è in bianco e nero – ma che s'intuiscono rosse.

Ai funerali, che si tengono il 14, partecipano ragazzi dell'intero Paese. Una folla enorme, che segue il corpo di Alceste, gente da tutta l'Italia, e tantissima di Reggio, perché è un militante politico, Alceste Campanile, è un simbolo, va bene, ma è anche un giovane molto conosciuto in città, un tipo aperto, estroverso, che parla con chiunque, ha molti interessi, si occupa di musica, canta e suona la chitarra. Un bel ragazzo con tantissime amicizie. È naturale che, al di là della politica, a seguirlo fino al cimitero ci siano tanta gente e tanti amici.

Se in un contesto simile un militante di estrema sinistra come Alceste viene ucciso in quel modo, e proprio sotto elezioni, è facile pensare che ci sia la politica dietro l'omicidio.

È facile pensare che siano stati i fascisti.

L'avvocato Vainer Burani. Dice: «La città reagí come di fronte a un omicidio fascista. Erano i primi, probabilmente. Noi ne avevamo avuto un altro qua, poco lontano, a Parma: l'uccisione di Mariano Lupo, il 25 agosto del '72. E quindi era inevitabile che la memoria andasse a quell'episodio, per tanti. Nel cuore dell'Emilia rossa, questi episodi... e quindi si parlò di questa matrice fascista immediatamente, nella città di Reggio».

È facile pensare ai fascisti.

Anche perché c'è una rivendicazione. A Parma, il 17 giugno, al Centro smistamento corrispondenza delle Ferrovie, viene trovato un volantino. È firmato da un gruppo estremista di destra, Legione Europa, un gruppo che ha già compiuto due attentati, in Emilia e in Lombardia. Nel volantino i fascisti della Legione Europa rivendicano l'omicidio di Alceste Campanile. Dicono di aver aspettato tanto a commetterlo per non creare speculazioni in campagna elettorale. E dicono di averlo commesso perché Alceste era un traditore. In che senso, un traditore?

Tanti anni prima, quando era molto piú giovane, Alceste aveva iniziato la militanza politica a destra. Suo padre Vittorio era di destra, e mentre frequentava lo *Spallanzani*, il liceo scientifico di Reggio, Alceste era entrato nella Giovane Italia, l'organizzazione giovanile del Movimento sociale italiano. Era il 1968, Alceste aveva quindici anni. Era stato nella Giovane Italia per un mese, poi era entrato in un'altra organizzazione giovanile, Democrazia maggioritaria, ed era uscito anche da quella. '68, '69, '70... erano gli anni del movimento hippy, e Alceste era diventato un hippy. Poi si era spostato progressivamente a sinistra, finché nel '74 era entrato in Lotta continua.

L'avvocato Bonazzi. Dice: «Era risaputo che Campanile, prima di aderire a Lotta continua, aveva militato anche nella Destra giovanile. Era un fatto che per la Sinistra, soprattutto per Lotta continua, non aveva mai costituito un problema. Campanile aveva cambiato idea, e per le sue battaglie, per i suoi scontri, per tutto quello che aveva fatto per Lotta continua, veniva considerato un lottatore continuo, ma continuo nel vero senso della parola, a tutti gli effetti e con tutti i sacri crismi».

Poco prima di essere ucciso, Alceste era stato oggetto di una campagna che l'aveva attaccato duramente. C'era stato un volantino del Fronte della gioventú, un'altra organizzazione giovanile del Msi, che era stato distribuito a Reggio, «ciclostilato in proprio», come si faceva allora. Sul volantino è riprodotta la tessera di Alceste della Giovane Italia, e accanto la scritta: «Attenti, compagni! Chi ha tradito una volta può tradire ancora!» Due giorni dopo la morte di Alceste, esce un articolo sul quotidiano «Il Popolo», che ipotizza che Campanile sia addirittura un infiltrato del Msi nella Sinistra extraparlamentare.

La polizia indaga. Indaga il capo della Squadra politica, dottor Giuseppe Maddalena, e indaga il vicecomandante provinciale dei carabinieri, colonnello Gallese. Seguendo la pista della Legione Europa, si arriva a individuare l'autore del volantino che aveva rivendicato l'omicidio di Alceste. È un neofascista di Parma che si chiama Donatello Ballabeni.

Il giudice istruttore Vittorio Scarpetta, però, non è convinto di questa pista. Ma a Reggio rimane poco. Al suo posto arriva il giudice istruttore Giancarlo Tarquini, che invece, il 30 aprile 1976, fa arrestare Donatello Ballabeni e con lui altri due neofascisti, Roberto Occhi e Bruno Spotti.

C'è qualcosa che non quadra. C'è qualcosa che non torna, nella pista nera.

Molti testimoni affermano che Ballabeni, la sera del delitto, fosse a Parma in un bar del centro. Ubriaco, cosí ubriaco che l'hanno dovuto accompagnare a casa perché da solo non ce la faceva. Il giudice si convince che Ballabeni e i suoi non c'entrano. Che Ballabeni è soltanto un mitomane. Che quel volantino non dice la verità.

E a questo punto, succede qualcosa.

Entra in campo il padre di Campanile.

Vittorio Campanile, il padre di Alceste, tre mesi dopo la morte del figlio fa stampare un manifesto. Ricorda l'uccisione del ragazzo e fa un appello perché chi sa qualcosa lo dica. Ma fa anche di piú: indica, citandone soltanto i nomi di battesimo, quelli che ritiene siano gli assassini di suo figlio.

Sono amici di Alceste, gente di sinistra, gente che milita nelle aree della Sinistra extraparlamentare, soprattutto in Autonomia operaia.

L'avvocato Bonazzi. Dice: «Dopo alcuni giorni dall'omicidio di Alceste Campanile, arriva ai carabinieri una velina. Su questa velina erano indicati quelli che a parere di Vittorio Campanile erano implicati nell'omicidio del figliolo. Sulla base di questa velina incominciarono delle indagini, naturalmente tutte indirizzate a cercare elementi di colpevolezza a carico di queste dieci persone».

Stiamo costruendo questa storia come un romanzo giallo, continuiamo a farlo. In un romanzo giallo, di solito, i primi indiziati vengono scagionati quasi subito, nel nostro caso la «pista nera». Allora i sospetti si spostano su qualcun altro, che di solito non c'entra niente neanche lui. La «pista rossa».

È il padre di Alceste a insistere su questo. Per lui a uccidere il figlio non sono stati i fascisti, ma i suoi compagni. Quei compagni. Ma su di loro le indagini della polizia e dei carabinieri non fanno emergere nulla. Assolutamente nulla.

L'avvocato Bonazzi. Dice: «Questi dieci soggetti, per dieci anni, ebbero sulla testa, come una spada di Damocle, un ordine di cattura. Fu accusato dell'omicidio di Campanile anche un magistrato molto importante a Reggio Emilia. Negli anni Settanta nessun giudice si sarebbe mai, a differenza di quello che può succedere oggi, neanche sognato di arrestare un altro giudice. C'era il concetto della sacralità di questa figura istituzionale. Se avessero arrestato gli altri, tutti, avrebbero dovuto arrestare anche il magistrato. Per fortuna, ripeto: quel magistrato è colui che ha salvato anche tutti gli altri da una custodia cautelare, da un carcere preventivo che sarebbe senz'altro stato lunghissimo».

Via la pista nera, poi via anche la pista rossa. Non lo stiamo costruendo noi come un giallo, è un giallo per davvero l'omicidio di Alceste Campanile. E allora, facciamo come nei romanzi gialli, torniamo indietro e cerchiamo di capirci qualcosa.

Come è morto Alceste Campanile?

Il dottor Fochi. Dice: «Il cadavere non aveva nessun segno di rigidità, era ancora... non era freddo, quindi... e spiovigginava, cioè la temperatura esterna non era molto elevata, e il raffreddamento era ipotizzabile anche in breve tempo. Quindi, visto che è stato rinvenuto alle 23,30-23,40 – adesso l'ora precisa non la so – l'ora doveva risalire a non prima delle 23. Sicuramente, anzi, penso dopo le 23-23,15... poco prima che venisse visto dalla coppia che s'è trovata a passare lí occasionalmente».

L'autopsia condotta dal professor Guidoni, dell'Università di Parma, assieme al dottor Fochi, stabilisce che Alceste è stato ucciso con un colpo che gli è stato sparato in testa, un colpo immediatamente mortale, entrato dalla nuca e uscito dalla fronte. Quindi, Alceste è stato colpito da dietro, dal basso. No, dal basso no, perché il proiettile che l'ha ucciso viene trovato piantato per terra, a soli due metri dal corpo. Entra dalla nuca, esce dalla fronte e si pianta per terra. Cosa significa? Significa che molto probabilmente, quando è stato colpito, Alceste aveva la testa chinata verso il terreno.

Ci sono tracce di fango sui pantaloni, sul ginocchio e sulla coscia destra. Cosa significa? Forse che Alceste è stato fatto inginocchiare, o forse che è stato schiacciato verso terra da qualcuno che gli ha girato un braccio dietro la schiena, per sparargli un primo colpo in testa. Il primo colpo, perché l'altro proiettile, quello che lo colpisce al petto trapassandogli un polmone, viene ritrovato sotto la schiena di Alceste, in corrispondenza del foro, come se lo avesse inchiodato al terreno.

Attenzione, perché c'è ancora qualcosa da dire sui colpi che hanno ucciso Alceste. Sul luogo del delitto ci sono un bossolo e due proiettili, entrambi calibro 7.65. Uno è integro e l'altro è deformato, come se uscendo dal corpo di Alceste avesse colpito un sasso, ma il suo stato di conservazione è sufficiente perché il perito balistico possa affermare che è stato sparato da un'altra pistola. Cosa significa?

Che a sparare ad Alceste, con due pistole diverse, sono state probabilmente due persone. Una gli ha sparato alla testa, l'altra al petto.

Quindici chilometri da Reggio Emilia, tre da Montecchio e cinque da Sant'Ilario.

Come ci è arrivato là, Alceste?

Il dottor Fochi. Dice: «Il corpo non presentava nessun segno di lesioni recenti. Mi ricordo che aveva una scottatura su un avambraccio, vecchia. Altre lesioni non se ne... almeno, non ricordo che ne siano state rilevate».

Nessuna lesione, nessun segno di costrizione, nessuna colluttazione. Fino al luogo dell'omicidio, alla strada tra Montecchio e Sant'Ilario, Alceste c'è andato sicuramente in macchina, ma di sua spontanea volontà e con qualcuno di cui si fidava.

Perché? E con chi?

Continuiamo come nei romanzi gialli. Facciamo un passo indietro e ricostruiamo le ultime ore di Alceste Campanile.

Giovedí, 12 giugno 1975, ore 20,15.

Alceste Campanile arriva alla stazione di Reggio Emilia da Bologna, dove è stato a dare un esame, l'ultimo appello prima dell'estate. Inglese, trenta.

Alceste va a casa dei suoi. Qui fa due telefonate, una a cui non risponde nessuno e un'altra in cui cerca una persona che non c'è. È strano. Alceste ha tantissime amicizie, tantissimi contatti segnati su un'agenda che tiene sempre con sé, sempre. Quella volta no, quella volta è costretto a cercare i numeri che chiama sull'elenco del telefono.

Ore 21,45. Alceste esce da casa dei suoi dicendo che farà un giro, poi andrà al *Redas*, una discoteca di Reggio. Un amico lo vede attraversare via Francesco Crispi, nel centro della città, dopo lo vedono in piazza Prampolini, dove ci sono dei ragazzi che cantano. Alceste si ferma a parlare con uno di loro e gli dà appuntamento per mezzanotte, allo *Ziloc*, un'osteria.

Poi Alceste va a casa. Abita in un appartamento con altre due persone, in via Ludovico Ariosto, ma in quel momento non ha con sé le chiavi. Le ha lasciate a un amico che ha dormito nel suo appartamento, cosí probabilmente lascia le dispense dell'esame e il libretto universitario su una pietra davanti al portone, e si allontana. C'è un'altra testimonianza, anche se non del tutto certa. Segnala Alceste in una pizzeria verso Parma, vicino a Sant'Ilario, in compagnia di altre persone.

Un'ora dopo, due al massimo, Alceste è morto. Qualcuno gli spara due colpi, uno alla nuca e uno al petto.

C'è un altro fatto strano, forse non cosí tanto, ma almeno curioso. Alceste conosce tanta gente, ha un sacco di amici, è un carattere estroverso e cordiale, uno di compagnia, e di solito non è mai solo. Quella sera invece lo è. Incontra molte persone, ma da un certo punto in poi non lo vede piú nessuno. I suoi amici, gran parte di loro, sono al cinema a vedere *Piccolo grande uomo*, come dichiareranno prontamente quando la polizia glielo chiederà.

Lui invece è solo. Solo. Per Reggio e dintorni. Chi incontra? Chi lo porta sulla strada tra Montecchio e Sant'Ilario? Chi lo uccide con due colpi di pistola?

Le immagini di repertorio sono della Rai. Mostrano una ripresa a colori, dei colori sbiaditi. Si vedono due persone su una terrazza, hanno i capelli spettinati dal vento. Una di esse è di spalle (è Bruno Vespa), appoggiata a una balaustra, l'altra sta parlando e ha una sigaretta in mano. Appare una scritta in sovrimpressione, ci informa sull'identità di chi parla: «Marco Boato, leader di Lotta continua, deputato nel gruppo Radicale». Dice: «Abbiamo cercato di ricomporre tutto il quadro. In primo luogo c'era la dinamica dell'uccisione, che fin dall'inizio ci aveva molto insospettito. Cioè, un'esecuzione a freddo che era diversa dalla dinamica tragicamente solita di certi agguati fascisti. La seconda cosa erano delle voci che avevano cominciato a circolare dalla fine del '77 in poi, o dalla metà del '77 in poi, in ambienti genericamente dell'area dell'Autonomia emiliana, del tipo: "State attenti a non fare la fine di Alceste Campanile". Che faceva ipotizzare che qualcuno in quell'area sapesse che Alceste Campanile era stato ucciso dalla Sinistra. Il terzo elemento era il fatto che il padre, pur facendo un polverone, cioè pur accusando una quantità di gente di cui la maggior parte ritengo innocenti, aveva comunque insistito molto sulla connessione tra l'uccisione di Alceste Campanile e il sequestro Saronio, e noi avevamo assunto, almeno come ipotesi, positivamente questa accusa. L'ultimo elemento: che anche dall'interno di un carcere c'erano arrivate delle segnalazioni molto vaghe, molto vaghe, ma delle segnalazioni, in questa direzione che, congiunte con gli altri indizi o sospetti che erano emersi precedentemente, ci avevano portati a formulare queste ipotesi e a decidere di presentarla pubblicamente come atto di denuncia politica e morale».

L'11 febbraio 1979, a quattro anni di distanza dall'omicidio, il quotidiano «Lotta Continua» dedica le due pagine centrali del suo numero domenicale all'omicidio di Alceste Campanile. Il giornale ha mandato a Reggio un inviato, Giorgio Albonetti, che fa un'accurata controinchiesta, e mentre faceva domande è stato minacciato anche lui, telefonicamente, da uno sconosciuto.

La dinamica dell'omicidio non sembra quella di uno scontro tra opposti estremisti. Alceste è salito in macchina di sua spontanea volontà, probabilmente con persone di cui si fida, che forse conosce. Girano voci, girano minacce, attento che farai la fine di Alceste. Marco Boato, nel suo editoriale, scrive: «Chi sa parli». E invita chi sa qualcosa a raccontarlo. «L'omertà», dice, «è uno stile mafioso, il comunismo non ha niente a che vedere con la mafia». Vuoi vedere che gli assassini di Alceste devono essere cercati proprio a sinistra?

Girano voci.

Gira voce che l'omicidio di Alceste abbia qualcosa a che fare con il sequestro Saronio.

Carlo Saronio è un giovane di buona famiglia, di ottima famiglia, molto ricca, gli ex proprietari delle industrie farmaceutiche Carlo Erba. Carlo Saronio è un ingegnere e sta a Milano. Il 14 aprile del '75 viene rapito. Ai suoi viene chiesto un riscatto di cinque miliardi, poi ridotti a uno. Il 9 maggio, il cognato lascia in autostrada la prima rata del riscatto, quattrocentosettanta milioni. Ma di Carlo non si ha piú notizia. Perché è morto. Soffocato, probabilmente da un tampone di cloroformio.

Pochi giorni dopo, il 19 maggio, la polizia svizzera arresta a Bellinzona tre persone che cercano di cambiare dei soldi, sessantasette milioni. Le banconote, infatti, sono segnate, e sono quelle del sequestro Saronio. Sono state portate in Svizzera nascoste dentro la bombola a metano di una macchina.

Una delle tre persone si chiama Carlo Fioroni. È soprannminato «Il professorino» perché insegna in una scuola media. All'inizio, alla polizia svizzera, Fioroni dice che quei soldi sono frutto di una rapina, poi, in Italia, davanti al magistrato, ammette di aver saputo qualcosa del sequestro Saronio, di averlo suggerito, ma di non aver partecipato alla sua realizzazione. Fioroni, tra l'altro, è amico di Saronio, lo ha ospitato in casa quando era ricercato dalla polizia. Anche Carlo Saronio è un simpatizzante della Sinistra extraparlamentare, tanto che una villa dei suoi vicino a Genova è nell'elenco di case sicure sequestrato durante una perquisizione.

Il processo per il sequestro e l'omicidio di Carlo Saronio si tiene a Milano, e vede tra gli altri la condanna anche di Carlo Fioroni. Vede l'assoluzione, la completa assoluzione, del proprietario della macchina in cui si trovavano i soldi, che era stato accusato di favoreggiamento.

Un po' di tempo dopo, Carlo Fioroni si «pente». Inizia a collaborare con la giustizia, inizia a parlare, e il sequestro Saronio entra nell'inchiesta 7 *aprile*, che indaga sulle attività di Autonomia operaia a Padova e nel resto d'Italia. Il magistrato che conduce l'inchiesta si chiama Pietro Calogero, e considera Autonomia operaia e il suo capo Toni Negri come i propulsori del terrorismo rosso. Il «Teorema Calogero», lo chiamano.

Il dottor Calogero incrimina centoquaranta persone, attribuendo a quella che definisce «Autonomia operaia organizzata» una serie di reati compiuti assieme alla criminalità comune politicizzata, molti dei quali per autofinanziamento, tra cui il sequestro Saronio.

Il processo si conclude definitivamente il 4 ottobre 1988 con un sostanziale ridimensionamento del «Teorema Calogero». Per quanto riguarda il sequestro e la morte di Carlo Saronio, Toni Negri e gli altri leader di Autonomia operaia vengono assolti.

Ma cosa c'entra tutto questo con il caso Campanile?

Cosa c'entra con la morte di Alceste?

Nel 1979, quando inizia a collaborare con la giustizia, il professorino parla anche di quello. Mette in relazione il sequestro Saronio con il caso Campanile, anche se in forma ipotetica, molto vagamente. Perché? Perché il proprietario della macchina in cui sono stati trovati i soldi è di Reggio Emilia, e il buco nella bombola di metano, dice il professorino, è stato fatto nel suo garage, a Reggio Emilia. Il proprietario della macchina nega, decisamente, il buco è stato fatto a Milano e lui non sapeva neanche che quelli fossero i soldi del sequestro Saronio, cosa per la quale è stato scagionato, come abbiamo visto.

> L'avvocato Bonazzi. Dice: «Si disse allora che Campanile sapesse molto del sequestro Saronio. Lo si accusò addirittura di essersi impossessato di una certa somma che faceva parte del denaro pagato per liberare questo giovane, figlio di un borghese estremamente ricco di Milano, che era entrato a far parte di Lotta continua. Si pensò che Campanile, essendosi impossessato di questa cifra che era destinata alla lotta armata, fosse un traditore e, come traditore, potesse anche rivelare nomi, fatti e circostanze che in realtà dovevano certamente rimanere segreti».

Per qualcuno Alceste sarebbe stato un traditore. Chi ha tradito una volta, tradirà ancora. C'è chi dice di averlo visto in giro, negli ultimi tempi, con in tasca un sacco di soldi, banconote da centomila, e centomila lire, in quegli anni, nel 1975, sono davvero un sacco di soldi. Alceste, per qualcuno, sarebbe un ladro e un traditore. È per questo che è stato ucciso? Ma soprattutto, è vero che Alceste sarebbe un traditore? Sembra proprio di no. Chi lo conosce parla di un militante sincero e leale, oltre che di una persona onesta. Ma erano anni in cui anche i sospetti potevano uccidere.

Nel frattempo è tornato in ballo il padre di Alceste, Vittorio Campanile.

Il signor Vittorio è in carcere, condannato a diciotto mesi per aver preso una bustarella quando lavorava all'Ufficio imposte di Padova. In carcere, il signor Vittorio parla con un pregiudicato calabrese, Stefano Sterpa. Il pregiudicato gli dice che l'omicidio di Alceste sarebbe da mettere in relazione con un traffico di opere d'arte compiuto da gruppi dell'ultrasinistra. Fa anche dei nomi, scattano dei mandati di cattura.

Poi però si ferma tutto. Stefano Sterpa ritratta. Dice che ha detto quelle cose indotto dal padre di Alceste, per avvalorare la pista rossa.

Renzo Bonazzi, ex sindaco di Reggio Emilia. Dice: «Il ruolo di Vittorio Campanile è stato un ruolo di dirottatore delle indagini. Era un personaggio dichiaratamente di destra. Non impegnato direttamente in politica ma di opinioni di destra. Io credo che queste sue convinzioni, se ha agito, come debbo pensare, in buona fede, gli abbiano annebbiato la valutazione del fatto».

È complessa l'istruttoria per l'omicidio di Alceste Campanile, molto complessa. Ci finiscono dentro tutti, i fascisti della pista nera, e le varie persone chiamate in causa dalle piste rosse... tra queste, lo abbiamo visto, c'è anche un magistrato di Reggio Emilia, quindi l'istruttoria non può rimanere lí. Articolo 60 del Codice di procedura penale, l'istruttoria si sposta ad Ancona e ricomincia daccapo.

Pochi mesi dopo, il giudice istruttore Antonio Frisina, valutate le ipotesi, valutate le testimonianze, gli indizi e le prove, per l'omicidio di Alceste Campanile scagiona completamente sia i fascisti sia i simpatizzanti della Sinistra extraparlamentare. Rinviando a giudizio soltanto i fascisti, ma solo per il volantino della Legione Europa.

Caso chiuso.

Ipotesi azzerate. Via la pista nera e via la pista rossa.

Fine.

Sul caso Campanile, sulla morte di Alceste, cala un silenzio che dura anni. Poi, come nei romanzi gialli, succede qualcosa. Un altro colpo di scena.

C'è un'altra pista nera.

L'avvocato Noris Bucchi. Dice: «Il Bellini parla di Alceste Campanile per la prima volta nel 1999. A metà del 1999, quando viene arrestato per alcuni fatti di mafia, si dichiara intenzionato a collaborare con la giustizia e comincia a raccontare una serie di fatti delittuosi che lo vedono protagonista. Tra i quali c'è anche questo relativo alla morte di Alceste Campanile».

Lui si chiama Paolo Bellini, ed è un ex estremista di destra vicino all'area di Avanguardia nazionale. È latitante dal 1976, quando è scappato all'estero per sfuggire a un mandato di cattura per aver cercato di uccidere il fidanzato della sorella. Bellini si è rifugiato in Sudamerica, dove ha preso vari brevetti da pilota e si è spostato da un Paese all'altro. Lo ritroviamo in Italia, a Pontassieve, alla guida di un carico di mobili rubati. Bellini finisce in carcere ma sotto un falso nome: Roberto Da Silva. Strano, in carcere sotto falso nome, come ha fatto? Del resto, non è facile identificarlo, perché le sue impronte sono sparite dagli archivi.

Non è l'unica stranezza che riguarda Bellini, in carcere. Lí conosce un mafioso di grosso calibro, coinvolto nella strage di Capaci, che si chiama Antonino Gioè, e si ritrova a fare in un certo senso da ambasciatore tra lo Stato e la mafia durante le stragi del '93.

Strano tipo, Paolo Bellini, o Roberto Da Silva, o Luigi Iembo, come si fa chiamare. Strano tipo.

Perché ci interessa?

Perché quando viene arrestato di nuovo, nel giugno del 1999, Paolo Bellini si autoaccusa di un sacco di delitti. Dieci o undici, non ricorda neanche lui quanti, dice che con le persone che ha ammazzato ci si potrebbe fare una squadra di calcio. Molti omicidi dice di averli compiuti per la 'ndrangheta, infatti accusa anche alcuni complici calabresi.

Uno di questi, però, lo ha compiuto per i fatti suoi, da solo. Il primo che abbia mai commesso.

Quello di Alceste Campanile.

Francesca Chilloni, giornalista. Dice: «Bellini, nonostante venga sollecitato dal magistrato che lo sta interrogando, dà una ricostruzione del delitto, da un certo punto di vista estremamente vaga, da un altro punto di vista che ricalca letteralmente, come se Bellini avesse potuto leggere gli atti o gli articoli di giornale dell'epoca, ricalca letteralmente quelli che sono gli esiti dell'autopsia. Cioè non ricorda ad esempio l'ora del delitto, il giorno e l'anno, però ricorda perfettamente che lo sparo è dall'alto verso il basso e da destra verso sinistra».

Bellini dice di aver incontrato Alceste per caso, sulla via Emilia o sulla Provinciale che da Reggio va a Montecchio, non ricorda. Lo ha riconosciuto, perché militavano prima assieme poi su sponde opposte. Allora si è abbassato sul volante per non farsi riconoscere, e gli ha dato un passaggio. Quando Alceste è salito, ha accelerato ed è ripartito, poi si è fatto ravvisare.

Hanno parlato, soprattutto di una cosa. Qualche tempo prima, Paolo Bellini, di sera, aveva notato due uomini che si muovevano attorno all'albergo del padre. Due uomini con una tanica di benzina, che erano scappati appena lo avevano visto. Uno di questi era Alceste Campanile.

Perché si trovava lí?, gli chiede Bellini. Alceste avrebbe risposto che era lí per bruciare l'albergo di un fascista, e che lo avrebbe fatto di nuovo. Cosí Bellini non ci vede piú dalla rabbia e ferma la macchina. Ha in tasca una pistola, una 7.65. Fa scendere Alceste, gli chiede se stava scherzando e Alceste dice di no. Allora gli spara, prima alla testa, poi al corpo.

Un omicidio occasionale, insomma, e non a scopo politico. Ma è vero?

L'avvocato Bucchi. Dice: «Io posso dire che, relativamente al processo di Reggio Emilia, in cui Bellini chiamava in correità altre persone in relazione a determinati omicidi, queste persone sono state assolte dagli omicidi. Io non posso dire che la Corte d'assise abbia accolto in pieno la nostra tesi sull'inattendibilità di Bellini, perché le motivazioni della sentenza non sono ancora state depositate. Dalla lettura del dispositivo che ha assolto i chiamati in correità da Bellini si può però supporre, quanto meno, che le sue dichiarazioni non siano state riscontrate, e quindi che la Corte d'assise non abbia ritenuto riscontrate adeguatamente le dichiarazioni di Bellini».

Paolo Bellini viene ascoltato da un magistrato della Direzione distrettuale antimafia, la dottoressa De Simone. Poco prima aveva detto alla polizia di aver commesso l'omicidio di Alceste per conto di un altro estremista di destra, come un atto politico, poi riduce tutto a un omicidio occasionale commesso da solo. La dottoressa De Simone ascolta a lungo Paolo Bellini sulla morte di Alceste, ma lo ritiene inattendibile.

C'è qualcosa che non torna, infatti. Paolo Bellini ha ricostruito l'omicidio di Alceste e dice di averlo commesso da solo. Ma secondo la perizia balistica del tribunale, a sparare ad Alceste sono state due pistole diverse. La ricostruzione non torna, non quadra.

E allora? Qual è la verità?

Francesca Chilloni. Dice: «Paolo Bellini è una persona intelligente e astuta, quindi è estremamente difficile comprendere il motivo per cui abbia confessato l'omicidio Campanile. Paolo Bellini, quando si pente, ha interesse a essere credibile, a fare affermazioni fondate, riscontrabili sulla base di prove, e ha anche interesse a chiamare in correità altre persone. Questo al fine di ottenere ovviamente i benefici del programma di protezione. Un'altra ipotesi è che decide di confessare questo delitto per mettere una pietra tombale sopra uno dei delitti che hanno insanguinato Reggio Emilia, che non sono risolti e che rappresentano tuttora motivo di discussione e angoscia. Quindi Bellini decide, per fare un favore a qualcuno, di accollarsi anche questa responsabilità e chiudere definitivamente, dopo una trentina di anni, questa vicenda».

Pista nera, pista rossa, un'altra pista nera. Il caso Campanile comincia a farsi davvero complicato.

Chi ha ucciso Alceste? Fascisti che lo hanno prelevato a Reggio per portarlo in campagna e giustiziarlo nell'ambito di una lotta politica che si fa sempre piú violenta? Oppure è stato Paolo Bellini, da solo, per uno scatto d'ira? O sono compagni come lui, che fanno salire Alceste in macchina, senza che possa temere niente? I compagni lo portano fuori città, lo fanno scendere e lo uccidono con un colpo alla nuca, mentre lo fanno inginocchiare, e uno al cuore, per sicurezza. Perché?

Non per il sequestro Saronio, ha detto il giudice istruttore. Però in quegli anni, di cose pericolose relative alla politica, in Italia e a Reggio, ne accadevano parecchie.

L'avvocato Burani. Dice: «Dal punto di vista della collocazione politica stiamo parlando di anni molto particolari, perché Lotta continua stava comparendo in qualche modo a Reggio Emilia. Non era ancora una presenza effettiva e consistente. C'era un Partito comunista onnipresente, c'era una frangia della Sinistra che aveva intrapreso altri percorsi e dalla quale alcuni militanti già avevano fatto scelte che li avevano portati lontano da Reggio. Quindi Alceste sta in questo contesto».

Altri percorsi, percorsi che hanno portato lontano da Reggio. Fanno pensare a qualcosa di preciso. Fanno pensare alle Brigate rosse.

Ma è giusto pensare ad Alceste anche soltanto sfiorato involontariamente da un contesto del genere? Forse, in mezzo a tanti colpi di scena da romanzo giallo, ci siamo dimenticati proprio di lui. Di Alceste.

L'avvocato Burani. Dice: «Io lo ricordo, per esempio... una volta che venne Francesco Guccini a un concerto e, mentre noi facevamo le domande... diciamo... tra virgolette... impegnate, lui chiese se scriveva le canzoni a biro o a matita. Per esempio, portava dei Rayban gialli che lo contraddistinguevano, capelli tagliati cortissimi, quando molti di noi li portavano lunghi alle spalle. Era una persona molto particolare, molto vivace, ed era anche una persona con cui non era facilissimo rapportarsi perché era molto originale, molto intelligente. Però oserei dire "spigolosa". Un personaggio di questo tipo. Io credo che fosse difficile immaginare Alceste in un ruolo di un militante che si dedichi o che si prepari alla clandestinità, che si prepari a queste cose. Poi... tutto è possibile, però io non lo vedevo... e credo che nessuno lo vedesse in questo modo o lo potesse immaginare in questo ruolo. Credo si possa dire che Alceste Campanile è un'anticipazione di quella che sarà la militanza degli anni dal '77 in poi, di una componente... allora si chiamava anche creativa. Io lo ricordo cosí, ecco, come un soggetto che anticipava un po' quel tipo di tendenza e che era fuori dal coro in una città come Reggio Emilia, in questi termini».

«Chi sa, parli», aveva detto il presidente del Comitato antifascista di Reggio, Otello Montanari. «Chi sa, parli», aveva ripetuto Marco Boato dalle pagine di «Lotta Continua», «il comunismo non è mafia, non è omertà». «Chi sa, parli», aveva detto anche la madre di Alceste Campanile, dopo la morte del figlio.

Finora a parlare sono stati soltanto Carlo Fioroni e Paolo Bellini, e la verità sembra comunque ancora molto lontana.

Chi sa, parli.

Chi ha ucciso Alceste Campanile?

Le immagini di repertorio mostrano il funerale di Alceste Campanile. La cassa viene portata a spalla da alcuni ragazzi. Durante il tragitto, passa tra diverse persone che hanno il braccio alzato con il pugno chiuso, in segno di saluto. Si vede un corteo. Ci sono striscioni, sventolano bandiere di un colore grigio scuro – il filmato è in bianco e nero – ma che s'intuiscono rosse.

I mostri di Firenze

Questa è una storia di mostri.

È la storia piú spaventosa che si possa immaginare.

Una di quelle storie che fanno da confine, da linea di demarcazione tra un prima e un dopo. Prima che accadesse si poteva dire che certe cose non succedono, non qui, non da noi.

Dopo, non piú.

Certe cose succedono anche qui, anche da noi, e sono anche peggio. E una delle piú incredibili, tra le tante che accadono in questa storia, è proprio il luogo in cui queste cose succedono. Un luogo in cui non penseresti mai che certe cose possono accadere. Non qui.

In Toscana, vicino a Firenze.

Questa storia è cosí spaventosa che per quanto non si usi piú la parola *mostro* nei casi di cronaca, qui non si ha mai paura di usarla.

Questa è la storia dei delitti del Mostro di Firenze.

Inizia il 14 settembre 1974. A Borgo San Lorenzo, quarantanove chilometri a nord di Firenze.

> C'è una foto in bianco e nero. Sono Pasquale e Stefania. Hanno tutti e due i capelli corti. Sorridono. Lui, a sinistra, quasi ride. Sono cosí vicini che hanno la testa appoggiata l'uno all'altra.

È notte, è molto buio, perché c'è stato un temporale e ha appena piovuto, e la luna c'è, è piena, ma è avvolta dalle nuvole. Vicino al fiume Seve c'è uno spiazzo, uno spiazzo nascosto circondato da rovi, cipressi e viti, e lí c'è una 127, ferma, con due persone a bordo. Un ragazzo e una ragazza, Pasquale e Stefania, due ragazzi giovani, diciannove e diciotto anni.

Sabato sera, sono le 21,30.

Pasquale ha accompagnato la sorella in discoteca e le ha detto che sarebbe tornato a riprenderla intorno a mezzanotte, poi è passato a prendere Stefania e insieme sono andati in quello spiazzo, «Le fontanelle», si chiama, appartato, nascosto, intimo. Nel mangianastri della 127 c'è una cassetta, che suona, a volume basso.

Poi, all'improvviso, verso mezzanotte, un'ombra alla sinistra dell'auto, davanti al finestrino.

Cinque proiettili calibro 22 colpiscono Pasquale e lo inchiodano al sedile, uccidendolo sul colpo. Stefania non ha il tempo di fare nulla, altri tre colpi arrivano dal finestrino e la feriscono al braccio destro. Poi qualcuno l'afferra, la tira fuori dall'auto, la trascina nell'erba e la accoltella furiosamente, soprattutto al petto, fermandosi solo quando è morta. Allora ricomincia, ma con meno violenza, colpendola all'addome e in particolare al pube. In tutto, novantasei pugnalate. Prima di andarsene, fruga nella borsa di Stefania e ne sparge gli oggetti per terra, poi accoltella anche Pasquale, che è già morto.

Stefania la lascia lí, sull'erba.

Una cosa spaventosa, un omicidio di una ferocia impensabile, come mai ne erano accaduti da quelle parti, ma neanche in Italia. Non qui, non da noi. Stefania e Pasquale vengono scoperti da un contadino che abita nella zona e che passa di lí. Arrivano i carabinieri della stazione di Borgo San Lorenzo, che soltanto il giorno dopo, con un altro sopralluogo, troveranno la borsa di Stefania, segnalata da una telefonata anonima, e cinque bossoli calibro 22 Long Rifle, modello Winchester, con la lettera di serie, una H, impressa sul fondello.

Partono le indagini, vengono ricostruite le vite dei due ragazzi e le loro ultime giornate, ma non emerge niente di strano. Allora chi ha ucciso Stefania e Pasquale? Chi li ha massacrati in quel modo, come una belva feroce, come un lupo mannaro, come un mostro? Non si sa. Il delitto viene attribuito a un ignoto «maniaco sessuale», e le indagini si fermano.

Per sette anni.

Perché dopo sette anni, succede qualcosa.

C'è una foto, quella di Giovanni e Carmela. Sono assieme e si toccano con le spalle. Lui, a destra, ha una barba folta e scura. Lei, i capelli lunghi e neri che le si arricciano sulle spalle, ha la testa un po' inclinata verso sinistra. Hanno la bocca semichiusa. Sembrano fotografati di sorpresa, anche se guardano tutti e due nell'obiettivo.

6 giugno 1981.

È ancora un sabato, ed è sera. Questa volta la luna non c'è e fa un po' freddo, nonostante la stagione. Nella campagna di Mosciano, vicino a Scandicci, dieci chilometri circa a sud di Firenze, c'è una località che si chiama «Villa bianca». Lí, in fondo a una stradina sterrata, una Ritmo con due ragazzi dentro è ferma sotto un cipresso. Sono Giovanni e Carmela, due giovani di quelle parti. Giovanni ha detto ai genitori di Carmela che andavano a prendere un gelato assieme, facevano una passeggiata e la riportava a casa entro mezzanotte. In realtà il gelato non c'entra.

Giovanni e Carmela si sono appartati in una piazzola in fondo alla stradina sterrata, e Giovanni ha anche già voltato la Ritmo, in modo da poter ripartire senza fare manovra. Tutto a posto: due ragazzi, due giovani di trenta e ventuno anni, che stanno insieme, in un sabato sera d'estate. Finestrini chiusi, perché, lo sappiamo già, fa un po' freddo.

La mattina dopo un poliziotto fuori servizio, che sta facendo una passeggiata assieme al figlio di dieci anni, vede la Ritmo ferma sotto il cipresso. Ha il finestrino di sinistra sfondato.

Dentro c'è Giovanni, riverso sul sedile al posto di guida, seminudo. Morto. E fuori dall'auto, in un fossato, c'è Carmela, supina, vestita. Qualcuno li ha uccisi a colpi di pistola, sette in tutto, calibro 22. Ma non si è fermato. Ha colpito Giovanni al collo con un coltello, poi si è accanito su Carmela. Quando i carabinieri arrivano la trovano nel fosso, vestita, ma con un taglio che le ha aperto i jeans lungo una gamba, fino alla cintura. E attraverso quel taglio è successo qualcosa di spaventoso, qualcosa che non era mai accaduto prima e che non si pensava potesse accadere, non in Italia, non qui, non da noi.

Attraverso lo squarcio nei jeans di Carmela, qualcuno, con tre tagli netti, le ha completamente asportato il pube.

Indagini. I carabinieri trovano la borsetta di Carmela fuori dalla macchina, con la sua roba sparsa sull'erba. Vicino al corpo della ragazza trovano anche qualcosa che certamente non era nella sua borsetta: un blocchetto di granito colorato, un fermaporte a forma di piramide alto una quindicina di centimetri. Cosa c'entra? Non si sa, ma potrebbe essere importante, o forse no.

Soprattutto, però, i carabinieri trovano i bossoli. Sette bossoli calibro 22 Long Rifle, modello Winchester, con la lettera H impressa sul fondello. Stesso calibro, stessa marca e stessa serie dei proiettili che hanno ucciso Stefania e Giovanni nel 1974. Di piú. Il perito balistico li esamina e scopre che a spararli è stata la stessa pistola, una Beretta calibro 22, modello 72 o 74. Lo dicono i segni che il percussore ha lasciato sul fondello del bossolo e quelli che l'estrattore gli ha lasciato sul fianco, che sono come le impronte digitali, una specie di firma.

> Le immagini di repertorio, a colori, riportano le fotografie della balistica. Si vede un proiettile in piedi su una superficie grigia. Viene sottolineata, con una piccola freccia nera, la presenza di un segno netto sul suo fianco. Segue la foto dei fondelli di due bossoli. C'è un segno sul bordo e una lettera: H.

Stessa pistola, stessa tecnica, stessa tipologia delle vittime, stesso accanimento bestiale contro la donna. Sono passati sette anni, ma i due delitti devono essere collegati.

C'è un sospettato, che salta fuori praticamente da subito. Fa l'autista della Misericordia, la Croce rossa locale, in un paese vicino, a Montelupo Fiorentino. È un guardone, uno di quelli che spiano le coppiette che si appartano in campagna. Ce ne sono tanti nella zona, e lo sanno tutti, ma la stampa e l'opinione pubblica sembrano accorgersene solo allora. Vengono da Firenze e dintorni, e tra loro dicono che ci siano anche *gli insospettabili*, cosí vengono chiamati, gente importante, gente nota, stimati professionisti. Sono organizzati; non guardano soltanto, piazzano microfoni sotto le auto per registrare, fotografano, addirittura riprendono con le telecamere, di notte.

L'autista della Misericordia è uno di loro, ma non è per questo che viene sospettato. È perché si è messo a raccontare alla moglie alcuni particolari sulla morte di Carmela e Giovanni, particolari molto precisi, troppo. Racconta della mutilazione del pube inferta a Carmela. Il problema è che lo fa la domenica mattina, quando i particolari ancora non si conoscono, perché il delitto è avvenuto di sabato sera. Interrogato, l'autista cade in contraddizione. Ha letto tutto sul giornale, ma il giornale, con la notizia completa, è uscito solo il lunedí. Allora l'ha sentito al bar, ma al bar smentiscono. La moglie, poi, dice che è rientrato tardi, quella notte, dopo le due. E il luogo del delitto, la stradina col cipresso, è zona sua, la sua zona di guardone.

Il 15 giugno l'autista viene arrestato. Accusato prima di falsa testimonianza, poi di duplice omicidio. Forse è stato lui, forse no, ma sicuramente, visto quello che racconta, la polizia è convinta che almeno abbia visto qualcosa. Lui però non parla. Si fa mettere dentro e sta zitto. È lí, chiuso nel suo mutismo, quando succede ancora.

Altri due omicidi.

Nella foto, lui ha occhiali, baffi e capelli scuri, sorride a bocca chiusa e guarda verso destra. Appoggia la testa sulla spalla di lei, che sorride mostrando dei denti bianchissimi e lucidi. Lei ha i capelli scuri con un ciuffo che le copre metà fronte. Guarda verso l'alto, sulla sinistra, spensierata. I due sono ripresi dall'alto, forse sono stesi su un prato. Sembrano contenti. Sono Stefano e Susanna.

23 ottobre 1981.

Quattro mesi dopo.

Un altro spiazzo in campagna, nel comune di Calenzano, vicino a Prato, sempre in provincia di Firenze, poco distante dall'autostrada. Un altro viottolo sterrato che porta a un campo che si chiama «Le Bartoline», circondato da un canneto, alberi d'olivo e filari di vite, con un casolare in fondo e, accanto, un torrente, il torrente Marina.

Un'altra macchina ferma, una Golf nera, con il finestrino di sinistra sfondato.

I due ragazzi sono fuori dall'auto. Stefano, che ha ventisei anni, è sulla sinistra in una scarpata, ucciso da quattro proiettili e colpito da quattro coltellate, di cui tre alla schiena. Susanna, che di anni ne ha ventiquattro, è piú avanti di una dozzina di metri, in un canaletto di scarico.

A lei, di colpi, ne hanno sparati cinque, piú due coltellate, di cui una al seno sinistro.

Poi, qualcuno le ha asportato il pube con tre tagli netti, molto profondi.

Borsetta aperta e contenuto sparso per terra, altri sette bossoli calibro 22 Long Rifle Winchester serie H.

Chiunque sia stato non può essere l'autista della Misericordia, che si trova ancora in galera e che viene scarcerato, scagionato dall'accusa di essere l'assassino.

È adesso però che la gente comincia davvero ad avere paura.

Stessa tecnica, stessa arma, stesso tipo di vittime.

Questo non è un assassino qualunque, non è neanche uno di quei maniaci di cui ogni tanto si legge, che impazziscono all'improvviso e agiscono in preda a un raptus.

Questo è qualcosa di cui non si era mai parlato prima, in Italia, qualcosa che non si credeva possibile, non qui, non da noi.

Questo è un serial killer.

Mario Spezi è un giornalista, e scrive sulla «Nazione» di Firenze. È stato uno dei primi e piú assidui studiosi dei delitti del Mostro. Dice: «Va detto che quando si manifestò la presenza di un serial killer, comunque di una serie di delitti maniacali, la polizia italiana – parlo di polizia, carabinieri – e anche noi giornalisti eravamo tutti impreparati a questo fenomeno. Questo è un punto di partenza... e quindi si facevano indagini, e noi si scriveva seguendo i metodi tradizionali dei vecchi delitti. Non esistevano profili comportamentali, non si sapeva qual era la mentalità di un serial killer, che cosa lo spinge a uccidere, eccetera. A parte che poi, qui, già nell'Ottocento c'erano stati dei serial killer, che non si chiamavano cosí, ma insomma... c'era Filini, che è un famoso ammazzabambini. Famoso per lo meno a livello locale. È una realtà toscana».

Fino a quel momento di assassini seriali, di serial killer, in Italia, ce n'erano stati. Ma un concetto preciso dell'omicidio seriale, sia nell'immaginario degli investigatori che dell'opinione pubblica, ancora non c'era. Di un serial killer, in Italia, fino a quel momento, con certezza si sapeva soltanto una cosa.

Che avrebbe colpito ancora.

Ci sono due fototessera affiancate. Lei, a sinistra, guarda quasi con cipiglio l'obiettivo. Ha un ricciolo chiaro che le fa una virgola sulla fronte. Lui, a destra, ha i capelli un po' piú scuri, corti, e l'espressione un po' vuota, da fototessera, appunto. Sono Paolo e Antonella.

19 giugno 1982.

Sette mesi dopo.

La scena sarebbe quella di un film dell'orrore, se non fosse vera. Sulla Provinciale, a Baccaiano di Montespertoli, venticinque chilometri a sud di Firenze, c'è uno slargo nascosto dalla vegetazione.

Paolo e Antonella si sono appena fermati con la loro Seat 147, o forse stanno ripartendo, quando all'improvviso vengono colpiti. Un colpo a Paolo, chino sul cruscotto a mettere in moto, e uno ad Antonella. Non sono tiri molto precisi, perché Paolo è solo ferito a una spalla e riesce ad avviare il motore. Marcia indietro, via dallo slargo, via dall'assassino, ma Paolo ha troppa fretta, ha troppa paura, attraversa la carreggiata e finisce con le ruote di dietro nel fosso dalla parte opposta della strada.

Bloccato.

Illuminata dai fari, vede la sagoma scura dell'assassino, che avanza verso di lui. Poi partono due colpi che fanno saltare i fari della macchina, e tutto ritorna buio, perché la notte è senza luna.

Quando arrivano i carabinieri, piú tardi, avvertiti da alcune persone che si trovavano a passare di lí, Paolo è ancora vivo, ma morirà all'ospedale, senza aver ripreso conoscenza. Antonella, invece, è già morta.

Dopo essersi avvicinato alla macchina bloccata, chi li ha uccisi ha sparato altri sette colpi sui ragazzi. Questa volta non ha infierito su Antonella, forse perché l'auto era in mezzo alla strada, troppo visibile, non ha frugato nella sua borsetta, non ha fatto niente. Ma i nove bossoli ritrovati sul posto sono calibro 22 Long Rifle Winchester serie H.

È ancora lui, il serial killer.

Il Mostro.

È a questo punto che succede qualcosa. Un maresciallo dei carabinieri del Comando del gruppo di Firenze, si ricorda che quando era in servizio alla Compagnia di Signa, tanti anni prima, quattordici anni prima, era avvenuto un delitto, uno strano delitto, compiuto con una calibro 22.

21 agosto 1968.

Altre due fototessera, in bianco e nero. Lui in giacca e cravatta con i capelli corti, guarda serio l'obiettivo. Si intravede anche la macchia del timbro sulla foto, gli sfiora l'orecchio, c'è scritto: «Firenze». Lei sorride a bocca stretta, e sembra quasi voglia uscire dalla foto. Il suo viso è piú grande dell'inquadratura, ha capelli scuri e sopracciglia nere. La testa è leggermente inclinata a sinistra. Sono Antonio e Barbara.

C'è un uomo che sta dormendo a casa sua, alle due di notte, in un paesino vicino a Signa, quando viene svegliato da una scampanellata forte, poi da un'altra. L'uomo si affaccia alla finestra e vede una scena assurda, surreale, agghiacciante, davvero degna di un film dell'orrore.

C'è un bambino di sei anni, piccolino, assonnato e scalzo. Il bambino gli chiede di aprirgli la porta.

– Dopo mi accompagni a casa, – dice il bambino, – perché c'è la mi' mamma e lo zio che sono morti in macchina.

Assurdo, surreale, ma vero.

L'auto è una Giulietta bianca, ferma sull'argine del torrente Vignone, vicino al cimitero, in uno spiazzo nascosto da canne ed erbacce, e dentro ci sono un uomo e una donna, uccisi da quattro colpi ciascuno, calibro 22. Stavano facendo l'amore sul sedile del passeggero, reclinato fino in fondo, quando qualcuno gli ha sparato. Sul sedile di dietro c'era il bambino, Natalino, che ha sei anni e otto mesi, e stava dormendo. Lo hanno svegliato gli spari, ma non ha avuto paura.

Un uomo lo ha preso in braccio, lasciando le scarpine nella macchina, se lo è caricato sulle spalle e lo ha portato fino in paese. Per tenerlo buono gli ha cantato *La tramontana*, una canzone di Antoine che andava molto di moda. Poi lo ha lasciato davanti a quella casa.

Per questo delitto l'assassino c'è, ed è in galera. Si chiama Stefano Mele, ed è il marito della donna uccisa. Quando lo hanno arrestato, prima ha negato, poi ha confessato. È stato lui, per gelosia, perché la donna aveva molti amanti e lo tradiva, come quella sera. La pistola non c'è, l'ha buttata via. Prende sedici anni, e al momento dei delitti del Mostro è ancora in galera.

Il fascicolo del delitto del lontano 21 agosto 1968 viene riaperto. Oltre alle carte non dovrebbe esserci piú niente di utile, perché è passato tanto tempo, e dopo che c'è stata una sentenza definitiva le prove fisiche dovrebbero essere distrutte per legge. Invece, «per fortuita e inspiegabile combinazione», come dirà il magistrato piú tardi, ci sono cinque bossoli e cinque proiettili sparati quella notte.

Winchester calibro 22 Long Rifle, serie H.

Vengono messi a confronto con quelli trovati sui luoghi dei delitti del Mostro.

Hanno gli stessi segni.

La pistola è la stessa.

Non può essere Stefano Mele l'autore degli altri omicidi, visto che era in carcere. E anche per l'omicidio del '68, nonostante l'ergastolo passato in giudicato, qualche dubbio c'era. Problemi col guanto di paraffina, problemi col movente, Stefano Mele non riesce neanche a spiegare bene da dove ha sparato e come. Già da allora aveva parlato di un'altra persona, un altro amante di sua moglie, Francesco Vinci. Aveva detto che era stato lui a dargli la pistola, per vendicarsi. Francesco Vinci.

Immagini di repertorio. Un uomo ripreso dall'alto. È seduto, ha una barba folta e nera. Indossa occhiali da sole. Appena si accorge di essere ripreso da una telecamera, abbassa la testa e fa il gesto di sistemarsi gli occhiali, spingendoli con un dito verso la fronte.

Francesco Vinci è un muratore di origine sarda, e abita a Montelupo Fiorentino. Ha strane amicizie, alcune delle quali legate all'Anonima sarda, specializzata nei sequestri di persona che avvengono in Toscana. Nel 1974, quando sono stati uccisi Stefania e Pasquale, si trovava poco distante dal luogo del delitto. E dopo l'omicidio di Montespertoli, nel giugno dell'82, quando vengono uccisi Antonella e Paolo, si è disfatto della sua macchina, abbandonandola in Maremma. Poi c'è la pistola, la 22 di cui parlava Stefano Mele, che torna ad accusare Francesco.

Francesco Vinci. È una pista che gli investigatori cominciano a prendere in considerazione. La pista sarda, la chiamano.

Il 7 novembre del 1982 Francesco Vinci viene indagato per tutti i delitti compiuti dal Mostro. Tutti, anche quello del '68.

Un attimo. Tutti i delitti compiuti, sí, ma fino ad allora.

Perché un anno dopo, il Mostro colpisce ancora.

Ancora due fototessera affiancate. Sono Jens Uwe Rusch e Horst Meyer. Sono due ragazzi. Il primo è biondo e ha i capelli folti e arricciati, il viso che si stringe a V, verso il mento. L'altro ha l'aria furba, sorride. Ha lunghi baffi scuri e occhiali grandi che gli coprono quasi metà del viso. I capelli sono scuri e corti, con un ciuffo schiacciato verso sinistra che gli divide la fronte, in diagonale.

9 settembre 1983.

Un anno e tre mesi dopo.

A Giogoli, vicino a Scandicci, c'è un furgone fermo in uno spiazzo. È venerdí sera, e dentro ci sono due ragazzi tedeschi, Horts e Uwe, di ventiquattro anni, stesi su un materasso che sta sul pianale del furgone. Qualcuno si avvicina e spara sette colpi attraverso i finestrini laterali, girandoci attorno, e colpendo i ragazzi con precisione estrema.

Poi entra, e si accorge che invece di una coppia si tratta di due ragazzi, due maschi, di cui uno con i capelli biondi molto lunghi. Allora se ne va, lasciando tutto cosí com'è, senza infierire, e senza portare via neppure i soldi e le macchine fotografiche.

L'unica cosa che lascia sul posto sono quattro bossoli calibro 22 Long Rifle, marca Winchester, serie H.

Ma Francesco Vinci è ancora in carcere, quindi o il mostro non è lui o c'è qualcuno che uccide per lui. Finiscono in manette il fratello e il cognato di Stefano Mele, ma gli indizi non sono molti e dopo pochi mesi anche loro vengono scagionati.

Intanto, per tutta la zona, per tutta Firenze, quella parte della Toscana e anche oltre l'Appennino, in Romagna, la psicosi del mostro dilaga.

Pietro Roselli è il sindaco di San Casciano, vicino a Firenze. Dice: «Negli anni in cui i delitti si consumavano c'era un'angoscia diffusa, soprattutto in quelle generazioni, dei giovani, ma anche degli anziani, perché venivano massacrati i loro figli. Come veniva vissuta? Veniva vissuta molto male, con questo terrore addosso, questa paura. Nei ragazzi, come dire, era forte, perché venivano colpiti nel momento del loro abbandono, del loro spirito... nel momento in cui affermano la loro gioia e giovinezza. Che cosa venne fatto? Una campagna di informazione. Il titolo di quella comunicazione era *Occhio, ragazzi!*, con un simbolo che era proprio l'occhio, manifesti, poster... Invitavamo i ragazzi a ritrovarsi in angoli appartati ma bene illuminati. Evitate di andare nei boschi, evitate di andare lungo le strade».

Paura, terrore, psicosi. Certe cose, in Italia, non erano mai accadute. Non da noi, non qui e non cosí.

Mario Spezi. Dice: «Si aprí un dibattito, ricordo, sul giornale, sulla base di una lettera scritta da una madre: ma è giusto far finta di uscire, io e mio marito, andare al cinema e lasciare la casa ai nostri figli? Si parla di vent'anni fa, i costumi erano un po' diversi. Si cominciava a dire: sí, in fin dei conti sí. Cioè, il Mostro ha cambiato forse anche alcune abitudini. Firenze ha una splendida caratteristica: quella che in due minuti uno è in una campagna stupenda. Ebbe', quella campagna stupenda era diventata paurosa, all'improvviso. Il Mostro aveva cambiato la cultura, le abitudini. Poi c'era stata la reazione tipica sempre del toscano che cerca di esorcizzare le paure con un sarcasmo anche crudele, cattivo, è cattivo anche nel sarcasmo, il toscano, per cui il Mostro aveva dei soprannomi... Cicci, il mostro di Scandicci e cose di questo genere qui. Orrende barzellette che circolavano...»

Nei luoghi pubblici, nelle stazioni, nelle caserme dei carabinieri e nei commissariati, ci sono quei manifesti inquietanti, con due occhi minacciosi sopra la scritta *Occhio, ragazzi!*, non appartatevi, non nascondetevi, è pericoloso.

C'è il Mostro.

C'è la foto di due ragazzi che si baciano a bocca chiusa. Lei sembra slanciata verso di lui. Ha i capelli biondi e lunghi, tirati dietro le orecchie. Lui un po' piú rigido, con le guance rosse e il naso schiacciato dalla spinta di lei, i capelli scuri e corti. Hanno gli occhi chiusi. Sono Pia e Claudio.

30 luglio 1984.

Nove mesi dopo.

È il delitto piú feroce tra quelli compiuti dal Mostro, il piú spaventoso. Claudio e Pia sono in macchina, una Panda chiara, ferma in fondo a un viottolo sterrato largo appena due metri che finisce contro un terrapieno, a Boschetto di Vicchio, trentacinque chilometri a nord di Firenze. Stanno facendo l'amore, sul sedile di dietro. Occhio, ragazzi, c'è il Mostro, ma a loro non importa, non si può vivere sempre cosí, sempre nel terrore.

All'improvviso il vetro di destra si spacca.

Pia sta da quella parte, alza la testa, istintivamente, e qualcuno le spara in faccia, da meno di un metro, poi spara ancora, colpendola a un braccio.

Distanza ravvicinata, un colpo alla testa di Claudio e uno al petto. Poi, due coltellate alla gola di Pia e dieci a Claudio. Ma non è finita. Pia viene tirata fuori dall'auto, con ancora il suo reggiseno stretto nel pugno, e trascinata per sette o otto metri, fino a un campo di erba medica.

Lí viene mutilata, tre colpi al pube.

E non è finita ancora, altri colpi, che questa volta portano via completamente anche il seno sinistro.

Alcune immagini di repertorio, a colori. Riprendono una stradina sterrata che si inoltra verso la campagna. Ci sono delle persone e dei carabinieri. A un certo punto la stradina è interrotta da un nastro bianco e rosso. Si vede poi un'auto di un celeste molto chiaro. Poi, giú, lungo la scarpata, una coperta marrone nasconde un corpo. Il cronista dice: «La Toscana si è svegliata di nuovo con l'incubo del maniaco che sorprende e uccide le coppiette. Stanotte altri due fidanzati sono stati assassinati in provincia di Firenze, nel Mugello, presso Vicchio».

I carabinieri arrivano alle 3,45 del mattino, avvisati da una telefonata anonima. Trovano i due ragazzi, trovano quel massacro e trovano cinque bossoli, 22, marca Winchester, serie H.

Ci sono due fototessera. Sono quelle di Nadine e Jean-Michel. Lei, a sinistra, sorride. Ha i capelli cortissimi e scuri. Indossa un maglione a collo alto. Lui ha i capelli arruffati e un po' arricciati. Guarda oltre le spalle del fotografo.

8 settembre 1985.
Un anno e un mese dopo.
San Casciano, venti chilometri a sud di Firenze.
Lungo via degli Scopeti, in uno spiazzo al limitare di un boschetto di pini e cipressi, due ragazzi francesi hanno piantato una tenda, a pochi passi dalla loro Volkswagen. Si chiamano Nadine e Jean-Michel e stanno facendo l'amore, quando qualcuno taglia la tenda dalla parte posteriore. Nadine e Jean-Michel non hanno il tempo di rendersi conto di quello che sta succedendo, che dalla parte anteriore cominciano a sparare. Nadine muore subito, con tre colpi in testa. Jean-Michel, ferito, scappa verso il bosco, ma non ce la fa. Qualcuno lo accoltella alla schiena, lo fa cadere a terra e lo finisce.

Nadine è trascinata fuori dalla tenda, e lí – lo dimostra il sangue trovato sull'erba – viene mutilata del pube e del seno sinistro. Poi viene rimessa nella tenda e coperta con un sacco a pelo. Nascosta, per la prima volta.

Perché?

Forse la risposta è in quello che accade subito dopo. Da un paesino a quaranta chilometri da Firenze, San Pietro a Sieve, viene spedita una busta con l'indirizzo composto con le lettere ritagliate dai giornali, indirizzata al sostituto procuratore Silvia Della Monica, l'unica donna che si occupa dei delitti del Mostro.

Dentro la busta c'è qualcosa di spaventoso.
C'è un pezzo del seno di Nadine.

Mario Spezi. Dice: «Che senso aveva questo gesto? Rivisto dopo, io lo interpreto cosí. Se si ritorna a quella che era l'atmosfera a Firenze nel 1985... che è una situazione, non dico di panico, ma comunque quasi, di grande preoccupazione... se un sabato sera una ragazza o un ragazzo dopo mezzanotte non rientravano, scattava l'allarme dei genitori, alla Questura, direttamente. Allora guardiamo come si è comportato il Mostro quella volta. Ha ucciso degli stranieri: nessuna denuncia di scomparsa. Per la prima volta si è preoccupato di nascondere i corpi, cioè di ritardare la scoperta del delitto, rinchiudendo la ragazza nella tenda e nascondendo il ragazzo nella boscaglia. Quindi aveva bisogno di tempo. Perché? Perché doveva far arrivare la lettera con il pezzo di lembo prima che venissero scoperti i corpi. A quel punto che cosa sarebbe successo? Che gli inquirenti, gli investigatori, in maniera inequivocabile perché c'era un pezzo di carne umana, sapevano che c'era stato un delitto. Ma non solo non sapevano chi era il responsabile, non sapevano neanche dov'erano le vittime. La cosa non gli è riuscita per un paio d'ore. Un cercatore di funghi trovò i corpi due ore prima che la lettera arrivasse in Procura. Era una beffa. Terribile».

Siamo arrivati a sedici. Otto coppie, nove uomini e sette donne, sedici morti, ammazzati e anche massacrati in quel modo, dal 1968 al 1985.

Poi basta.

Il Mostro si ferma.

Di delitti del Mostro di Firenze, non ce ne sono piú.

Le indagini, però, non si fermano. Bisogna sapere chi ha massacrato quelle sedici persone, bisogna sapere perché lo ha fatto, impedirgli di farlo ancora. Anche se di delitti non ce ne sono piú, le indagini non si fermano.

Nel 1984, a Firenze, è nata la Sam, la Squadra antimostro, che si occupa esclusivamente di quei delitti. È composta sia da poliziotti che da carabinieri, e dal 1986 la dirige un poliziotto molto esperto e molto deciso, Ruggero Perugini, che si è specializzato a Quantico, negli Stati Uniti, dove si trova Scienza del comportamento, l'unità dell'Fbi che si occupa espressamente di serial killer.

È una specializzazione che serve, come serve, sicuramente,

un coordinamento alle indagini che per troppi anni sono state improvvisate, affidate al caso, spesso segnate da errori grossolani.

Per un po', per esempio, viene studiata un'impronta trovata vicino alla tenda dei ragazzi francesi. Appartiene al Mostro? È una grossa impronta, molto profonda, significa che il Mostro è una persona alta e pesante? No, ci vuole un po', ma alla fine si scopre che era soltanto l'anfibio di un giovane carabiniere che aveva camminato dove non avrebbe dovuto.

Da qualche tempo, a coordinare le indagini ci sono due sostituti procuratori, Paolo Canessa e Pier Luigi Vigna, che piú avanti andrà a dirigere la Superprocura antimafia. Anche il dottor Vigna vuole procedere in modo moderno e scientifico, e già nel 1984, dopo l'omicidio di Pia e Claudio, affida a un gruppo di periti, coordinati dal professor Francesco De Fazio, il compito di tracciare un profilo del possibile Mostro.

Un documento Rai. Un giornalista intervista Francesco De Fazio, docente di Criminologia, Università di Modena. Siamo in aperta campagna. La telecamera riprende una stradina sterrata con alcune persone e molti carabinieri. Un fotografo scatta una foto a un ciuffo d'erba, qualcuno raccoglie da terra qualcosa individuata dal metal detector. A un certo punto viene inquadrata la tenda di Nadine e Jean-Michel. De Fazio dice: «La scelta dei tempi: giorni festivi o prefestivi. La scelta dei luoghi: luoghi dai quali l'omicida controlla la situazione. Non sono anfratti, ma sono luoghi dai quali l'omicida può controllare quello che succede. La scelta casuale delle vittime, quest'ultimo delitto lo conferma, cioè non una prescelta della vittima, ma del tutto casuale. Il resto è tutto freddamente calcolato, predeterminato, come in un copione che si ripete costantemente».

Il professor De Fazio e il suo gruppo consegnano duecento pagine di analisi. Sulla base delle informazioni che hanno avuto e degli studi sui serial killer che fino ad allora erano stati fatti, dànno un ritratto molto preciso. Secondo loro il Mostro di Firenze è una persona di sesso maschile, tra i trentacinque e i quarant'anni, alta un metro e ottantacinque, di matrice culturale anglosassone e con forti menomazioni sessuali. È in grado di usare armi da taglio con precisione chirurgica, uccide a scopo di libidine, e quando lo fa è da solo, rigorosamente da solo.

Ma chi è? È uno che sa usare i coltelli, allora è un macellaio. No, li sa usare con estrema precisione, allora è un medico, no, di piú, è un chirurgo. Le voci corrono, i sospetti scivolano tra le pagine dei giornali, alimentano le leggende, creano sempre nuovi mostri. Ma la verità qual è?

C'è chi si batte per questo. Gli investigatori, Vigna, Canessa, Perugini, i giornalisti, ma anche i parenti delle vittime, i genitori e i fratelli di quei poveri ragazzi uccisi. Uno, in particolare, tra i tanti, Renzo Rontini, il padre di Pia.

Il signor Rontini è un uomo semplice, un ex marinaio della Marina mercantile, un comandante di macchina, e non ci sta ad accettare che Pia, sua figlia, sia stata massacrata in quel modo, da un'ombra, uno sconosciuto, un mostro. Il signor Rontini e sua moglie Winnie si dànno da fare, cercano di collaborare alle indagini come possono, parlano con i giornalisti, parlano con i poliziotti, andranno a tutte le udienze dei processi che si faranno poi, rovinandosi completamente, rimettendoci i soldi, la casa e la salute.

Ma quegli omicidi non possono rimanere senza risposta.

Il Mostro deve avere un nome e un volto.

Le immagini di repertorio riprendono un uomo che guarda fermo e deciso la telecamera con uno sguardo duro e sottile. Dietro le lenti degli occhiali ci sono occhi umidi e provati, segnati dalla stanchezza. Alle sue spalle c'è un bambino che cerca di infilarsi nello spazio libero dell'inquadratura, vuole farsi riprendere. Sorride piú volte, divertito, quasi mettendo in gioco la serietà dell'appello. Il dottor Ruggero Perugini lancia il suo messaggio al Mostro. È molto serio, e dice: «Io non so perché, ma ho la sensazione che tu in questo momento mi stia guardando. E allora ascolta. La gente qui ti chiama mostro, maniaco, belva, ma in questi anni credo di avere imparato a conoscerti, forse anche a capirti, e so che tu sei soltanto il povero schiavo, in realtà, di un incubo di tanti anni fa che ti domina. Ma tu non sei pazzo come la gente dice. La tua fantasia, i tuoi sogni, ti hanno preso la mano e governano il tuo agire. So anche che in questo momento, probabilmente, ogni tanto cerchi di combatterli. Vorremmo che tu credessi che anche noi vogliamo aiutarti a farlo. Lo so che il passato ti ha insegnato il sospetto, la diffidenza, ma in questo momento non ti sto mentendo e non ti mentirò neanche dopo, se e quando deciderai di liberarti di questo mostro che ti tiranneggia. Tu sai come, quando e dove trovarmi. Io aspetterò».

Quando fa questo appello, nel febbraio del 1992, in una trasmissione televisiva su Raidue, il capo della Squadra antimostro Ruggero Perugini ha in mente una persona precisa. Non corrisponde al profilo psicologico del professor De Fazio, anzi, è proprio un'altra cosa. Non è un professionista di cultura anglosassone alto uno e ottantacinque, ma un contadino di Mercatale, basso e tarchiato.

Si chiama Pietro Pacciani.

Si vede Pietro Pacciani seduto nell'aula del tribunale, davanti alla corte, che parla in un microfono con un forte accento toscano. Piagnucola sempre un po' e spesso sbaglia le parole. «Gli era stato preparato tutti i trucchi. Io non dico né chi li ha fatti, né chi po' l'essere, né chi non po' l'essere. Insomma: intercettazioni canore, tutti i microfoni nascosti, quello là nel telefono, uno sul tetto, uno... Si ragionava io e la mi' moglie se uno... gli è che li hanno camuffati anche i nastri, sennò potevano non sape' tutta la verità, come si dice a letto. Io mi sentivo male a volte dalla rabbia, ci perseguitavano, e ci ragionai con quella povera donnuccia: ma guarda, ci siamo ritrovati... ma che s'è fatto di male...» Comincia a tirare su con il naso come se gli venisse da piangere, e si pulisce gli occhi con le dita. «S'è sempre lavorato dalla mattina alla sera. E ci si lamentava di tutti questi fatti, tutto questo male che ci volevano addosso».

Pietro Pacciani ha sessantasette anni e vive a Mercatale, ventotto chilometri a sud di Firenze. Ha fatto molti mestieri, il calzolaio, il manovale, soprattutto il giardiniere e il contadino. Ha precedenti penali. Brutti precedenti penali. Risalgono al 1951, quando viveva a Vicchio, nel Mugello, e aveva ventisei anni.

Pietro Pacciani in Tribunale. «Sono nato in 'na famiglia religiosa di poveri contadini ad Ampinana il 7 gennaio 1925. Io, e presi, cercai una ragazza per pigliare, insomma per sposarmi. Pe' aiutare in casa ai miei poveri genitori, che c'era tanto da lavorare. E trovai questa... una bella ragazza. Dico, mah... Miranda Bundi, gli era un anno e piú che si era fidanzati e arrivò il momento di sposarsi, ci si voleva bene. E questa donna poi un brutto giorno la trovai in compagnia d'un altro, e io ero geloso, gli volevo bene a questa donna. Lei la cominciò a dirmi: guarda, m'ha preso per forza, picchialo, picchialo. Andai pe' tirargli du' pugni io. E questo gli era un pezzo d'omo piú grosso di me, e m'agguantò per il collo, e mi stava strozzando, e io, fruga fruga, trovai quel cortello in tasca, che tutti i contadini si porta per le piante, e...» Tira su con il naso. «Accidenti a quel maledetto cortello, se lo sapevo che cos'era successo... E da quella volta in poi non riportavo in tasca piú nemmeno un chiodo, io. L'ho maledetto tante volte. M'ebbi a difendere, sennò morivo io».

La ricostruzione del tribunale è un po' diversa, e fa notare che Pietro Pacciani ha massacrato il suo rivale con diciannove coltellate. Poi ha costretto la ragazza a fare l'amore con lui, lí sull'erba, accanto al corpo dell'altro. È una storia cosí torbida e feroce, che nelle campagne toscane viene raccontata addirittura dai cantastorie.

Per quell'omicidio Pacciani viene condannato a tredici anni. Se li fa tutti, poi esce, si trasferisce a Mercatale e sposa una donna, Angiolina, dalla quale ha due figlie. Ma girano brutte voci su di lui. Che è un brutto tipo, un violento, un perverso, che tratta male la sua famiglia.

Pietro Pacciani in tribunale. Dice, piagnucolando: «Maltratta la famiglia, me sento dire. C'è la mi' moglie, poverina, che lei m'è rimasta seminferma di mente... la nun sa né che la dice, né che la fa, né quando l'è nata. Nun sa nulla. E io ho cercato d'aiutarla in tutti i modi. Gli portavo perfino il caffè a letto».

Anche qui, però, da parte della Procura, c'è una ricostruzione diversa. Molto diversa.

La figlia di Pietro Pacciani in tribunale. Viene inquadrata solo dal collo in giú. Ha una gonna celeste e una camicia verde chiaro.

Il presidente della Corte le chiede: – Lei sa se suo padre in casa aveva anche un cane?

– Delle persone gli avevan lasciato...

– In custodia, un cane.

– Sí, un cane nero, cioè, gli lasciavano di mangiare da...

– E glielo facevano tenere.

– Sí.

– Il mangiare gli lasciavano. E di questo mangiare cosa ne faceva? Il mangiare del cane a chi lo dava?

– A noi.

– A voi della famiglia?

Ogni tanto la telecamera inquadra Pacciani. È teso, molto serio. Piú volte bisbiglia qualcosa tra i denti al suo avvocato.

– Senta una cosa... e il cane come lo trattava?

– Lo picchiava con...

Si sente mormorare qualcosa da qualcuno senza microfono.
– Sí, con dei bastoni, come ci trattava a noi.
– Ecco, era questo.
Si sente una voce maschile, forse l'accusa, sottolineare: – Come ci trattava a noi.
Il giudice: – Ma vi picchiava anche per altri motivi piú specifici, quotidiani o periodici...
– Anche quando non si voleva andare a letto con lui.
– Quando ha cominciato, che età aveva lei, signorina?
– Undici, dodici anni.

Nel 1987 Pietro Pacciani viene condannato a quattro anni e tre mesi per aver abusato sessualmente delle figlie. È ancora in galera quando nell'ottobre del '91 gli arriva un avviso di garanzia. È indagato per gli omicidi che vanno dal '74 all'85, tutti, tranne quello del '68.

Per la Procura, il Mostro di Firenze è lui.

Pietro Pacciani in tribunale. «Mi si sente dire da qui, da questi pissiologi come si chiamano, insomma, dice, ma era sano di mente, secondo voi? Dice: sí. Come sí? Dice: sano di mente? Dice: sí. In piena facoltà d'intendere e volere? Sí. Ma lei l'avrebbe fatto che gli ha fatto questo disgraziato infame, che Dio lo bruci all'inferno, anda' lí, da du' poveri ragazzi, du' poveri figliòli... senza avergli fatto nulla».

Nell'inchiesta sui delitti del Mostro, Pietro Pacciani c'è entrato fino dal 1985, dopo uno *screening*, una ricerca fatta col computer su una lista di persone con precedenti specifici e caratteristiche sospette, e anche dopo una lettera anonima.

A suo carico c'è una serie di indizi.

Ci sono i tempi, quei buchi, quei lunghi intervalli tra un omicidio e l'altro che corrispondono abbastanza precisamente ai periodi in cui Pacciani era in prigione. Ci sono le testimonianze che lo dipingono come un pervertito e un violento, uno che fa paura, che ha grande abilità manuale, uno che conosce bene i luoghi dei delitti perché è un cacciatore di frodo e un guardone.

Un testimone in tribunale. È ripreso solo dal collo in giú. Gli viene domandato: – Lei ricorda di essere stato gli anni passati in macchina...
– Sí, ma quando ero fidanzato...
– Con sua moglie.

– Con mia moglie.
– Era nella piazzola che poi è diventata famosa?
– Sí, nella piazzola dov'è successo l'ultimo...
– Delitto dei francesi.
– Delitto, sí, sí.
– Bene, cosa successe?
– Eh, ci si mise... insomma, un po' lí, fermi. Dopo venti minuti, mezz'ora, vidi come una lampadina...
– Vicino alla macchina.
– Sí, a tre o quattro metri. Alzai il capo e vidi... Pacciani.

Pietro Pacciani in tribunale. Sempre con il suo tono piagnucoloso ma un po' piú accalorato del solito, dice: «Dio, Signore, me n'hanno buttato addosso di tutti i colori. Ah, dice: il Pacciani guardone... Io guardone! Io so' 'n'omo perfetto come tutti gli altri e ne dò la prova. Io non ho mai anda' a guarda'... se fossi anda' a guardare uno che fa quelle schifezze... Uno va a guardare che fa un altro? Io lo facevo da mi' moglie, se piglia moglie apposta!»

Da quando è uscito di prigione dopo aver scontato la pena per la violenza alle figlie, Pietro Pacciani è sotto sorveglianza, spiato, intercettato. Alcune intercettazioni sono particolarmente strane. Come quando sua moglie Angiolina deve andare dal magistrato per farsi interrogare. Pacciani cerca di convincerla a non andarci, la convince a darsi malata, a dire che ha mal di denti. Poi però lei risponde al telefono al magistrato, non gli sa dire di no e ci va. Quando torna Pacciani si arrabbia e le microspie nascoste registrano tutto.

Nell'aula del tribunale viene ripreso il banco dove siede Pacciani con i suoi avvocati. Sono tutti attenti ad ascoltare una registrazione che gracchia e risuona nella sala. Le voci sono di Pacciani e della moglie, che discutono animatamente. Nella registrazione Pacciani ha toni furiosi. Urla: – Dio dell'ostia immacolata, o quanto ti hanno tenuto?

La moglie risponde concitata: – Io non ho detto nulla. Ho detto solo che mio marito aveva un fucile, ora... ora... se l'ha venduto non lo so.

Qui Pacciani urla come un ossesso, è completamente fuori di sé: – Ma senti questa infame... ora gli va a dire del fucile, questa maledetta diavola. Brutta infame! Va a dirgli del fucile questa... diavola. Brutta serpente, il fucile... il fucile... Brutta, maledetta puttanaccia. Brutta tubercolosa, velenosa... quando ti vidi! Brutto animale velenoso. Gli ho detto: chiudi il becco, non parlare, non apri' bocca, lasciali dire quello che vogliono. E... i'... i' mio marito, il fucile, il fucile... mio marito. Brutta sudicia, velenosa e diavola!

Pacciani picchia la moglie, e la moglie scappa via. Quella sera è molto nervoso. L'agente responsabile dell'intercettazione lo sente alzarsi, frugare nell'appartamento, aprire un oggetto con una cerniera e dire: – E 'ndo' la metto, ora? – Che cosa? La pistola, dice la polizia. Pacciani è preoccupato, perché in seguito alla deposizione di sua moglie ha paura che la polizia vada a fargli una perquisizione e gliela trovi a casa.

Pietro Pacciani in tribunale, in piedi. Dice: «Volevo precisare, io siccome soffro di 'esta *angina pertores* e la circolazione, m'arzavo dal letto, mi facevo un po' di 'affè. Certamente sbattevo gli sportelli pigliando la tazzina, pigliando il caffè di dentro. Ma 'n c'è mica nulla di... è tutta roba normale. Ora, siccome viene amplificato il volume... È tutto lí, lo sportello, aprivo, chiudevo, perché c'ha la molla a scatto, fa il rumore... fa *zac!* Insomma, amplificandola si sente il rumore forte».

Le perquisizioni. La Squadra antimostro ne fa tante in casa di Pacciani. La prima è del 1990. Gli uomini del dottor Perugini non trovano niente di particolare, a parte due quadri. Uno è una copia della *Primavera* del Botticelli. L'altro raffigura un generale con il sesso femminile e le zampe d'asino, poi armi, immagini astratte, immagini violente. Pacciani dice di averlo fatto lui e che si chiama *Sogno di fantascienza*. Per la Procura quel quadro ha significati nascosti che vengono analizzati da una perizia psichiatrica, ma si sgonfia tutto. Il quadro non lo ha fatto Pacciani, lo ha dipinto un pittore cileno, Christian Olivares. Pacciani probabilmente lo ha trovato in una discarica e lo ha colorato a modo suo.

La cosa che colpisce di piú nel disegno è la figura centrale. La figura impugna una spada a falce di luna, dorata. Indossa delle scarpe da ginnastica, una giacca e un capello marrone. C'è anche un cobra con la lingua sibilante, alcune stelle. Alla parete di sinistra c'è il buco della tana di un topo, come quelle che si vedono nei cartoni animati. Sulla sella del toro c'è un doppio ombrello verde, un ombrello sopra l'altro. C'è anche una sfera rossa, in alto a destra.

Dalle altre perquisizioni, invece, salta fuori qualcosa.

Si vedono dei vigili del fuoco frugare e scavare in un giardino. C'è anche un uomo alto in giacca blu che cammina tra i mucchi di terra spalata. Pietro Pacciani si muove pensieroso tra gli alberi, la visiera del berretto sollevata sulla fronte, i pugni stretti sui fianchi.

Nell'aprile del 1992 un vero e proprio esercito di carabinieri, poliziotti, operatori della Scientifica e anche vigili del fuoco si piazza a casa di Pacciani e ci sta dodici giorni, mentre Pacciani li osserva piantato in mezzo all'orto, con un cappellino in testa. Angiolina è meno tranquilla, e il primo giorno morde addirittura un poliziotto. Il terzo giorno, è lo stesso dottor Perugini a trovare qualcosa.

Il dottor Perugini nell'aula del tribinale, al microfono: «Mi ricordo che io mi trovavo nel fondo dell'orto dove c'erano... dove si svolgevano in quel momento le ricerche... Tornai indietro, e la tettoia era bassa, quindi mi abbassai per non sbattere la testa contro la tettoia, e vidi uno scintillio. Allora chiamai l'operatore della Scientifica. Estraemmo, estrassi questo grumo di terra che imbozzolava...» intanto su un grande schermo si vedono delle immagini. Una mano con una pinzetta estrae da un foro un proiettile «...questo, e vedemmo che era effettivamente un proiettile e che era un proiettile calibro 22. Ripulimmo con molta cautela il fondello di questa cartuccia e vedemmo che c'era la lettera H».

Altra perquisizione nel giugno 1992. Gli uomini del maresciallo Minoliti, della Compagnia di San Casciano, trovano a casa di Pacciani un bloc notes di marca tedesca e un portasapone. Il dottor Perugini vola fino in Germania dai familiari di Horst, uno dei due ragazzi tedeschi uccisi nel furgone nel 1983, e torna con la convinzione che siano compatibili con quelli posseduti dal ragazzo.

C'è ancora qualcosa. Un altro anonimo. Ai carabinieri di San Casciano arriva una busta che contiene una lettera, scritta in un toscano molto esasperato, che inveisce contro Pacciani. Insieme alla lettera c'è il pezzo di una pistola, l'asta guidamolla di una Beretta calibro 22. Cosa c'entra con Pacciani? L'asta è avvolta in uno straccio che risulta strappato da una vecchia federa di proprietà di Pacciani.

Prove, indizi, anonimi, testimonianze, perquisizioni.

Non è un processo facile, quello che si apre alla Corte d'assise di Firenze il 19 aprile del 1994. Dura sette mesi, per quarantacinque udienze, ed è un processo che alterna momenti di involontaria comicità a momenti di incredibile durezza.

È il processo ai delitti del Mostro di Firenze.

Pietro Pacciani in tribunale, seduto al centro dell'aula. Dice: – Io ho scritto le poesie... «Se nel mondo esistesse un po' di bene e ognun si considerasse suo fratello...»

Il giudice lo interrompe: – Bravo, bravo... noi condividiamo.

– «...ci sarebbe meno pensieri e meno pene e il mondo ne sarebbe assai piú bello».

– Ma ora siamo davanti alla Corte d'assise, e lei è imputato di sedici omicidi. E allora vorrei ricordarle che lei di questo si deve occupare.

Pacciani lo guarda contrariato.

Piú avanti, il maresciallo dei carabinieri di Borgo San Lorenzo, in aula.

– Verso le sei e mezzo, le sette meno un quarto, giú di lí, giunsero in caserma i parenti della Stefania Pettini e di Pasqualino Gentilcore.

– In caserma, scusi, a Borgo San Lorenzo?

– A Borgo San Lorenzo.

– Bene.

– A riferire che i due che erano fidanzati non ufficialmente, non erano rientrati in casa. Mentre mi riferivano questi dati venne un contadino, mi pare che fosse un certo signor Fusi, a riferire che poco prima erano stati notati in località Fontanelle di Rapatta i cadaveri di due persone. La ragazza era con le gambe aperte e nella vulva aveva un tralcio di vite.

L'accusa: – Vogliamo mostrare al teste e cominciare con le foto per vedere se ci possono aiutare...

Un'altra voce, quella del presidente, dice: – Si vede la vite... se si può ingrandire ancora...

A quel punto un carabiniere, alle spalle di Pacciani, comincia a ondeggiare, si accascia di lato, colpisce la spalla del suo collega e crolla a terra svenuto. Pacciani e uno dei suoi avvocati si girano perplessi. Una voce dall'aula spiega: – È un ragazzo della scorta che ha avuto qualche problema sulle foto –. Gli avvocati di Pacciani si alzano a dare soccorso insieme a un paio di carabinieri.

Piú avanti ancora. Una signora anziana legge un foglio: – Consapevole della responsabilità morale e giuridica che assumo con la mia disposizione, – ha la voce rotta dall'emozione, – mi impegno di dire tutta la verità e di non nascondere nulla di quanto di mia conoscenza –. Sta per mettersi a piangere. È la madre di una delle vittime.

Il presidente: – Signora, se la sente di deporre? Perché la vedo piuttosto emozionata, e naturalmente è comprensibile.

Quando un avvocato le si avvicina con una mano sulla spalla, la signora si riprende e dice: – Sí, sí, – tirando su con il naso.

Sono i delitti del Mostro, cose che non si riusciva neanche a immaginare che potessero succedere in Italia, non qui, non da noi. Ma chi è il Mostro di Firenze?

Le immagini di repertorio riprendono sempre l'aula del processo. Il presidente dice: – L'imputato per legge ha per ultimo la parola, se la chiede. Ha qualcosa da dire?

Pacciani si alza.

Il presidente: – Prego.

– Io la rimetto nelle vostre coscienze. Ho detto tutto nei memoriali e compagnia bella. Ho sempre lavorato nei campi senza allontanarmi, e da questi fatti io sono innocente come Dio sulla croce. Credetemi, verrà fuori –. Mette la mano nella tasca interna della giacca ed estrae un santino raffigurante Gesú. – Lo prego notte e giorno, guardi, che faccia scoprir la verità. E questo Gesú è mio fratello, io ho voluto bene a tutti –. Piagnucola. – Non ho fatto questo male, io. Un contadino che va a lavorare la terra non ha il tempo nemmeno di legarsi le scarpe. Che devo fare? Io ho detto tutta la verità.

Tutta la verità. È vero? È Pietro Pacciani il Mostro di Firenze?

Nelle immagini di repertorio il momento della sentenza. In piedi, il presidente legge: – In nome del popolo italiano, la Corte d'assise di primo grado di Firenze, sezione prima, dichiara Pacciani Pietro colpevole dei delitti a lui ascritti come d'imputazione, a eccezione di quelli di omicidio e di porto d'arma comune a sparo relativi all'omicidio in danno di Lo Bianco Antonio e di Locci Barbara, e lo condanna alla pena dell'ergastolo con l'isolamento diurno... – Pacciani trattiene la rabbia in una smorfia di pianto e fa come per battere il pugno sul banco. Poi alza le mani al cielo. Comincia a dire qualcosa. L'avvocato gli mette una mano sulla spalla per calmarlo. Il presidente continua: – ...per la durata di anni tre, al pagamento delle spese processuali di custodia cautelare. L'udienza è tolta.

Si sente la voce del cronista che commenta: – Avete sentito: Pacciani è stato condann... vedete, qui c'è un assalto dei giornalisti verso Pacciani... – Alcune voci incitano: «Via, via, via». I carabinieri accerchiano subito Pacciani e cercano di scortarlo fuori dall'aula. Il cronista: – Vedete, una udienza... questo finale drammatico, questo finale drammatico, vedete –. I giornalisti premono contro la scorta, salgono sui sedili dell'aula, puntano le loro cineprese. Scattano molti flash. Pacciani viene trascinato via come in un fiume di carabinieri che scorre tra la folla. Urla qualcosa prima di sparire oltre la porta.

Il primo novembre 1994, la Corte d'assise di Firenze condanna Pietro Pacciani a quattordici ergastoli per i quattordici omicidi avvenuti tra il 1974 e il 1985. Per il primo, quello del 1968, non ci sono prove che l'abbia commesso Pacciani, ma per la Corte sarebbe da attribuire a lui. È un punto poco chiaro, che lascia molti dubbi.

Soprattutto, la sentenza che condanna Pietro Pacciani come il Mostro di Firenze contiene una novità. Una novità inquietante.

Almeno in uno degli omicidi, dice la Corte, l'ultimo, quello dei due ragazzi francesi, Pietro Pacciani non era solo. Lo dice la dinamica dell'omicidio e lo dicono due testimoni che hanno visto Pacciani allontanarsi dal luogo del delitto in compagnia di un'altra persona.

Il 29 gennaio 1996 si apre il processo d'appello. Agli avvocati Bevacqua e Fioravanti, che lo hanno difeso in Assise, si affianca l'avvocato Nino Marazzita, con un pool di investigatori composto da Carmelo Lavorino e Francesco Bruno. Fin dall'inizio si avverte la sensazione che la sentenza sarà ribaltata.

Gli indizi non sono sufficienti. Le prove non sono cosí certe. Le testimonianze non sono cosí sicure.

Nelle immagini di repertorio si vede Pacciani uscire di prigione scortato dai carabinieri. Ha la testa china e vi preme sopra un berretto marrone per nascondersi.

Il 13 febbraio 1996, su richiesta dello stesso pubblico ministero Piero Tony, la Corte d'appello di Firenze, presieduta dal giudice Francesco Ferri, assolve Pietro Pacciani per tutti i quattordici omicidi per cui era stato condannato all'ergastolo.

Si vede Pacciani che, affiancato dai suoi due avvocati, si affaccia a una finestra. I tre agitano mani e braccia in aria. Pacciani congiunge le mani verso il cielo in segno di preghiera. Sorridono. L'ultima immagine riprende il volto di profilo di suor Elisabetta.

Pietro Pacciani viene scarcerato e va a rifugiarsi in una casa a Firenze, assistito dalle cure di una suora delle Figlie della carità, suor Elisabetta, che gli fa da assistente spirituale.

L'Italia si divide di nuovo tra innocentisti e colpevolisti.

Ma dov'è la verità?

Chi è il Mostro di Firenze?

Sembra che sia finito tutto in un vicolo cieco, e invece no. Già alla fine del processo, come in un romanzo di John Grisham, come in un *legal thriller* all'americana, c'era stato un colpo di scena.

Poco prima della sentenza, la Procura aveva presentato una novità dell'ultimo minuto. Quattro testimoni, indicati con le lettere dell'alfabeto greco Alfa, Beta, Gamma e Delta, che avevano detto di aver visto Pacciani uccidere i ragazzi francesi assieme a un altro uomo di cui avevano fatto nome e cognome. Mario Vanni. Ma per un problema di procedura il presidente Ferri non aveva accettato le nuove testimonianze, e Pacciani era stato assolto.

È da lí che riparte l'indagine sui delitti del Mostro di Firenze, da Alfa, Beta, Gamma e Delta, e da Mario Vanni che viene arrestato per omicidio. Ma come si è arrivati a quel punto?

Dal 15 ottobre del 1995, alla Questura di Firenze c'è un nuovo capo della Squadra mobile. Si chiama Michele Giuttari e viene dalla Direzione investigativa antimafia, in Calabria prima, poi a Firenze, dove si è occupato delle stragi del '93.

Dottor Michele Giuttari, capo Squadra mobile di Firenze. Dice: «La Corte d'assise che aveva condannato Pacciani il primo novembre del 1994, nella sentenza aveva evidenziato che, quanto meno per gli ultimi due duplici omicidi, quello dell'84 e quello dell'85, vi erano elementi che potessero aver partecipato altri soggetti insieme a Pacciani. Questo sulla base di risultanze dibattimentali. Ecco allora che la Procura avvia un nuovo procedimento per identificare eventuali complici. Ed ecco che il primo lavoro che mi viene affidato è proprio questo. Quello di rileggere tutte le carte, analizzare nuovamente il tutto per vedere se in quelle carte ci fossero stati degli spunti che andavano nella direzione che in sentenza aveva tracciato la Corte d'assise».

Il dottor Giuttari si rilegge pazientemente tutte le carte, riesamina tutte le testimonianze, anche quelle non prese in considerazione nei processi, e trova qualcosa di interessante.

Due coniugi di Fiesole che la notte dell'omicidio di Pia e Claudio vedono allontanarsi due macchine, una scura e una chiara, dal luogo dell'omicidio. Un signore americano che la notte dell'omicidio dei due ragazzi francesi vede un'auto chiara che cerca di nascondersi sulla stradina che porta alla piazzola degli Scopeti, un'auto con a bordo due persone. Due coniugi che poche ore prima del delitto, su quella stradina, notano un'auto di colore rosso, con due uomini, uno tarchiato e di mezza età, con i capelli tagliati corti, e l'altro un po' piú alto, che sembrano guardare verso il bosco dove si trova la tenda dei ragazzi francesi.

Poi ancora, una decina di testimonianze di persone che non si conoscevano tra loro, e che già allora erano andate a testimoniare spontaneamente che sui luoghi dei delitti, e proprio attorno all'ora dei delitti, c'erano piú auto e piú persone sospette.

Dalle descrizioni, una di queste persone sembra corrispondere a Pietro Pacciani. Ma l'altro uomo chi è?

Pacciani ha alcuni amici, amici molto stretti, molto intimi, con i quali va in giro. Uno di questi si era già visto al primo processo, quello in Corte d'assise.

Le immagini di repertorio riprendono l'aula del tribunale. Mario Vanni depone. L'accusa gli chiede: – Signor Vanni, che lavoro fa lei?

– Io sono stato a far delle merende con Pacciani.

– No, no, scusi un attimo, un attimo.

In aula si sente un brusio di risate che quasi coprono la frase di Vanni: – Allora, non ho capito.

L'accusa: – Vedo che qualcuno le ha già detto che cosa deve dire.

– È che sento poco, sento poco.

Si vedono Pacciani e il suo avvocato che ridono di gusto, Pacciani è rosso in viso.

Il giudice: – Guardi, lei comincia male, perché sembra che venga a recitarci una lezioncina che s'è imparato prima. Lei deve solo rispondere alle domande, a quello che le viene chiesto.

L'accusa: – Lei ha conosciuto Pietro Pacciani?

– Sí, l'ho conosciuto.

– Siete diventati amici?

– Sí, a volte siamo andati a fa' qualche merenda, cosí, vero, o a bere un caffè insieme. Poi io altre cose, signor giudice, non lo so.

– Qualche volta si univano amici diversi o andavate solo voi due?

– Noi due siamo andati. Ci si trovava...

– Vi trovavate.

– ...in paese, dopo desinare. Cosí, a fa' una merenda. Poi io altre cose non...

– È mai venuto il Pacciani con lei, come dice, da qualche donna?

– No, io insieme alle donne con Pacciani non sono mai stato. Io, anda' a fa' qualche merenda...

– Sí, abbiamo già capito, signor Vanni. E qualche bicchiere, via, questo lo possiamo dire?

– Sí, sí.

Il dottor Giuttari scava tra le carte, mette sotto sorveglianza gli amici di Pacciani, fa intercettare le loro case e i bar in cui si trovano. Saltano fuori cose interessanti.

Saltano fuori Alfa, Beta, Gamma e Delta.

Il dottor Giuttari. Dice: «Abbiamo avuto un testimone oculare presente all'ultimo duplice omicidio. Ha visto come si sono svolti i fatti, li ha raccontati fornendo degli elementi che non erano noti e che solo effettivamente chi era presente sul posto avrebbe potuto conoscere».

Il testimone Alfa si chiama Fernando Pucci, e dice di aver visto la scena dell'omicidio dei due ragazzi francesi. Ha visto un uomo con la pistola e un uomo con il coltello. Pietro Pacciani e Mario Vanni. Vanni ha squarciato la tenda con il coltello, poi un ragazzo è scappato, Pacciani gli è corso dietro e lo ha ucciso.

Con lui, con Pucci, che si trovava in quella piazzola per un bisogno fisiologico, c'era anche un altro uomo, Giancarlo Lotti, il testimone Beta. A vedere Alfa e Beta sul luogo del delitto e a indicarli alla polizia come possibili testimoni era stata una donna, che era passata di lí assieme a un suo amico. La donna e l'amico, per la Procura, diventano i testimoni Gamma e Delta.

Giancarlo Lotti, però, non sembra soltanto un testimone. Ci sono altri particolari interessanti. Conosce bene e frequenta spesso Pacciani e Vanni. Ha un'auto rossa. Cade in contraddizione.

Poi, messo alle strette, confessa.

Era presente alla piazzola degli Scopeti perché era andato lí per fare da palo a Vanni e Pacciani, e si era portato dietro anche Pucci, senza che questo sapesse niente di quello che sarebbe successo. E dice che era presente anche per l'omicidio di Pia e Claudio, a Vicchio, dove aveva visto Pacciani sparare nella Panda ai due ragazzi, poi Vanni tirare fuori Pia, trascinarla nel campo e mutilarla. Aggiunge anche che Pia, mentre Vanni la trascinava nel campo, urlava ancora.

Giancarlo Lotti, per la Procura, è anche lui uno dei «compagni di merende».

Ma chi sono i compagni di merende?

> Pietro Roselli, sindaco di San Casciano, Firenze. Dice: «Il carattere di queste persone, che erano emarginate alla comunità e quindi si muovevano per conto proprio, si coglie anche dai loro soprannomi... erano persone diverse, escluse, e, per molti aspetti, i grulli del paese. Appunto, i soprannomi sono eclatanti. Pacciani è soprannominato "il Vampa", perché in una delle tante occasioni di feste paesane, per dimostrare la sua forza, il suo coraggio, dopo aver bevuto un po' di benzina, si mise a fare il mangiafuoco, e naturalmente, non essendo un mangiatore di fuoco, non essendo un circense, si bruciò tutto il viso e da lí il soprannome del Vampa, avvampato da questa fiammata di benzina sul viso. Gli altri, come dire, per lo stesso tenore. I soprannomi non sono mai casuali. Giancarlo Lotti era "Katanga", soprannome per indicare questo uomo, forse forte, ma con pochissimo cervello, quindi uno violento che non ragiona sulle cose, che si muove d'impeto, che facilmente è anche strumentalizzabile. Poi c'era il postino, il Vanni, detto "Torsolo". Il torsolo è il resto del frutto, inutile, insignificante, che si getta, che non si considera».

Dalle indagini e dalle testimonianze emerge un mondo fatto di perversioni sessuali, di abusi, di violenze, di una piccola banda che fa paura.

Emerge un mondo sinistro, fatto di prostitute, di protettori, di pervertiti, di casolari sperduti nelle campagne di Firenze.

Mario Spezi. Dice: «La Toscana, sí, ha generato molti misteri inquietanti. È che la Toscana, e Firenze in particolare, è schiava di un'immagine che gli è stata costruita sopra nell'Ottocento, soprattutto dagli Inglesi. Come una città solare, una città armoniosa, la città del Rinascimento. È vero che è la città del Rinascimento, ma non è una città rinascimentale. È una città medioevale, una città di pietra, e di pietra fatta di spigoli. Non c'è spazio per il verde o, se c'è, il verde è nascosto. È una città cattiva, lo è sempre stata. Sono stati commessi qui dei delitti atroci. Basta andare in piazza Signoria e guardare sotto la Loggia de' Lanzi. Sono cose sublimi, ma è come se ci fosse a Firenze una vena di sadismo, di violenza che scorre sotterranea, poi quando emerge prende delle forme sublimi. Questa lava si solidifica nel Perseo che mostra la testa, stupri terribili, magnifici, del Giambologna. Però è una città che se tu la vedi d'inverno, è una città grigia, è una città in cui l'Arno giallo porta giú di tutto: alberi, carogne di animali... È una città fatta di strade buie, strette, piccole. È stata deformata dagli Inglesi. *Camera con vista*, sí, ma la vista è diversa».

È un mondo strano quello, con abitudini inquietanti. C'è una donna, una prostituta che ha avuto una relazione con Lotti, che parla di incontri a casa di un santone, a San Casciano, a soli due chilometri dal luogo dell'omicidio dei ragazzi francesi. Un santone, un sensitivo di origine catanese, morto a metà degli anni Ottanta. La donna parla di riti, di orge. Di magia nera.

Sono questo, i compagni di merende? Una banda di assassini feroci, un gruppo di serial killer che agiscono insieme, dominati da una personalità forte come quella di Pacciani?

Il 20 maggio 1997, presso la Corte d'assise di Firenze, inizia il processo ai compagni di merende. Mario Vanni è accusato degli ultimi cinque omicidi, Giancarlo Lotti degli ultimi quattro. A loro si è aggiunta un'altra persona, un commerciante di piastrelle, chiamato in causa da Lotti e accusato dei delitti dell'81 e dell'85.

Manca Pietro Pacciani.

Il 12 dicembre 1996 la Corte di cassazione ha annullato la sentenza che lo aveva assolto. È accusato anche lui degli ultimi cinque delitti del Mostro, ma dovrà essere giudicato in un altro processo.

Mario Vanni in tribunale. Ha i capelli un po' spettinati. – Riguardo al Mostro di Firenze io non c'ho nulla a che vedere. Sono innocente, lei mi creda, signor presidente, questa è la verità!

Il 24 marzo 1998, dopo cinque giorni di camera di consiglio, la Corte d'assise condanna Mario Vanni all'ergastolo e Gianfranco Lotti a trent'anni. Assolve invece il commerciante di piastrelle per non aver commesso il fatto.

Sentenza sostanzialmente riconfermata il 31 maggio 1999, nonostante il grande impegno appassionato del loro difensore, l'avvocato e scrittore Nino Filastò.

In aula Mario Vanni ha una veste da camera blu. È in piedi ed è agitato. Ha i capelli corti e biascica con la bocca. Gli mancano alcuni denti.

Il giudice: – Mi dica.

Vanni: – Come! Io non ho diritto a parlare?

Nino Filastò: – Sí, l'ha già detto, dica quel che la vuol dire, va'.

Il giudice ride al microfono.

Vanni: – Sí, lo dico!

Filastò: – Con calma.

Il giudice: – Calma, calma, si metta a sedere e stia calmo.

Vanni: – Dico che voglio tutte le lettere che l'avete voi in Corte d'assise. Voglio la libertà per andare alla banca e alla Posta. Poi ci sarà il Signore che punirà il signor Canessa con un malaccio inguaribile che gli toccherà patire come un cane.

Il giudice: – E no, no, no, questo non lo può fare, eh. Basta... basta.

Canessa, il pubblico ministero: – E io chiedo che venga espulso, eh, presidente. Fra l'altro dobbiamo sentire un teste importante. Sa, le minacce a me mi fanno... è acqua calda.

Giudice: – Non si fanno minacce, non si fanno minacce. Dico subito. L'ultima volta è stato ammonito, è stato allontanato, poi sarà espulso e non ci mette piú piede. Fino a quando...

Canessa: – Presidente, ha commesso un reato, secondo me.

Vanni: – Io dico l'ultima parola: viva il duce, il lavoro e la libertà, ritorneremo prima o dopo.

Giudice: – Basta, basta, portatelo fuori, via, via.

Vanni fa per sedersi, ma i carabinieri lo tirano su a forza.

Canessa: – Bene, grazie, signor presidente.

Giudice: – No, no, Vanni, fuori, fuori.

Vanni: – Eh, vo' via. Non me ne importa.

Giudice: – Bene.
Vanni: – Eh, tanto son solo. C'ho l'avvocato Filastò, mi basta.

Ergastolo a Vanni, ma solo per gli ultimi quattro omicidi, e ventisei anni a Lotti.

E Pacciani?

Pacciani non c'è piú.

Pacciani è morto.

Le immagini di repertorio fanno vedere la bara di Pacciani portata via dalla sua abitazione da persone con una tuta arancione e la mascherina bianca. Poi ci sono le sequenze del funerale e la cassa che viene calata nel terreno. Le prime zolle di terra che cadono sulla targhetta: PIETRO PACCIANI 7.1.1925 – 21.2.1998.

Pietro Pacciani viene trovato morto il 22 febbraio. È a casa sua, dove vive da solo da quando Angiolina l'ha lasciato. È disteso sul pavimento a faccia in giú, e ha i pantaloni abbassati sulle ginocchia. È morto per arresto cardiaco, dice il medico.

Ma le cause?

Il dottor Giuttari. Dice: «Sulla morte di Pacciani è stato in effetti incardinato un procedimento penale da parte della Procura della Repubblica di Firenze. È stata già eseguita su ordine del Pm una consulenza tecnica. Il risultato di questa consulenza avrebbe portato all'accertamento dell'assunzione da parte del Pacciani di un farmaco che in effetti era controindicato per le patologie di cui soffriva».

Che sia la morte naturale di un uomo che si è curato nel modo sbagliato oppure l'omicidio premeditato di un testimone scomodo, quella di Pietro Pacciani non è l'unica morte sospetta che colpisce in quegli anni testimoni, indagati o persone vicine ai compagni di merende.

Nel '93 Francesco Vinci, uno dei primi sospettati a essere indicato come il Mostro, viene ritrovato nel bagagliaio della sua auto, carbonizzato, assieme a un altro uomo. Due settimane dopo anche una prostituta amica dei compagni di merende viene trovata carbonizzata in macchina assieme al figlio di tre anni. Molti anni prima, nel 1981, era morto il marito di Maria Sperduto, che era stata l'amante di Pacciani. Suicidato, con uno di quegli strani suicidi per impiccagione in cui il corpo tocca con i piedi per terra.

> Repertorio. Un'immagine in bianco e nero. Si vede un corpo di spalle con la camicia alzata sulla schiena che scopre una maglietta bianca. La telecamera scende verso il basso e fa vedere che i piedi dell'uomo, dalla parte della punta, toccano il pavimento per quasi metà scarpa.

Ma è un ambiente difficile, violento, spesso disperato, e i delitti possono essere soltanto coincidenze. O forse no. Mettiamoli da parte e torniamo ai Mostri di Firenze, ai compagni di merende. Anche in questo caso la sentenza divide l'Italia.

Mancano ancora alcuni delitti all'appello. Manca il delitto del '68. C'è chi non è convinto delle prove presentate. Chi ha altre idee sui veri colpevoli dei delitti del Mostro. Chi pensa che tutta quella storia, tutti quegli omicidi cosí efferati, e anche tutti i misteri, i veleni e i depistaggi che sembrano circondare i delitti del Mostro, non possano essere opera del Vampa, del Torsolo e del Katanga. O almeno, non soltanto di loro, loro da soli.

> Il dottor Giuttari. Dice: «L'ipotesi dei cosiddetti compagni di merende è una certezza. In una vicenda cosí difficile, unica, ripeto, in appena tre anni si è giunti alla sentenza definitiva. C'è stato un processo di primo grado, un processo di appello che ha confermato le condanne, la Cassazione che ha messo la parola fine il 26 di settembre del 2000. Questo è un punto fermo, questa è una certezza, non è un'ipotesi. Gli ultimi quattro duplici omicidi riferibili al cosiddetto Mostro di Firenze, hanno i loro autori. Alcuni dei loro autori hanno nome e cognome».

Ogni volta che si arriva a un punto, in questa brutta storia che fa paura, arriva un'altra ipotesi che allarga l'orizzonte, alza il tiro e apre scenari sempre piú inquietanti. Secondo la Procura, secondo il sostituto procuratore Canessa, secondo il dottor Giuttari, i compagni di merende non erano soli.

Era già uscito fuori qualcosa, in questo senso.

Al processo, durante il dibattimento, Giancarlo Lotti vi aveva fatto cenno.

> Giancarlo Lotti è in un'aula di tribunale. È ripreso dalla telecamera solo dal collo in giú, perché ha deciso di collaborare e quindi è un po' come un «pentito», e i pentiti non si possono piú riprendere interamente.

Dice ai magistrati: – M'ha detto questo dottore che andava a Mercatale da Pietro per prendere questa roba delle donne.
– E gli dava qualcosa in cambio?
– Dice che gliele pagava, poi io...
– Gliele?
– Dice che gliele pagava, questa roba qui.

Qualcuno che chiedeva «dei lavoretti» a Pacciani e compagnia, dice proprio cosí Giancarlo Lotti, compagno di merende.

La nuova fase delle indagini sui delitti di Firenze si muove in questo senso. Esisteva qualcuno, un livello superiore, che guidava e copriva le azioni dei compagni di merende? Un gruppo di persone, una setta, che chiedeva e comprava feticci di donne uccise mentre facevano l'amore, feticci da usare per riti esoterici. Detto cosí sembra pazzesco, e forse lo è, ma questa il dottor Giuttari e la Procura di Firenze la ritengono una pista seria.

E sulla base di alcuni motivi che considerano molto concreti.

Intanto la ritualità degli omicidi, compiuti spesso in condizioni climatiche particolari, notti di luna piena, per esempio, vicino a corsi d'acqua, vicino ad alberi dal significato esoterico come cipressi e viti, sempre con la stessa pistola e con lo stesso coltello, quasi fossero, appunto, delle armi rituali. Mutilazioni di quel tipo inferte a donne uccise mentre stavano assieme a un uomo. La presenza, vicino ai luoghi del delitto, di cimiteri e chiese sconsacrate. Elementi dal significato esoterico che stavano sui luoghi degli omicidi, come la piramide trovata accanto al corpo di Carmela, nel 1981. O come altri segni, ancora piú inquietanti.

Il dottor Giuttari. Dice: «All'epoca, quindi parliamo del 1985, chi ha vissuto in prima persona questi fatti, li ha raccontati mettendo a verbale quello che aveva visto, le fotografie che aveva fatto e conducendo la polizia sul posto. Quindi non sono elementi che emergono adesso perché frutto di suggestioni. Sono elementi direi acquisiti in epoca non sospetta, cristallizzati in atti di polizia giudiziaria che recano quella data».

Il 10 settembre del 1985, per esempio, un guardiacaccia racconta di aver visto la coppia di ragazzi francesi quattro giorni prima che venissero uccisi. Li ha mandati via perché erano in una zona di ritrovamenti etruschi, dove era proibito campeggiare. Qualche giorno dopo l'omicidio, un suo collega nota degli strani segni in quel luogo: tre cerchi fatti con le pietre, del diametro di novanta centimetri, uno aperto e vuoto, uno aperto e con resti di pelli di animali bruciate, uno chiuso, con una croce di legno e due bacche. Per gli esperti di esoterismo consultati dalla polizia il significato è chiaro: sono tre momenti della preparazione di un rito che preannuncia l'omicidio della coppia.

Per la polizia è difficile pensare che sia soltanto per un caso, per una coincidenza, che i due ragazzi francesi si siano accampati in quel luogo, che tra l'altro non era facilmente raggiungibile, e nel quale poi saranno ritrovati quei cerchi.

Ancora un altro elemento. Nella primavera del 1997 due signore, madre e figlia, telefonano alla Squadra mobile e denunciano al dottor Giuttari un pittore svizzero che hanno ospitato per qualche tempo a casa loro, una villa che un tempo era un ricovero per anziani. Il pittore se ne è andato di nascosto, lasciando nelle sue stanze materiale pornografico, dipinti molto violenti di donne nude, una pistola e un bloc notes simile a quello sequestrato a casa di Pacciani. Del pittore non c'è traccia, ma il dottor Giuttari è uno che non molla, lo cerca dappertutto, anche all'estero, e alla fine lo trova in Francia, a Cannes. Il pittore parla. Però dà una versione completamente diversa da quella delle due signore. Non se ne è andato, è scappato, perché, dice lui, in quella casa si tenevano strani riti.

Le padrone della villa negano decisamente, querelando tutti quelli che hanno messo in relazione la loro villa con i delitti del Mostro di Firenze. Certo, Pacciani ha lavorato in quella villa... ma loro precisano che lo ha fatto per poco, e tanto tempo prima. La polizia, convinta che quella casa nasconda qualcosa, compie alcune perquisizioni, ma non trova niente.

L'ipotesi della setta esoterica era già stata presa in considerazione prima che ci pensasse anche la polizia. Nel 1984

Vincenzo Parisi, direttore del Sisde, il Servizio segreto civile, aveva affidato a un criminologo, il professor Francesco Bruno, l'incarico di indagare sui delitti del Mostro di Firenze.

Il professor Francesco Bruno. Dice: «Ne nacque un dossier in cui naturalmente il primo punto fondamentale era l'interpretazione di questi delitti. Un'interpretazione inevitabilmente, diciamo, mistico-esoterica, in cui si interpretavano i delitti come atti seriali rispetto a un progetto delirante che era impresso nella mente del killer. E si individuava un primo profilo psicologico di questo individuo. Una persona intelligente, capace di autocontrollo, con una buona cultura, con dei gravi traumi familiari. Questo dossier venne molto gradito dall'allora prefetto Parisi. Il quale decise che questo doveva essere mandato agli Organi investigativi che agivano sul campo a Firenze. Per quello che mi risulta, dal Sisde questo rapporto andò a Firenze. Però, quello che mi pare sia stato accertato nell'inchiesta tuttora in corso, è che gli investigatori che direttamente agivano non ebbero modo di leggere questo rapporto. Quindi questo rapporto in qualche modo si è perduto. Che questo sia avvenuto con dolo o senza dolo io ovviamente non lo so».

La pista della setta esoterica esisteva già dal 1984. Ma di quel rapporto la polizia ha notizia soltanto nel 2001. È stato dimenticato, dice qualcuno. È stato insabbiato, dice qualcun altro, perché dava fastidio a persone molto potenti.

Fantasie, forse. Però c'è un altro elemento, un altro ancora, molto inquietante.

Ci sono i soldi.

Per la polizia, la storia dei soldi di Pacciani è una storia molto sospetta, sia per l'entità del patrimonio, che comprende anche due case, sia per i tempi.

Pietro Pacciani, infatti, acquista buoni postali in coincidenza con alcuni delitti.

Il dottor Giuttari. Dice: «E questi movimenti sono avvenuti tra l'81, poco prima che iniziasse il primo duplice omicidio, e il gennaio dell'86, quindi qualche mese dopo che si è verificato l'ultimo duplice omicidio».

Sono tanti, i soldi di Pacciani. Calcolato con i parametri di oggi, il suo patrimonio ammonterebbe a novecento milioni di lire. E ne ha anche Vanni, di soldi: novantatre milioni in banca e altri cinquantatre in buoni postali, milioni di allora.

Chi glieli ha dati? Secondo la polizia, secondo il dottor Giuttari, secondo la Procura di Firenze, gente ricca, insospettabile e protetta, membri di una setta potente, che paga per avere i feticci e che manovra un gruppo di sadici pervertiti, feroci e senza alcun rispetto per la vita umana come i compagni di merende, che agiscono un po' per denaro e un po' per libidine personale. Tre moventi, che si allargano come cerchi concentrici: il denaro, la libidine violenta, la ritualità esoterica.

C'è chi non è di questa idea. Per l'avvocato Ninò Filastò, che oltre a essere stato uno dei legali dei compagni di merende è anche uno dei piú noti e apprezzati scrittori di romanzi polizieschi, il Mostro di Firenze sarebbe un ex poliziotto, come secondo lui dimostrerebbero alcuni indizi. Per Mario Spezi, giornalista e anche lui apprezzato scrittore di romanzi polizieschi, l'ipotesi invece è un'altra.

> Mario Spezi. Dice: «La mia opinione è che esiste un solo movente, che è quello maniacale. Nel senso che i delitti sono compiuti, commessi da un maniaco. Non solo con la stessa pistola e con lo stesso coltello, ma con le stesse modalità. Mi riferisco ai tagli sulle vittime. L'assassino, quindi, è sempre lo stesso, e fa sempre un'operazione che non dovrebbe fare, gli fa perdere tempo, rischia di sporcarsi e non ha apparentemente alcun senso, ma la fa sempre. I tecnici dell'Fbi dicono che questo è il vero scopo del delitto, inconscio, il vero movente. Cioè l'assassino ogni volta prende e trascina il corpo della ragazza a distanza di alcuni metri da dove l'ha uccisa. Questa è la firma del delitto. Riprendersi una donna da un altro uomo per riprendersi una donna che gli è stata tolta con la forza. Non si capirebbe altrimenti perché debba aggredire una coppia e non una donna sola. Questo assassino ha bisogno della presenza di un rivale, e ogni volta, dopo che è morto, compiuta tutta l'operazione, prima di andarsene, torna dall'uomo e gli dà due o tre piccole coltellate, quasi a sfregio».

La stessa arma e la stessa persona che ha compiuto tutti i delitti, secondo Mario Spezi, un serial killer, ma un serial killer che ha agito da solo o in gruppo?

> Mario Spezi. Dice: «Io torno a ribadire l'idea che il Mostro sia un assassino solo e un serial killer. Qui abbiamo a che fare non con una persona che ci sa fare come un medico, come un chirurgo, come è stato scritto, ma con una persona che in qualche maniera sa usare le mani e degli strumenti, come il novanta per cento dei serial killer, tra l'altro. A noi

cronisti ci furono mostrate tanti anni fa le ferite fatte sul corpo delle ragazze riportate in maniera schematica su un computer e, sempre, i movimenti, il punto di partenza che era a ore dieci, il corpo, eccetera, la pressione, erano rapportabili alla stessa mano, cosí come allo stesso coltello».

Per il dottor Giuttari le cose sono andate diversamente. Le prime mutilazioni sarebbero opera di qualcuno che mostra agli altri come si deve fare. La polizia cita le perizie iniziali, che parlano di tagli eseguiti con precisione chirurgica, poi cita le altre, quelle successive, in cui i tagli vengono definiti grossolani.

Il dottor Giuttari. Dice: «È chiaro da questo esempio che chi ha operato chirurgicamente nell'81 non può essere stato chi ha operato negli anni successivi».

Ipotesi, perizie e controperizie, piste investigative che corrono in senso opposto. E misteri, anche. Come il delitto del 1968. C'entra qualcosa, con i delitti del Mostro di Firenze?

Secondo la Procura, secondo il dottor Giuttari e secondo i tribunali che hanno condannato i compagni di merende, quel delitto non c'entra niente. In comune con gli altri avrebbe soltanto l'omicidio di una coppia e la pistola, la Beretta calibro 22 che spara cartucce Winchester di serie H.

Mario Spezi. Dice: «L'unica pista che può dare dei risultati oggettivi, e questo è sempre stato detto non solo da noi giornalisti ma dagli inquirenti, è quella che consentirebbe di ritrovare la pistola. La pistola è l'unico oggetto, l'unica prova che può inchiodare il responsabile. Ora su questa pistola esiste un mistero. Lo abbiamo già detto che una pistola usata per un omicidio non viene data a nessun altro, a nessun titolo, non si vende, non si presta, niente. Nel caso del nostro assassino del 1968, e sappiamo con quasi il cento per cento di sicurezza chi aveva quell'arma, evidentemente non l'ha distrutta. Quindi ha cambiato mano. Ma non è stata ceduta. Esiste una sola possibilità per cui quest'arma abbia cambiato proprietà: che sia stata sottratta con un furto».

Secondo Mario Spezi, il furto c'è stato, è avvenuto davvero. Secondo la polizia non è mai stato denunciato. È un mistero, quella pistola, è davvero un mistero.

Il dottor Giuttari. Dice: «Sulla pistola io credo che qualcos'altro debba essere fatto prima di poter affermare che sia stata utilizzata in tutti i delitti, e soprattutto che sia la stessa pistola, dal '71 all'85, di quella utilizzata nel '68».

Misteri, ipotesi, piste investigative. Sui delitti del Mostro di Firenze c'è un'indagine in corso sui mandanti, c'è un procedimento conclusivo sui compagni di merende, e ci sono altre indagini preliminari che ancora devono essere concluse.

Ce n'è una a carico di un appuntato dei carabinieri, che Giancarlo Lotti ha accusato di aver fornito a Pacciani i proiettili calibro 22 usati negli omicidi. Ce n'è un'altra a carico di un giornalista, accusato di aver spedito alla caserma dei carabinieri di San Casciano l'asta guidamolla di una Beretta. E ce n'è un'altra, molto strana, a carico di una signora che secondo la polizia, il 22 gennaio 1996, poco prima del processo a Pacciani, quando lui è in prigione, sarebbe andata a casa sua e avrebbe convinto sua moglie, Angiolina, a farla entrare. Secondo la polizia la signora avrebbe stordito Angiolina con del *Tavor* comprato in farmacia, poi, per tutta la notte, avrebbe frugato nella casa in cerca di qualcosa.

Per la polizia la signora sarebbe la moglie di un ginecologo fiorentino, morto alla fine degli anni Ottanta. La donna, indagata per rapina e sequestro di persona, nega, decisamente.

Poi c'è un'altra ipotesi, emersa di recente.

Sedici anni prima, nell'ottobre del 1985, era stato ripescato nel lago Trasimeno, in Umbria, il corpo di un uomo, Francesco Narducci, un medico di Perugia di trentasei anni. Era uscito con la barca, non era tornato, e cinque giorni dopo l'avevano trovato annegato. Forse era caduto, forse era scivolato fuori bordo, una disgrazia, niente di sospetto, cosí il medico viene sepolto senza autopsia e tutto finisce lí.

Sedici anni dopo, però, il sostituto procuratore di Perugia Giuliano Mignini, ordina che il corpo del medico venga riesumato. C'è stata una strana telefonata, intercettata per caso nell'ambito di indagini su un gruppo di usurai. Qualcuno ha parlato del medico annegato nel Trasimeno e lo ha messo in relazione con i delitti del Mostro di Firenze. Girano voci che il medico abbia saputo qualcosa di quei delitti, e che sia stato ucciso per questo. E ci sono anche altri particolari, riguardo alla sua morte, che il sostituto procuratore di Perugia ritiene sospetti, testimonianze che parlano di segni trovati sui polsi del medico, come se il corpo fosse stato legato e zavorrato. Per questo il sostituto procuratore fa riesumare il corpo e per capirci qualcosa lo fa mandare a Pavia, dove esiste un istituto di Medicina legale specializzato.

Misteri, altri misteri.

In alcune immagini di repertorio si vede il signor Rontini, il padre di Pia, in aula, che assiste a una delle tante sedute. Ha l'aria spenta, sconsolata, stanca. Qualcuno gli ha messo le mani sulle spalle, e lo dondola, come per lenirgli il dolore. Poi si vede la foto della figlia sorridente su una panchina. Un'altra foto mostra il signor Rontini con le mani davanti a sé, in strada. La figlia lo abbraccia da dietro, affettuosamente.

Il signor Rontini, il padre di Pia, invece, è morto di morte naturale.

Lo ha ucciso un infarto il 9 dicembre 1998, sul marciapiede davanti alla Questura di Firenze. Era andato a prendere i soldi del mensile che il sindacato di polizia gli dava per vivere. Perché nella sua battaglia per la verità, il signor Rontini aveva perso proprio tutto: i soldi, la casa, la salute e adesso anche la vita. Sul marciapiede davanti alla Questura di Firenze.

È anche per lui, per tutto il dolore che può aver provato un uomo che ha visto massacrata una figlia di diciotto anni, che bisogna continuare a cercarla, quella verità.

Bisogna saperla proprio tutta la verità sui delitti del Mostro di Firenze.

Antonino Agostino ed Emanuele Piazza

Questa è la storia di due ragazzi.

Uomini di legge, poliziotti, ragazzi in divisa che avevano un sogno e una passione. Due ragazzi che tra guardie e ladri avevano scelto di essere guardie che prendono i ladri, ma hanno avuto la sfortuna di farlo in un mondo strano, in cui niente è quello che sembra. Eppure dovrebbe essere tutto chiaro, qui ci sono le guardie e là ci sono i ladri, e invece no, non è cosí, perché questa è una storia di menzogne e di misteri, di amici che tradiscono, di persone che scompaiono, e di persone che muoiono.

Questa è la storia di Antonino Agostino e di Emanuele Piazza. Se fosse un romanzo... se fosse un romanzo, sarebbe una storia da non crederci.

Accade a Palermo, tra l'agosto del 1989 e il marzo del 1990.

Sono le 19,40, ed è una domenica d'estate.

5 agosto 1989.

Antonino Agostino è un giovane agente di polizia, ha ventotto anni. Non è in servizio, dovrebbe esserlo perché il suo turno comincia alle 14 e finisce alle 20, ma la sera prima ha chiesto un permesso al commissariato di San Lorenzo, presso cui lavora, perché quella domenica è un giorno speciale, è il compleanno della sorella Flora, che compie diciotto anni, e a casa dei genitori c'è una festa. È lí che si trova alle 19,40 del 5 agosto, davanti alla casa al mare dei genitori, a Villa Grazia di Carini, assieme alla moglie, Ida Castellucci, che ha vent'anni e aspetta un figlio. Si sono sposati da poco piú di un mese, Ida e Antonino, e adesso sono lí, davanti alla casa dei genitori, per una festa.

Ma non sono soli.

Ci sono due uomini a bordo di una moto di grossa cilindrata. Arrivano dalla strada, si fermano davanti a quel cancello di Villa Grazia di Carini, dove ci sono Antonino e Ida, e cominciano a sparare.

L'agente Agostino non ha la pistola con sé, è fuori servizio, è lí per il compleanno della sorella, e non può fare niente. Urla: – Corri! – alla moglie, poi cade, colpito da tre proiettili. Neanche Ida può fare niente, non riesce a scappare, grida: – Mi stanno ammazzando a mio marito! – poi cade anche lei, colpita.

Ammazzati tutti e due, a colpi di pistola, davanti agli occhi del padre di Antonino, che dalla porta di casa ha visto tutta la scena.

Il signor Vincenzo Agostino è il padre di Antonino, ha una lunga barba bianca che gli incornicia il volto, perché ha deciso di non tagliarsela piú finché non verranno presi gli assassini di suo figlio. È una persona semplice, dal forte accento siciliano. Ha gli occhi lucidi e rossi di commozione. Dice: «Vedevo benissimo come a mio figlio entravano e uscivano i proiettili. Non ho potuto salvarlo. E quindi vi posso lasciare immaginare che un padre, perché io sono cattolico, vede come hanno messo il proprio figlio nella croce. Mio figlio, ogni proiettile che sparavano, ogni colpo di pistola, lui diceva "Ahi", nel suo dire, perché praticamente io vedevo come lui si girava, come lui si... quei colpi come ci facevano male quando entravano nel corpo di mio figlio. E sono l'unico padre vivente che ha visto uccidere la propria creatura, che aveva il torto di avere indossato una divisa della polizia».

I due killer scappano con la moto e spariscono. La moto verrà trovata qualche giorno dopo a un chilometro di distanza, bruciata, ma degli assassini nessuna traccia, scomparsi, come se non fossero mai esistiti.

Le immagini di repertorio mostrano un cancello celeste socchiuso. Diverse persone, tra cui alcuni poliziotti, entrano ed escono indaffarate. Si intravede un corpo coperto da una tovaglia fiorita, un rigagnolo di sangue bagna il terreno. Una donna inginocchiata accarezza qualcosa sotto la coperta e piange. La telecamera cerca di avvicinarsi e intrufolarsi con lo sguardo oltre il cancello, che però viene chiuso.

Vengono intervistati alcuni poliziotti in divisa, hanno la voce spezzata, rotta dall'emozione. Il primo, con i baffi brizzolati, dice: «Quando uno è libero dal servizio, che è con la propria famiglia, si è tranquilli, spensierati. E arriva il colpo mortale». Il secondo, un poco piú giovane: «L'agente Agostino credeva nel proprio lavoro. L'ultimo giorno l'ho visto, cioè il giorno in cui l'hanno ucciso, la mattina, io ho fatto la mattina, mi ha salutato tranquillamente. Sorrideva, era contento. Gli ho fatto gli auguri perché si era sposato da pochissimo, era andato in Grecia...»

Le immagini del funerale: fuori dalla chiesa ci sono applausi, pianti, una voce di donna che si lamenta. Molte persone in divisa, carabinieri, militari, polizia, vigili urbani. La chiesa è affollata. Si intravede la madre, piange. C'è la deposizione della corona mortuaria sulla bara avvolta nella bandiera italiana.

La telecamera si sofferma sui volti immobili e commossi di Paolo Borsellino e Giovanni Falcone. Sono seduti, con lo sguardo fisso davanti a loro.

Fatto cosí, con quella dinamica e quella precisione, sembra un delitto di mafia. Ma perché la mafia avrebbe dovuto uccidere l'agente Agostino? Perché sparare a lui e a sua moglie?

Antonino era entrato nella polizia tre anni prima. Lavorava presso il commissariato del quartiere San Lorenzo, a Palermo. Nessun incarico particolare, servizio sulle volanti di zona, niente di speciale. Il questore di Palermo di allora, Ferdinando Masone, conferma: «Agostino non era impegnato in indagini di mafia».

Però, c'è qualcosa di strano nel comportamento di Antonino poco prima di essere ucciso. Quando parte per il viaggio di nozze assieme alla moglie, appena un mese prima, l'agente Agostino è preoccupato. Sembra che abbia paura di essere seguito, e con una scusa va al posto di polizia dell'aeroporto e ci rimane per una quarantina di minuti. È preoccupato anche dopo, quando torna a casa e riprende il lavoro. A un collega dice di essere «sulle tracce di qualcosa di importante», e che aspetta «una persona da Roma, per risolvere un caso».

Il signor Agostino. Dice: «Vedo, nei funerali di mio figlio, Giovanni Falcone e Borsellino e tutta un'autorità. Un'autorità che... Allora, gli hanno fatto i funerali di Stato! A mio figlio. E a mia nuora. Ora, io mi domando... lo chiedo a me stesso e principalmente a chi di competenza: come mai? Per quale motivo?»

Tre giorni dopo, una rivendicazione. All'Ansa di Palermo arriva una telefonata anonima: – Dunque, scrivete questo messaggio: dopo Mondo, – Natale Mondo, un altro agente di polizia ucciso nell'88, – dopo Mondo e Agostino adesso c'è Montalbano, – che è il commissario che da appena due mesi dirige il commissariato di San Lorenzo, in cui lavorava l'agente Agostino.

È una strana rivendicazione. Ma ancora piú strana è quella che arriva ai carabinieri quattro giorni dopo, il 12 agosto, diretta a Domenico Sica, l'alto commissario per la lotta antimafia.

– Chi sono non ha importanza. Informate il dottor Sica che a installare il tritolo presso la villa del giudice Falcone è stato l'agente di polizia assassinato a Villa Grazia di Carini. Non è uno scherzo e non cambi telefono, sennò riattacco.

L'attentato alla villa di Falcone.

Le immagini di repertorio sono di un colore sbiadito. Si vede un poliziotto che scruta il mare da una terrazza della villa di Giovanni Falcone. Una motovedetta prende il largo e la telecamera inquadra da lontano alcuni poliziotti vicino agli scogli. Si intravede un borsone blu.

Il 20 giugno 1989, un borsone con dentro cinquantotto candelotti di esplosivo comandati a distanza viene ritrovato nella villa al mare del giudice Falcone, all'Addaura, su uno scoglio sotto lo scivolo che porta alla spiaggia. Ma quel giorno il giudice Falcone non va al mare, e l'attentato fallisce. Facendo riferimento ai mandanti dell'attentato, Giovanni Falcone parlerà di menti raffinatissime.

Ma cosa c'entra l'agente Agostino con l'attentato? E non è la sola cosa strana della rivendicazione che ve lo collega. La telefonata è arrivata ai carabinieri, sí, ma proprio su un telefono che non era provvisto di registratore. Chi ha chiamato non voleva che il telefono fosse cambiato con un altro, magari in grado di registrare. Perché? Perché non voleva che la sua voce potesse essere riascoltata e magari riconosciuta?

Poi c'è un altro particolare strano, che fa pensare. Quando è stato ucciso davanti alla casa del padre, a Villa Grazia di Carini, l'agente Agostino non doveva essere lí. Doveva essere da un'altra parte, al commissariato di San Lorenzo, o in giro con le volanti, a finire il turno. Se è a casa dei suoi è solo perché ha cambiato l'orario di lavoro, e proprio la sera prima. Ma i killer sono lí, precisi, come se lo aspettassero. E lo sapessero.

Il signor Agostino. Dice: «Dopo tutta questa tragedia mi hanno portato, dove ero seduto io, dove piangevo io insieme a mia moglie, insieme ai miei famigliari, il portafoglio di mio figlio. Vi lascio immaginare la mia rabbia, quale fu la mia reazione. Scaglio contro il muro il portafoglio. Nello scagliare il portafoglio contro il muro, esce fuori tutto quello che c'era dentro. Ricordo benissimo che un agente raccolse tutto quello che c'era. E c'era un bigliettino scritto: guardate dentro il mio armadio».

La sera dell'omicidio la polizia va ad Altofonte, dove vivevano Antonino e Ida, e si fa accompagnare da Flora, la sorella che compiva diciotto anni. Gli agenti vanno subito nella camera da letto, ed escono con una busta con undici foglietti, trovata dentro l'armadio. Interrogano Flora e le chiedono se Antonino avesse avuto un'altra fidanzata prima di Ida. Sí, dice Flora, Francesca. No, non quella, dicono gli agenti, un'altra. Lia, per esempio. Sí, ricorda Flora, Lia, tanto tempo prima. Ecco, Lia apparteneva a una famiglia di mafiosi che aveva strani giri, per cui l'agente Agostino potrebbe avere scoperto qualcosa di grosso, che potrebbe essere scritto nei foglietti che gli agenti hanno ritrovato nell'armadio.

Il signor Agostino. Dice: «Mio figlio indicava qualcuno, perché mio figlio indicava qualcosa in quei biglietti. Dove andò a finire? Mi hanno detto che ci sono alcuni appunti. Il mio avvocato ne ha preso visione, anch'io, ma sono appunti che non hanno alcun significato, quelli che mi hanno fatto trovare. Questo lo dico ad alta voce».

C'è qualcosa di strano in quel ritrovamento. Secondo Flora e il padre di Antonino i foglietti sono stati ritrovati la sera stessa, secondo il verbale della polizia tre giorni dopo.

Secondo l'avvocato Gervasi, che difende gli interessi del padre di Antonino, e per il signor Agostino, i fogli a cui si riferiva Antonino non sono quelli. Qualcuno ce li ha messi, nell'armadio, e ha fatto in modo che venissero ritrovati cosí facilmente.

Un avvertimento mafioso alla polizia, il fidanzamento con una ragazza di famiglia mafiosa, l'attentato all'Addaura... La morte dell'agente Agostino e di sua moglie Ida scompare tra i misteri e sembra uno di quei casi che avvengono a Palermo, ma non solo a Palermo, destinati a essere dimenticati e a chiudersi senza nessuna soluzione.

Intanto, però, succede qualcosa.

L'avvocato Giustino Piazza è il padre di un poliziotto che si chiamava Emanuele. Ha una barba ben curata, ma anche i suoi occhi sono lucidi. Dice: «Il 15 marzo del 1990 fu l'ultima volta che vidi Emanuele. Dopo due giorni avevamo dato una cena importante, c'erano una sessantina di invitati a casa mia. Ero sicuro che Emanuele sarebbe venuto a questa cena, anche perché c'erano tanti amici che pure gli volevano bene. Quando non lo vidi arrivare cominciai a preoccuparmi, a tempestare di telefonate Sferracavallo senza avere nessuna comunicazione».

Emanuele Piazza vive da solo a Sferracavallo, in provincia di Palermo. In casa, però, non c'è. Quando il padre e suo fratello Andrea vanno a cercarlo trovano qualcosa di strano.

In cucina, sul fornello, c'è una pentola con sopra uno scolino con la pasta già cotta, pronta per essere servita, e una scatoletta di cibo per cani. C'è anche un cane, infatti, il cane di Emanuele, Ciad, si chiama, un grosso rottweiler, che dorme tranquillamente. Non sarebbe una situazione strana, sarebbe una situazione normale se Emanuele ci fosse, ma Emanuele non c'è, né in cucina né in casa, da nessuna parte.

È scomparso.

Perché? Cos'è successo?

Chi è Emanuele Piazza?

L'avvocato Piazza. Dice: «Mio figlio Emanuele era un ragazzo meraviglioso, sotto certi aspetti. Nel senso che aveva una capacità grandissima di mettere in comunicazione le persone piú diverse, persone che tra di loro non si sarebbero mai parlate. Invece Emanuele riusciva a farle parlare. Questo si è verificato in tantissime occasioni. Era un giovane generoso, volto molto a cercare di difendere le persone, le persone piú deboli eccetera... amava molto gli animali... non le so dire niente di piú preciso perché mi viene difficile raccogliere i ricordi».

Anche Emanuele, come Antonino, è un poliziotto. O meglio, lo era. Prima fa il servizio militare nella polizia, poi rimane nel Corpo per altri due anni, dall'82 all'84. Siccome è un esperto di arti marziali, soprattutto karatè e lotta libera, un campione delle Fiamme oro della polizia, Emanuele entra nel Servizio scorte del Quirinale, ed è tra le guardie del corpo del presidente Pertini.

Ma passare la notte sui tetti a sorvegliare il sonno del presidente non gli piace. Emanuele vuole l'azione, cosí si fa trasferire alla Narcotici, sempre a Roma. Ma anche qui non funziona. Emanuele si dimette dalla polizia e torna a Palermo.

> L'avvocato Piazza. Dice: «Torna a Palermo, e dopo un certo tempo cominciò a brigare per entrare nei Servizi di sicurezza del Sisde. Chi lo fece entrare al Sisde gli aveva anche promesso che avrebbe fatto una bella carriera se fosse riuscito a conseguire la laurea. Allora Emanuele, che prima non ne aveva voluto sapere niente, si iscrisse alla Facoltà di Economia e commercio, o in Scienze politiche, non ricordo bene, per vedere un pochettino di conseguire una laurea che gli avrebbe consentito il suo sviluppo all'interno delle file del Sisde».

È un tipo cosí, Emanuele, uno nato per l'azione, uno che a stare fermo non ci riesce, e dato che è cresciuto con certi valori, che è nato e vissuto con certe idee, come l'agente Agostino, sceglie di stare da una parte, con le guardie, e diventa un poliziotto.

È affascinato dal mito di Serpico. Ha anche girato un filmetto fatto in casa, un film d'azione, tutto sparatorie e arti marziali. Il suo sogno è di entrare nei Servizi segreti, infiltrarsi, scoprire, agire. Cosa faccia esattamente non si sa, ma ha contatti con un ufficiale del Sisde, il Servizio segreto civile, il capitano Grignani.

Se uno cosí, uno come Emanuele, scompare, se uno come lui lascia la casa aperta con tutto pronto come se stesse per pranzare e invece non c'è piú, c'è da pensare male. E infatti suo padre, l'avvocato Piazza, pensa male. E ha paura. Quella notte naturalmente non dorme. La mattina dopo chiama subito la

Questura, parla con l'agente Vincenzo Di Blasi, che conosce Emanuele, e gli chiede di investigare, di cercare suo figlio. L'agente Di Blasi si consulta con il suo superiore, il dottor Salvatore D'Aleo, e inizia l'indagine.

L'avvocato Piazza. Dice: «Telefonai a un collega di Emanuele, Enzo Di Blasi, e lo pregai di vedere un pochettino di cercare Emanuele. Mi telefonò verso l'una circa per dirmi che non aveva trovato nulla di Emanuele, ma che ne aveva parlato con il commissario D'Aleo, che era il dirigente del commissariato di Mondello, il quale gli aveva detto che probabilmente Emanuele "era scappato con qualche fimmina", per usare la frase che mi venne detta. Cosa che mi urtò un pochettino, tanto che mi feci dare il numero di casa del commissario D'Aleo e gli telefonai per chiedergli conferma di questa sua cosa. E lui mi disse: sí, avvocato, dice, ne abbiamo parlato anche stamattina con il commissario Montalbano e con il capitano Grignani e siamo arrivati a questa conclusione. Che mi sembrò una cosa di una faciloneria veramente esasperante».

Sí, forse Emanuele è scappato con una donna, all'improvviso e senza dire niente a nessuno.

O forse no. Tra i documenti che l'avvocato Piazza trova a casa del figlio, e che consegna subito alla polizia, c'è una lista con ben centotrentasei latitanti mafiosi, con nomi del calibro di Salvatore Riina e Bernardo Provenzano.

Giovanni Falcone incarica il dirigente della Squadra mobile di Palermo di sentire i funzionari che hanno avuto rapporti con Emanuele, per capirci qualcosa. I funzionari mandano semplici relazioni di servizio in cui si dice che non c'è niente di speciale. Che l'ex poliziotto Emanuele Piazza non ha mai avuto a che fare con i Servizi segreti. E la cosa si ferma lí.

Per sette mesi.

All'avvocato Piazza la polizia ha chiesto di non fare e non dire niente, anzi, se qualcuno chiede notizie di Emanuele, depistare, dire che è partito per un lungo viaggio. L'avvocato si attiene scrupolosamente alle indicazioni della polizia. Ma c'è un giornalista che ha saputo della cosa e che sta facendo un'indagine per conto suo. Si chiama Franco Viviano, e scrive per «la Repubblica». Viviano va a casa dell'avvocato Piazza a fare domande. L'avvocato vorrebbe mantenere la consegna del silenzio, ma quando s'accorge che il giornalista sa molte cose, allora parla e racconta tutto, e la storia esce sui giornali e in televisione.

Le immagini di repertorio sono tratte da *Chi l'ha visto?* del 16 dicembre 1990. Donatella Raffai, la conduttrice, ha un vestito chiaro ed è seduta nello studio del programma televisivo. Un lungo bancone taglia lo schermo in orizzontale. Sulla sinistra è seduto Luigi Di Majo, l'altro conduttore del programma. Dietro di loro alcune centraliniste sono indaffarate al telefono, al di là di un vetro sul quale è stampata in verde la scritta: «Chi l'ha visto?» e il numero da chiamare. La Raffai legge: «Emanuele Piazza è vicino ai trent'anni, è scapolo, alto, forte, sportivo, abita in una villetta a Sferracavallo, a dodici chilometri dal centro di Palermo. Ci vive solo, con un grosso cane e una piccola, vivace scimmietta. La sera del 15 marzo del 1990 sta preparando il pasto per i due animali....»

L'avvocato Piazza. Dice: «Ci fu un fatto strano. Quando questa notizia venne propalata da tutte le parti, un brigadiere dei carabinieri da cui dipendeva Sferracavallo la sera mi venne a trovare, e mi chiese del perché io non avessi denunziato la scomparsa di Emanuele. Contemporaneamente il maresciallo comandante alla stazione dei carabinieri *Crispi* andò a casa mia dove incontrò i miei suoceri e gli fece la stessa domanda. Cosa che mi meravigliò tantissimo. Io avevo denunciato subito la scomparsa di Emanuele. Glielo dissi e loro dissero che non ne sapevano niente».

È strana la scomparsa di Emanuele Piazza, come è strana la morte dell'agente Agostino. Non facevano niente di particolare ma comunque gli è successo qualcosa, e quello che gli è successo è un mistero, un mistero strano e complesso.

Il giudice Falcone insiste. Si informa sulle indagini e fa pressioni sui funzionari del Sisde perché rispondano alle domande su Emanuele.

Lavorava o no per i Servizi segreti?

Il 4 ottobre del 1990 il capitano Grignani risponde a Falcone. Sí, Emanuele era in contatto con i Servizi segreti. Di piú, collaborava proprio con i Servizi segreti. Ma non faceva molto, il Sisde non aveva fiducia nelle sue capacità e lui non aveva mai portato informazioni di rilievo, a parte qualche notizia su un paio di latitanti. Il direttore del Servizio segreto civile, il prefetto Riccardo Malpica, conferma. Avevano avviato un rapporto di collaborazione con un periodo di prova di tre mesi, dal 13 novembre 1989 al 13 febbraio 1990. Questo era Emanuele, un aspirante agente segreto in prova. Nient'altro. Niente di importante.

Il padre di Emanuele, l'avvocato Piazza, non ci sta.

Non ci sta neanche il padre di Antonino, che decide che non si taglierà piú né i capelli né la barba finché non si saprà la verità sulla morte di suo figlio. Tutti e due, anche se indipendentemente l'uno dall'altro, si dànno da fare, rilasciano interviste, partecipano a trasmissioni, fanno pressione perché niente cada nel silenzio. Quelli che sono scomparsi, quelli che sono stati uccisi, sono i loro figli.

> Il signor Agostino. Dice: «Ricordi belli di mio figlio io non ce l'ho piú. Non ce l'ho, perché non posso guardare piú il mare». Fa una lunga pausa. Gonfia il petto con un respiro profondo che gli rende gli occhi ancora piú umidi. «Perché mio figlio aveva quella passione, di andare a mare, di andare a pescare, di andare… lui… con il suo palloncino, e quando io vedo il mare e non vedo piú quel palloncino di mio figlio che lo seguiva ovunque lui andava… per me mi hanno tolto… mi hanno tolto tutto».

Emergono alcuni punti in comune tra i due ragazzi.

A Emanuele era stato chiesto di indagare sull'omicidio dell'agente Agostino. Antonino lavorava per il commissariato di San Lorenzo, lo stesso a cui faceva riferimento Emanuele. Tutti e due, sia Emanuele che Antonino, erano esperti sommozzatori. Servizi segreti, immersioni… c'è anche quella telefonata anonima ai carabinieri, «Informate il dottor Sica che a installare il tritolo presso la villa del giudice Falcone è stato l'agente di polizia assassinato a Villa Grazia di Carini». Vuoi vedere, insinua qualcuno, che Antonino ed Emanuele hanno messo l'esplosivo sullo scivolo della villa di Falcone all'Addaura, poi qualcuno li ha uccisi perché sapevano troppo?

È un'ipotesi che viene fatta, come quella che Emanuele sia scappato all'estero con una donna, e che Antonino sia morto per un fidanzamento con una ragazza di famiglia mafiosa.

Il dottor Antonino Di Matteo è sostituto procuratore presso la Direzione distrettuale antimafia di Palermo. Dice: «Quella dei depistaggi nei delitti di mafia, soprattutto nei delitti di mafia che trascendono la routine, l'ordinarietà della attività di Cosa nostra, è un classico. Credo che nella storia piú recente, forse anche in quella meno recente di Cosa nostra non ci sia mai stato un caso di omicidio di un magistrato, di un poliziotto, di un politico, di un giornalista, in cui non si è tentato di accreditare tesi e moventi diversi da quelli reali. Soprattutto volti a giustificare l'omicidio, cioè a far credere all'opinione pubblica che quel soggetto non era stato ucciso per una sua attività legittima ma sempre in esecuzione di una qualche vendetta per attività illegittima, o addirittura per un tipo di attività che non aveva nulla a che fare con la veste professionale».

Il 22 febbraio 1992 il giudice per le indagini preliminari è costretto ad archiviare l'inchiesta sulla scomparsa di Emanuele. Il procedimento viene riaperto il 22 giugno del 1993. E nuovamente archiviato il 3 maggio del 1996.

Il padre di Antonino continua a non tagliarsi la barba e i capelli. Quello di Emanuele continua a fare pressione perché le indagini continuino.

Poi, finalmente, qualcuno parla.

Il dottor Di Matteo. Dice: «Onorato ha fornito una versione dei fatti intanto assolutamente dettagliata, particolareggiata, tanto che ha consentito di acquisire riscontri obiettivi di sicura portata significativa. Onorato, ovviamente, che ha commesso decine e decine di omicidi, afferma di ricordare tutti i particolari di questo omicidio proprio perché Piazza era un suo amico».

Francesco Onorato, detto Ciccio, è un amico di Emanuele. Vivono nello stesso quartiere, frequentano la stessa palestra. Sono tutti e due appassionati di arti marziali. Sono amici, Ciccio ed Emanuele, amici stretti, amici veri.

Emanuele sa che il suo amico Ciccio ha a che fare con la malavita, è stato anche un po' dentro nell'84, e pensa che può essergli utile. Può sapere qualcosa di quello che succede nel quartiere, qualcosa sui latitanti che vi si possono nascondere, qualcosa da raccontare ai suoi referenti nel Sisde.

Emanuele ha una lista di latitanti, e accanto a ogni nome

c'è un prezziario dettagliato. Su quei latitanti ci sono delle taglie, ci sono dei soldi, e anche parecchi, cinquecento milioni di lire per Bernardo Provenzano, duecento per Totuccio Lo Piccolo.

– Facciamoci Totò Riina, – dice Emanuele a Ciccio, – e col miliardo e mezzo della taglia andiamo in Tunisia e apriamo un'attività.

Quello che Emanuele non sa è che Francesco Onorato non è un piccolo delinquente di quartiere, come lui crede. Quello che non sa è che Francesco Onorato è un mafioso di un certo calibro. È il reggente della famiglia di Partanna-Mondello, annessa al mandamento di San Lorenzo. È un killer preciso e spietato, Francesco Onorato, ha partecipato a decine di azioni con numerosi gruppi di fuoco della mafia, come quello che ha ucciso Salvo Lima, l'eurodeputato Dc, definito anche in atti giudiziari come uno dei principali referenti politici di Cosa nostra in Sicilia.

Però, questo, Ciccio a Emanuele non glielo dice. Continua a frequentarlo, come se non fossero quello che sono, guardia e ladro, uno da una parte e uno dall'altra.

Poi, succede qualcosa.

C'è qualcuno che vede.

Francesco Onorato ha un capo che si chiama Salvatore Biondino, che comanda tutto il mandamento di San Lorenzo. Un giorno, Francesco Onorato è davanti a una polleria a Sferracavallo, e sta parlando proprio con Biondino e altri quando arriva Emanuele. È un caso, Emanuele giunge su una moto di grossa cilindrata, riconosce il suo amico Ciccio e lo abbraccia, salutandolo calorosamente. Gli altri non sa chi sono, non li conosce, per cui saluta, e se ne va.

Quando Emanuele si è allontanato, Biondino si rivolge a Francesco Onorato. Ma come, gli dice, tu conosci quello sbirro? Quello è uno pericoloso, è uno che lavora per i Servizi segreti.

Bisogna eliminarlo.

Bisogna farlo fuori.

E deve aiutarli proprio Francesco Onorato, l'amico Ciccio.

> Il dottor Di Matteo. Dice: «Certamente chi ha sentito Onorato, sia nella fase delle indagini sia anche in dibattimento, si è reso conto, e credo che anche i giudici se ne siano resi conto, della sua partecipazione emotiva nel riferire di questo omicidio. Che per lui non era il solito omicidio di routine, ma era l'omicidio di un amico».

Ciccio è un amico di Emanuele. Ciccio non lo ha mai detto a nessuno che Emanuele è uno sbirro, anzi, fa finta di non saperlo proprio che il suo amico è un poliziotto. Ma adesso che gli altri lo sanno, non può piú fare finta di niente.

Se si rifiuta, se antepone l'amicizia alla famiglia, a Cosa nostra, è un uomo morto. E siccome Emanuele è suo amico e si fida di lui, del suo amico Ciccio, sarà proprio lui a doverlo attirare nella trappola.

Assieme a un altro mafioso, Ciccio Onorato va a sorvegliare la casa di Emanuele. C'è già stato altre volte, ma finge di non conoscerla, di non sapere le abitudini del suo amico Emanuele, di non essergli poi cosí tanto amico, insomma. Poi arriva il momento giusto. Ciccio va casa di Emanuele, e con una scusa lo porta al mobilificio di Nino Troia, a Capaci. Scendono assieme nello scantinato, e qui Emanuele si trova davanti a Salvatore Biondino e ad altri uomini.

Non fa in tempo a reagire. Qualcuno chiude la porta alle sue spalle. Francesco Onorato, l'amico Ciccio, lo prende per le braccia e lo mette a terra assieme ad altri due, che lo tengono per le gambe. Emanuele capisce cosa sta succedendo. Si appella al suo amico, dice: – Ciccio, non lo fate, perché lo sanno, – e si riferisce a fuori, alla polizia, ma non è vero, e non ci crede nessuno. Qualcuno mette per terra un asciugamano, sotto il suo viso, perché non sporchi di sangue il pavimento. Poi Simone Scalici gli mette una corda attorno al collo, e mentre gli altri lo tengono fermo, lo uccide.

Quando hanno finito, Francesco Onorato se ne va subito. Ha bisogno di un alibi, perché conosceva Emanuele, quindi va in città ad acquistare del materiale edile, facendosi rilasciare una fattura su cui risultino giorno e ora. La sera, quando incontra Simone Scalici, gli chiede come sia andata dopo, e lui gli dice che è tutto a posto.

Hanno sciolto il corpo di Emanuele nell'acido, come si fa di solito. Emanuele non c'è piú. È come se fosse scomparso.

L'avvocato Piazza. Dice: «Quello per esempio di avere disciolto il cadavere nell'acido ha provocato in me, in mia moglie, nei miei figli, un continuo rinnovarsi del dolore, perché finché uno non vede concretamente la persona cara morta, pensa sempre che potrebbe essere all'estero, che potrebbe essere in qualche posto... Uno a un certo punto in lontananza vede qualcuno e dice: ma quello chi è, Emanuele? E c'è un empito di speranza che poi naturalmente viene immediatamente superato dal senso della realtà».

Il primo a collaborare è Giovan Battista Ferrante, uno dei partecipanti all'omicidio. Poco dopo arriva anche Francesco Onorato, che confessa e racconta tutto.

Il processo di primo grado, condotto dai pubblici ministeri Antonio Ingroia e Antonino Di Matteo, si conclude il 29 novembre del 2001. Condanna all'ergastolo Salvatore Biondino e altri due partecipanti all'omicidio, condanna a trent'anni Simone Scalici e gli altri complici, condanna a dodici anni Ferrante e Francesco Onorato. È una sentenza che spiega molte cose.

Il dottor Di Matteo. Dice: «Emanuele Piazza viene assassinato per la sua attività di collaboratore esterno del Sisde. Viene assassinato soprattutto perché nel 1990, in un periodo in cui il vertice di Cosa nostra, il Gotha degli uomini d'onore, si trovava in condizione di latitanza, cercava notizie per catturare i latitanti a Palermo. Certo aveva già dato buona prova di sé, perché in poche battute aveva consentito la cattura di un latitante, Vincenzo Sammarco, che non era un mafioso ma era vicino ai mafiosi. Certo era un soggetto che si muoveva anche in maniera sicuramente spregiudicata, ma sicuramente con un impegno fuori dal comune, ed era un soggetto che poteva comunque vantare una rete di conoscenze e di amicizie soprattutto in un quartiere, in una zona, in un mandamento, quello di San Lorenzo, che poi abbiamo saputo essere in quel periodo il quartiere di riferimento di tanti latitanti».

Quindi Emanuele lavorava per i Servizi segreti e si trovava in una posizione nella quale avrebbe potuto ottenere dei risultati. La polizia sa chi è Francesco Onorato, conosce la sua posizione all'interno di Cosa nostra, però quando Emanuele scompare non mette in relazione la loro amicizia, nessuno riferisce all'autorità giudiziaria.

Il dottor Di Matteo. Dice: «È stato sicuramente grave il fatto che la conoscenza, il rapporto, l'amicizia Piazza-Onorato sia stata disvelata all'autorità giudiziaria soltanto dopo piú di un anno dalla scomparsa di Emanuele Piazza. C'erano esponenti della polizia che sapevano perfettamente dei rapporti Piazza-Onorato. Quando gli si è chiesto nel corso del dibattimento, e anche prima nel corso delle indagini, perché non li avessero riferiti prima, hanno fatto riferimento a una serie di comportamenti impeditivi da parte di superiori. Ecco, questo è un altro punto in cui testimonianze di piú ufficiali di polizia giudiziaria sono contrastanti tra di loro, e bisognerà accertare chi e perché mente».

C'è un'inchiesta in corso per stabilire eventuali responsabilità.

Ma c'è anche un altro interrogativo inquietante riguardo all'uccisione di Emanuele. Se Francesco Onorato non ha mai detto a Cosa nostra che Emanuele era uno sbirro, se l'ha sempre tenuto nascosto finché non è stato lo stesso Biondino a dirglielo, Biondino come lo ha saputo?

Il dottor Di Matteo. Dice: «Io credo che già sono stati individuati sicuramente i mandanti di Cosa nostra dell'omicidio Piazza, oltre agli esecutori. Non so se ci sono altri mandanti. Certo è che, rispetto a quanto è emerso, è assolutamente doveroso continuare a indagare in tal senso. Soprattutto perché ci sono spunti, mi riferisco alle dichiarazioni di Onorato in particolare, che ci fanno ritenere che qualcuno abbia avvertito Salvatore Biondino del pericolo che Piazza rappresentava».

E Antonino? Di Emanuele forse abbiamo capito quasi tutto, quasi. Ma perché viene ucciso l'agente Agostino?

Ida e Antonino vengono uccisi nell'agosto del 1989. Emanuele nel marzo del 1990. Non sono i soli a fare una brutta fine, in quel periodo.

C'è un collaboratore di giustizia, nientemeno che il boss Giovanni Brusca, che parla di altri omicidi. C'è un vigile del fuoco che si chiama Gaetano Genova, e che in quel periodo se ne va in giro per Palermo con una lista simile a quella che aveva Emanuele, con i nomi dei latitanti e il prezziario delle taglie accanto. E c'è un altro uomo, di cui Brusca non ricorda il nome, che va in giro a fare la stessa cosa, e che è già riuscito a far catturare il boss Nicola Trapani. Tutti e due vengono uccisi.

Sembra quasi che a Palermo, in quei giorni, ci sia un gruppo di persone che per senso del dovere, per fare carriera o anche soltanto per denaro, come i *bounty killer*, i cacciatori di taglie del Far West, se ne va in giro a caccia di latitanti, senza addestramento, senza copertura, allo sbaraglio. Si fanno scoprire subito e si fanno ammazzare, uno per uno. C'è qualcuno che li vende? O sono solo sfortunati?

Alcuni, come Emanuele, lo hanno fatto per conto dei Servizi segreti. E Antonino? C'è un collega che dice che l'agente Agostino gli aveva confidato di collaborare con i Servizi, anche lui. Poi ci sono quei viaggi che Antonino aveva fatto a Trapani. Proprio a Trapani c'è uno dei cinque centri di addestramento del Sismi, il Servizio segreto militare.

Cosa aveva scoperto, Antonino? Un latitante nascosto? O forse quella talpa nelle strutture investigative a cui faceva riferimento il sostituto procuratore Di Matteo?

> Il dottor Di Matteo. Dice: «L'omicidio Agostino presenta le caratteristiche tipiche dell'omicidio di mafia. Presenta però una particolarità, e cioè l'assoluta carenza di circolazione di notizie all'interno di Cosa nostra. Questo non necessariamente è indice di un delitto non commesso da Cosa nostra. La carenza, la frammentarietà nella circolazione di notizie è tipica anche di quei delitti che l'organizzazione commette magari su input e su richiesta altrui».

Qui finisce la storia di Emanuele e di Antonino.

Due poliziotti, due guardie che come tanti altri appartenenti alle Forze dell'ordine sono stati uccisi nella lotta alla mafia. Per Emanuele, in un certo senso, giustizia è stata fatta.

Per Antonino ancora no. Suo padre continua a non tagliarsi la barba e i capelli.

> Il signor Agostino. Dice: «Mi possono querelare, mi possono fare tutto quello che vogliono, ma io sono un padre! Un padre che a distanza di tredici anni chiede verità e giustizia. Io chiedo questo: la verità, la giustizia. Se c'è! Se non c'è questo... che cosa ci stiamo a fare?»

Nel repertorio scorrono le riprese del matrimonio di Antonino Agostino. Il padre, sbarbato, lo abbraccia e lo bacia. Antonino ha un braccio attorno alla vita della madre, e sorride al suo fianco. Indossano vestiti eleganti, c'è un grande specchio che riflette le loro immagini. Si vede la moglie di Antonino in abito da sposa. Stringe un mazzo di fiori e ha il viso luminoso. Il marito sorride e la bacia sulla fronte. Poi la sequenza cambia, i colori sono scuri, è sera, una telecamera cerca di farsi strada tra la folla e arriva al cancello azzurro socchiuso, infila il suo sguardo a rubare l'immagine del telo fiorito, della madre che accarezza il corpo del figlio, della macchia di sangue, finché qualcuno non chiude il cancello.

La ripresa si ferma sull'ingrandimento di tre fori di proiettile nel cancello, cerchiati dal gesso della Scientifica.

Pier Paolo Pasolini

C'era il protagonista di una serie di romanzi gialli di Augusto De Angelis che si chiamava De Vincenzi, il commissario De Vincenzi. Un giorno, in uno di quei romanzi, il commissario De Vincenzi dice che tutto sommato quello che lo porta a fare il suo mestiere, a impegnarsi con passione in indagini difficili, complicate e a volte anche pericolose, non è la curiosità di sapere chi è stato, ma un mistero molto piú grande, che da sempre ci appassiona. «Il mistero del cuore umano», dice il commissario.

Questa è la storia del mistero di un uomo.

Uno strano mistero, pieno di contraddizioni e di lati oscuri, perché sí, è un giallo, è un omicidio ancora in parte da chiarire, ma soprattutto è il mistero di un uomo, ed è un mistero profondo, uno di quelli che toccano l'anima intera di una nazione.

Questo è il mistero della morte di Pier Paolo Pasolini, uno degli intellettuali piú acuti, piú vivaci e piú discussi che il nostro Paese abbia avuto. Uno dei piú grandi e dei piú originali, ma allo stesso tempo uno dei piú contraddittori.

Questo è il mistero della morte di un poeta.

Per noi adesso inizia come un film, un film d'azione, all'americana.

Inizia con un inseguimento.

È l'una e mezzo di notte del 2 novembre 1975, e sul lungomare Duilio di Ostia c'è una gazzella dei carabinieri in servizio di pattuglia. All'improvviso, un'Alfa 2000 Gt, una bella macchina, le passa davanti a tutta velocità, contromano e in senso vietato. Non si ferma all'alt, cosí i carabinieri fanno inversione di marcia e si lanciano all'inseguimento. Raggiungono l'Alfa all'altezza di uno stabilimento balneare, la stringono contro la carreggiata e la obbligano a rallentare e a fermarsi.

Dalla gazzella scende un appuntato, che va a vedere chi c'è in quell'auto e perché stia scappando cosí, ma non fa in tempo a distinguere il conducente che l'Alfa riparte e cerca ancora di fuggire. L'appuntato rimonta in macchina e di nuovo la gazzella si lancia all'inseguimento sul lungomare di Ostia. I carabinieri raggiungono l'Alfa, la stringono ancora contro il marciapiede, e questa volta l'appuntato tira fuori il mitra e lo fa vedere. La macchina si ferma.

Sembra la scena di un film, ma non è un film, è cronaca, cronaca vera, e dall'auto non scende un attore o uno *stuntman*, ma un ragazzo spaventato che prova a scappare a piedi e viene subito preso dai carabinieri, che gli girano un braccio dietro la schiena e gli mettono le manette.

Le immagini di repertorio sono in bianco e nero. Testa bassa, di profilo, Pino Pelosi ha i capelli scuri e ricci e le sopracciglia folte. È attorniato da carabinieri. Gli si stringono addosso. Lentamente alza la testa e guarda le telecamera.

Il ragazzo si chiama Pino Pelosi, ha diciassette anni e ha qualche precedente per furto. Nel giro lo chiamano «la rana».

Scappava. Ma perché scappava?

Intanto perché è minorenne, e non potrebbe neppure guidarla, quell'auto. Poi l'ha rubata, l'ha presa nei dintorni del cinema *Argo*, dice, nel quartiere Tiburtino, a Roma, vicino a dove abita. A Ostia, dice, c'è andato per accompagnare un amico, ha visto i carabinieri, ha avuto paura ed è fuggito.

Sanguina alla testa, da una ferita. Perché sanguina?

Perché ha battuto la testa contro il volante quando l'hanno fermato.

L'auto, l'auto non è sua. Di chi è?

Lo dicono i documenti della macchina, la carta di circolazione. Appartiene a Pier Paolo Pasolini, uno scrittore, un poeta, un regista del cinema. Uno famoso. Pino Pelosi detto la Rana ha rubato l'auto di un personaggio noto.

Pino Pelosi detto la Rana viene portato al carcere minorile di Casal del Marmo.

Nel repertorio in bianco e nero ora Pino Pelosi è scortato da una decina di carabinieri. Attraversa un piazzale fino al cancello della prigione. Passando davanti alla telecamera si porta le mani sui capelli scuri. Ha dei pantaloni chiari a zampa d'elefante e una giacca a quadri.

Prima, però, Pelosi insiste perché i carabinieri tornino alla macchina, a cercare qualcosa, un pacchetto di sigarette e un accendino, e anche un anello d'oro giallo con una pietra rossa e la scritta «United States Army». Ha il segno dell'anello attorno al dito, e lo fa vedere ai carabinieri, che però non trovano niente. Poi Pelosi viene portato in carcere e l'Alfa 2000 alla rimessa, e lí i carabinieri si accorgono che dentro c'è un pullover verde, un vecchio maglione usato e piuttosto logoro. È sul sedile posteriore, assieme al giubbotto e al maglione di Pino Pelosi, e ad altri indumenti. C'è anche un plantare, uno solo, per scarpa destra.

L'Alfa 2000 nella rimessa, il ladro in galera. Alle tre di notte i carabinieri avvertono i genitori di Pelosi. Vostro figlio è dentro per furto d'auto. Potete andare a trovarlo domani mattina al carcere minorile di Casal del Marmo.

Caso risolto, un furto sventato ancora prima che sia del tutto compiuto.

E invece c'è qualcos'altro. In carcere, appena arrivato, Pino Pelosi detto la Rana parla con il suo compagno di cella. È inutile nasconderlo, tanto prima o poi lo scopriranno, cosí gli dice cos'ha fatto.

Ha ammazzato Pasolini.

Le immagini sono in bianco e nero. Si vede un lenzuolo bianco steso su un corpo, su una spiaggia grigia. Intorno, a una certa distanza (due-tre metri circa) ci sono molte persone che lo guardano. Un ragazzo con la giacca di pelle è a un metro dal corpo. Un altro ragazzo, di spalle, è molto vicino, sembra quasi che calpesti i bordi del lenzuolo. Il lenzuolo ha delle grandi macchie scure, all'altezza delle gambe e della testa di un corpo che si intuisce sotto le pieghe. La telecamera si avvicina e ingrandisce la vista sulla macchia piú copiosa, all'altezza della testa. Di lato, forse per fermare il lenzuolo che altrimenti volerebbe a causa del vento, c'è un grosso mattone di cemento.

Sulla spiaggia di Ostia un giornalista intervista una signora. Entrambi hanno i capelli fortemente mossi dal vento. Ci sono anche altre donne con loro.

Il giornalista, con tono concitato. Dice: – In questo punto, esattamente in questo punto, dove ci sono delle macchie di sangue nascoste da un po' di terra, – la telecamera si sposta a riprendere il terreno, ma non si riesce a distinguere quasi nulla di particolare, – è stato scoperto il corpo di Pier Paolo Pasolini, questa mattina alla periferia di Ostia. La signora Maria Lollobrigida è stata la prima a scoprire il corpo.

– Il corpo, sí.

– A che ora?

– Eh, alle sei e mezzo. Mentre scendevo con la macchina ho detto: ma tu guarda, gettano sempre i rifiuti in mezzo alla strada. Io gentilmente venivo a raccoglierla per buttarla. So' arrivata a quel punto lí del barattolo. Ho detto: non è un'immondizia, è un cadavere!

La telecamera spazia nei dintorni e scopre un mondo brullo, fatto di steccati e casupole malandate, un paesaggio di desolazione e degrado.

L'ultima immagine riprende una persona ferma nell'atto di scoprire il corpo sotto il lenzuolo. Pasolini ha il volto irriconoscibile, i capelli duri per il sangue rappreso. La maglietta è sollevata e scopre l'ombelico. Il lenzuolo è completamente imbrattato. Tutto il corpo di Pasolini è una macchia scura impastata di sangue.

Alle foci del Tevere, vicino a Ostia, c'è una spianata in una zona che si chiama Idroscalo. È una zona popolare, un po' degradata, piena di casette abusive che sono poco piú di baracche.

Il corpo di quell'uomo si trova proprio lí, vicino a una stradina in terra battuta che collega Ostia a Fiumicino. In mezzo a un campetto da calcio chiuso da una recinzione. Accanto a lui, e sotto di lui, ci sono pezzi di legno insanguinati, ciocche di capelli e un anello, un anello d'oro con una pietra rossa e la scritta «United States Army». Poco lontano, vicino alla porta del campetto, c'è una camicia di lana, a righe, imbrattata di sangue, molto sangue, sul dorso e sulle maniche.

E una tavoletta sporca di sangue e di capelli. E un'altra, rotta in due pezzi, con sopra scritto «via dell'Idroscalo». Ci sono anche tracce di pneumatici che dalla porta del campetto arrivano fino all'uomo.

Poi c'è lui, l'uomo.

È steso in avanti, la tempia e la guancia sinistra appoggiate sul terreno, il braccio destro scostato dal corpo e il sinistro sotto. Indossa una canottiera parzialmente sollevata sul dorso, con un solo piccolo strappo, e calzoni abbottonati alla cintola, con la cintura slacciata e la cerniera abbassata.

I carabinieri lo voltano sulla schiena.

L'uomo è stato massacrato come difficilmente si può immaginare. È coperto di sangue, ha ecchimosi sulla testa, sulle spalle, sul dorso e sull'addome, ha fratture alle falangi della mano sinistra e dieci costole spezzate. Ha profonde escoriazioni al volto e il naso schiacciato verso sinistra.

È stato massacrato, con una ferocia impensabile.

I carabinieri lo sanno chi è quell'uomo. Tutta l'Italia lo conosce. Ma c'è bisogno di un riconoscimento ufficiale da parte di un parente o di un amico, e uno di questi è Giovanni Davoli, detto Ninetto, di professione attore.

A domanda risponde: «Riconosco senza ombra di dubbio nel cadavere che mi viene mostrato e che si trova in località Idroscalo di Ostia, nelle vicinanze del campo sportivo, il mio amico Pier Paolo Pasolini».

La morte improvvisa di Pier Paolo Pasolini è una notizia che colpisce tutta l'Italia. Ai suoi funerali partecipa una folla imponente di intellettuali, attori, registi, scrittori, gente comune.

Si vedono alcune persone entrare da una porta, una di loro alza il pugno nel saluto comunista. C'è un primo piano del volto di Franco Citti che muove la testa con uno scatto, in un gesto sconsolato. Si vede la bara. La ripresa passa in strada. Un gruppo di persone si muove tra la gente, verso la telecamera, in testa c'è Alberto Moravia. Dall'alto viene ripresa una folla numerosa che si muove brulicante intorno alla bara. È portata a spalla da alcuni uomini. Moravia, a un microfono. Urla: «Abbiamo perso prima di tutto un poeta, e di poeti non ce ne sono tanti nel mondo!» Dall'audio si intuisce che batte piú volte un pugno in maniera concitata mentre alza il tono della voce. Urla: «Ne nascono tre o quattro soltanto, in un secolo! Quando sarà finito questo secolo Pasolini sarà tra i pochissimi che conteranno come poeta. Il poeta dovrebbe esser sacro!»

Pier Paolo Pasolini è uno degli intellettuali piú attivi in quegli anni. Dei piú attivi e dei piú originali. Un intellettuale di sinistra, vicino al Partito comunista italiano, ma anche molto critico nei suoi confronti. Un omosessuale, che non fa niente per nascondersi.

È uno che non passa inosservato, Pier Paolo Pasolini, uno che lascia sempre il segno.

Un primo piano di Pasolini. Indossa un paio di occhiali dalla montatura scura. Siede su un divano e gesticola un po' con le mani. Ha una voce dolce e decisa, come sempre. Dice: «Da cosa è stata caratterizzata tutta questa mia produzione, in maniera assolutamente schematica e semplicistica... È stata caratterizzata prima di tutto da un istintivo e profondo odio contro lo stato in cui vivo. Dico proprio stato, intendendo dire stato di cose e Stato nel senso proprio politico della parola. Lo Stato capitalistico piccolo borghese che io ho cominciato a odiare fin dall'infanzia. Naturalmente con l'odio non si fa nulla. Infatti non sono riuscito a scrivere mai una sola parola che descrivesse o si occupasse o denunciasse il tipo umano piccolo borghese italiano. Il mio senso di repulsione è cosí forte che non riesco a scriverne. Quindi ho scritto nei miei romanzi soltanto di personaggi appartenenti al popolo. Io vivo cioè senza rapporti con la piccola borghesia italiana. Ho rapporti o con il popolo o con gli intellettuali».

Poeta, autore di romanzi come *Ragazzi di vita*, *Una vita violenta*, Pier Paolo Pasolini è uno degli scrittori piú attenti alla realtà che cambia, soprattutto alla realtà nascosta e poco raccontata delle borgate, degli emarginati, di quello che una volta si chiamava sottoproletariato.

Pier Paolo Pasolini a una trasmissione televisiva, viene intervistato. Dice: «Il tipo di persone che amo di gran lunga di piú, sono le persone che possibilmente non abbiamo fatto neanche la quarta elementare, cioè le persone assolutamente semplici. Ma non ci metta della retorica in questa mia affermazione. Non lo dico per retorica. Lo dico perché la cultura piccolo borghese, almeno nella mia nazione, ma forse anche in Francia e in Spagna, è qualcosa che porta sempre a delle corruzioni, a delle impurezze. Mentre un analfabeta, uno che abbia fatto i primi anni delle elementari, ha sempre una certa grazia che poi va perduta attraverso la cultura».

Poeta, scrittore e anche regista, autore di film che resteranno nella storia del cinema italiano come *Accattone*, *Mamma Roma*, *Uccellacci e uccellini*.

Qui Pasolini indossa una camicia bianca e una cravatta scura. È all'aperto. Sullo sfondo si intravedono degli alberi. Dice: «Ora io... hanno dato varie spiegazioni del perché io amo il cinema e sono passato al cinema. Una spiegazione è stata questa: ho voluto adoperare una tecnica diversa, spinto dalla mia ossessione espressiva. Ma è una spiegazione sbagliata. Un'altra spiegazione è che io ho voluto cambiare lingua abbandonando la lingua italiana, l'italiano, per una forma di protesta sia contro la lingua sia contro la società. Ma anche questa è probabilmente una spiegazione parziale. La vera spiegazione è che io, facendo il cinema, riproduco la realtà. Quindi sono immensamente vicino a questo primo linguaggio umano che è l'azione dell'uomo che si rappresenta nella vita, nella realtà».

Pier Paolo Pasolini non è soltanto un poeta, uno scrittore e un regista. È anche un giornalista, scrive editoriali sul «Corriere della Sera» che escono in una colonnina con sopra il titolo, evocativo e preciso, *Scritti corsari*. Pasolini è un osservatore dei costumi e dei cambiamenti della società, totalmente libero da pregiudizi e da vincoli con il potere politico. Uno che guarda, che osserva, che studia e dice quello che pensa, senza guardare in faccia a nessuno, con una sincerità assoluta e proprio per questo, cosí viene considerata da molti, scandalosa.

Si vede Pasolini sul set di un film. In lontananza si muovono delle figure. Dice: «Un autore, quando è disinteressato e appassionato, è sempre una contestazione vivente. Appena apre bocca contesta qualcosa al conformismo, a ciò che è ufficiale, a ciò che è statale, a ciò che è nazionale, a ciò che, insomma, va bene per tutti. Quindi, non appena apre bocca è un artista per forza impegnato, perché il suo aprire bocca è scandaloso, sempre».

C'è un articolo che esce sul «Corriere della Sera» nel novembre del '74 intitolato *Che cos'è questo golpe?*, che in una raccolta successiva verrà chiamato *Il romanzo delle stragi*.

Io so, scrive Pier Paolo Pasolini, so chi ha compiuto le stragi, chi ha tramato, chi ha coperto e depistato, io so perché sono un intellettuale, uno scrittore, che cerca di seguire tutto ciò che succede, [...] che coordina fatti anche lontani, che mette insieme i pezzi disorganizzati e frammentari di un intero coerente quadro politico, che ristabilisce la logica là dove sembrano regnare l'arbitrarietà, la follia e il mistero...

Un uomo cosí, se è onesto e libero, è un uomo che dà fastidio. Un intellettuale cosí, è un intellettuale scomodo.

Nico Naldini, poeta, cugino di Pier Paolo Pasolini. Dice: «Però ricordiamoci che lui non è stato semplicemente uno scomodo. È stato un fustigatore della società borghese dalle prime colonne del "Corriere della Sera", il quotidiano della grande borghesia milanese. Che evidentemente aveva bisogno di farsele dire, queste cose».

Un intellettuale, uno scrittore, un regista, un poeta. Massacrato in quel modo sulla spianata squallida dell'Idroscalo. Da un ragazzo di diciassette anni, perché Pino Pelosi detto la Rana confessa subito, lo ha ammazzato lui Pasolini, e del resto, beccato al volante della sua macchina, con l'anello, l'anello d'oro con la pietra rossa e la scritta «United States Army», proprio accanto al corpo di Pasolini, non poteva fare altro che confessare.

Ma come è successo?

Ore 22,30, piazza dei Cinquecento, a Roma, proprio davanti alla stazione Termini.

«Mi trovavo con i miei amici Salvatore, Claudio e Adolfo», è Pino Pelosi, nella deposizione di fronte al giudice e al capo della Squadra mobile di Roma Ferdinando Masone, che poi diventerà capo della polizia, a raccontare il suo incontro con Pier Paolo Pasolini, quella notte.

Ore 22,30, Pelosi è fermo assieme ai suoi amici davanti al chiosco di un bar quando si avvicina un'Alfa 2000. Scende un uomo che va a parlare con uno dei ragazzi, Adolfo. Gli dice: – Ci facciamo un giro? – e Adolfo ride, ma non ci sta. Allora l'uomo si avvicina a Pino la Rana e gli fa la stessa proposta. – Vuoi venire a fare un giro con me, che ti faccio un regalo?

Pino la Rana è giovane, ma è «scampanato», come dice lui

stesso in gergo, non è uno che dorme, capisce la situazione e sa cosa vuole quell'uomo. Accetta, e sale con lui.

Prima però torna nel bar, a consegnare le chiavi della macchina a un amico.

– Dove vogliamo andare? – chiede Pino all'uomo. – Dove vuoi tu, – risponde l'uomo.

Pino ha fame, sono le quasi le undici, è tardi per trovare qualcosa da mangiare, ma l'uomo lo porta in una trattoria, *Al biondo Tevere*, dove lo conoscono e sicuramente riapriranno la cucina per lui. E infatti, tutti lo conoscono e lo salutano, perché quell'uomo è Pier Paolo Pasolini, uno famoso, ma Pino la Rana non lo conosce, non l'aveva mai visto prima, per lui è soltanto Paolo.

Pino mangia, spaghetti aglio, olio e peperoncino e petto di pollo. Paolo no, beve una birra e gli fa tante domande, vuole sapere chi è, cosa fa, come vive; si interessa con curiosità, quasi con passione. Restano nella trattoria fino alla 23,30, poi escono, Paolo fa benzina in un self-service e prende una strada alberata, verso Ostia. Dice a Pino che andranno in un luogo isolato, che faranno qualcosa e che lui gli darà ventimila lire.

Ore 24, Idroscalo di Ostia.

L'Alfa 2000 si apparta nel campetto da calcio, vicino alla porta. Tra i due inizia un rapporto sessuale che però si interrompe. È sempre Pino Pelosi detto la Rana che racconta, a domanda risponde.

Pino esce dalla macchina, si avvicina alla recinzione e Paolo lo segue. Vuole qualcosa che Pino non vuole fare, e quando si ribella lui diventa violento. Prende un bastone e ha una faccia da matto che gli fa paura.

Pino scappa e l'uomo gli corre dietro. Il ragazzo ha un paio di scarpe con i tacchi un po' alti, come si usavano allora, scivola e cade sulla schiena. È sempre Pino a raccontare tutto questo, a domanda risponde.

L'uomo lo raggiunge, e quando lui cerca di divincolarsi lo colpisce alla testa col bastone, Pino scappa ancora e l'uomo lo colpisce di nuovo. Allora il ragazzo vede per terra una tavoletta e la rompe sulla testa dell'uomo, poi gli sferra due calci al basso ventre, lo prende per i capelli e lo colpisce anche in faccia, con altri due calci, ma niente.

Pino dice che l'uomo barcolla ma non si arrende, ringhia: – Ti ammazzo, – e gli dà una bastonata. Allora Pino la Rana perde il controllo e lo colpisce con la tavoletta finché Paolo non cade a terra.

Poi? È sempre Pino a raccontare, a domanda risponde.

Scappa verso l'Alfa portando con sé i due pezzi della tavoletta e il bastone insanguinato, che getta vicino alla recinzione. Poi sale in macchina e fugge. Nell'andarsene sente l'auto sobbalzare, ma non sa perché. Sarà un'asperità del terreno, una cunetta, una buca.

Si ferma alla fine della strada a una fontanella per sciacquarsi dal sangue, poi riparte.

Ore 01,30, lungomare Duilio di Ostia. La gazzella dei carabinieri vede passare l'Alfa 2000, di corsa e contromano, e inizia l'inseguimento.

A domanda risponde, Pino la Rana, sempre le stesse cose, in cinque interrogatori diversi, senza contraddizioni. Per i carabinieri è tutto chiaro e tutto semplice. Pier Paolo Pasolini è stato ucciso da un ragazzo che aveva adescato per avere un rapporto omosessuale a pagamento.

Caso chiuso.

Una brutta storia, che sarebbe meglio dimenticare in fretta, perché sconveniente. Una storia che suscita disprezzo e derisione da destra, la parte politica contro cui Pasolini indirizzava i suoi attacchi piú forti, ma anche molto imbarazzo a sinistra, e soprattutto nel Partito comunista, che in molti casi prende le distanze. Era già successo anche prima. Il 26 ottobre del 1949, quando viveva ancora a Casarsa, in Friuli, Pasolini era stato espulso dal Pci di Pordenone per indegnità morale e politica. Da voci raccolte in paese, i carabinieri lo avevano accusato di essersi appartato con alcuni ragazzini. Un'accusa da cui era stato completamente prosciolto.

Nico Naldini, poeta. Dice: «Il Partito comunista, e il comunismo in generale, ha un peccato originale che è quello dell'omofobia. Hanno espulso Pasolini soltanto sulla base di una denuncia. Non hanno aspettato che ci fosse un pronunciamento della magistratura, ci fosse un inizio di indagine su questo fatto. È bastato che ci fosse una voce, e che questa voce fosse stata raccolta dai giornali di destra, per cosí dire, avversi al giovane comunista Pasolini, perché il Partito comunista lo gettasse subito a mare».

Un intellettuale scomodo, che non guarda in faccia a nessuno. Capace di capire le trasformazioni della società anche dalla scomparsa delle lucciole in campagna, e di mettere in luce tutte le contraddizioni di quegli anni. Anche se non sono politicamente corrette, anche se disturbano.

C'è una poesia di Pier Paolo Pasolini, *Il Pci ai giovani!!*, scritta dopo gli scontri di Valle Giulia, a Roma, nel marzo del '68.

Le immagini di repertorio mostrano gli scontri a Valle Giulia, sempre in bianco e nero. C'è del fuoco. Alcuni ragazzi tirano delle pietre. Si vede un poliziotto che con il manganello ne colpisce uno a terra. Ci sono le cariche della polizia. Fumogeni, una camionetta scivola giú da una cunetta, spinta da un gruppo di dimostranti. Macchine ribaltate che bruciano. Un celerino barcolla, sostenuto da un collega, è ferito, si allontanano insieme dagli scontri. Si vedono alcuni ragazzi feriti portati via a braccia dai propri compagni.

Quattromila studenti che vogliono occupare la Facoltà di Architettura contro i poliziotti della Celere. La contestazione di sinistra contro la reazione conservatrice.

Attenti, dice Pier Paolo Pasolini: «Quando ieri a Valle Giulia avete fatto a botte | coi poliziotti, | io simpatizzavo coi poliziotti! | Perché i poliziotti sono figli di poveri».

Senatore Guido Calvi, avvocato di parte civile della famiglia Pasolini. Dice: «Pochissimi lo hanno amato per il suo valore, per ciò che era. È stato ovviamente un bersaglio da parte della Destra, da parte della conservazione, da parte del mondo della Destra cattolica. Ma anche la Sinistra non lo amava. Io ricordo le grandi polemiche che la stessa "Unità" faceva contro le prese di posizione di Pier Paolo. La difesa della polizia contro i sessantottini, la difesa del proletariato, del poliziotto proletario rispetto alla piccola borghesia studentesca. La scelta di stare dalla parte della polizia. Be', io mi domando: allora, in quei primi anni Settanta, chi poteva a sinistra fare una scelta di questo genere? Bisognava essere veramente... avere lo sguardo lontano nel futuro, per capire e per cogliere nel giusto. Oppure l'omologazione tra Destra e Sinistra, la indistinguibilità tra i giovani di destra e di sinistra dal punto di vista estetico, i capelloni, e dal punto di vista culturale. Quindi, come dire, era un uomo oggetto di persecuzione continua: giudiziaria, politica, intellettuale. Però la sua forza era talmente alta che, francamente... era il vero intellettuale di quegli anni. Totalmente isolato e oggetto di continui attacchi che però non riuscivano a scalfire la sua presenza forte nella società italiana».

Da quando parte da Casarsa e arriva a Roma, da quando la sua voce comincia a farsi sentire a livello nazionale, Pier Paolo Pasolini subisce una vera e propria persecuzione giudiziaria. Soltanto per i suoi film viene denunciato trentatre volte. *Mamma Roma*, *La ricotta*, *Decameron*, *I racconti di Canterbury*, *Salò o le 120 giornate di Sodoma* vengono accusati di offesa al comune senso del pudore, oltraggio alla religione, vilipendio. Vengono censurati, sequestrati, poi sempre scagionati e dissequestrati.

Pasolini parla della realtà del Sud, e il sindaco di Cutro, in provincia di Catanzaro, lo denuncia per diffamazione a mezzo stampa perché ha parlato male della sua città. Viene accusato di aver rapinato un bar del Circeo, indossando guanti e cappello nero e con un proiettile d'oro inserito nella pistola. Sciocchezze, falsità, assurdità, accuse che cadono.

Sempre in bianco e nero. Pasolini è appoggiato allo stipite di una porta aperta. Dietro di lui si vedono scaffali chiari colmi di libri. Ha le braccia incrociate e dice: «Mi sembra invece piú interessante dire qualcosa sul momento oggettivo di questo mio rapporto drammatico con la società. E allora dovrei dire che questa specie di presunzione o di linciaggio nei miei riguardi sono dovuti in Italia a due elementi della società italiana, e cioè il moralismo e il qualunquismo».

Non è soltanto odiato e disprezzato, Pier Paolo Pasolini. È anche molto amato e stimato da tanta gente, intellettuali, scrittori o semplici lettori dei suoi libri, spettatori dei suoi film, gente che ha letto le sue parole sul giornale o le ha sentite in televisione. Ad alcuni di questi la spiegazione del mistero della sua morte data da Pino Pelosi non basta. Il giallo, almeno quello concreto dell'omicidio di Pier Paolo Pasolini, non sembra poi cosí risolto.

Comincia Oriana Fallaci, che sul settimanale «L'Europeo» esprime dubbi e forti critiche alle indagini condotte dalla polizia. Lei e altri giornalisti dell'«Europeo» elencano gli errori che avrebbero penalizzato l'inchiesta.

Nelle immagini di repertorio si vedono delle mani raccogliere alcuni oggetti dalla sabbia con delle pinzette e metterli in un contenitore. La telecamera si sposta e riprende una serie di persone che si muove, fuma, gironzola nei paraggi del luogo del delitto.

Quando la polizia arriva sulla spiaggia dell'Idroscalo, alle 6,30 di quella domenica mattina, trova accanto al corpo di Pasolini una piccola folla di curiosi. Nessuno li allontana, e gli agenti lasciano addirittura che verso le nove un gruppo di ragazzi in maglietta e calzoncini giochi una partita nel campetto. A pochi metri dal corpo di Pasolini, dicono i giornalisti. In una zona non interessata dai rilievi, dice la polizia. Poi i giornalisti accusano la polizia di non aver indicato correttamente i punti del ritrovamento dei vari reperti, come l'anello di Pelosi, che viene consegnato in seguito da un maresciallo. La stessa macchina di Pasolini resta nella rimessa dei carabinieri per parecchi giorni, e affidata alla Scientifica soltanto il giovedí.

Le immagini mostrano l'Alfa con gli sportelli spalancati, da cui si vede l'interno. Viene inquadrata la targa: Roma K69996. Alcuni carabinieri la osservano e parlano tra loro, un uomo prende appunti su un taccuino.

Poi il medico legale, che non arriva sul posto a esaminare il corpo di Pasolini, la cui morte viene attribuita, inizialmente, a dissanguamento.

Forse il caso sembrava troppo chiaro per richiedere un'indagine accurata, ma per Oriana Fallaci e gli altri giornalisti dell'«Europeo» la spiegazione è piú complessa.

Salta fuori un testimone: dice ai giornalisti che Pasolini era entrato in una baracca con Pino Pelosi e due motociclisti, che poi lo avevano inseguito fino al campetto, colpendolo con una catena. Arriva un altro testimone, un omosessuale che frequenta il giro della prostituzione, che dice, sempre ai giornalisti, che Pasolini è stato ucciso perché faceva troppe domande sul racket dei ragazzi di vita. Ne arriva un altro ancora, «il Ragazzo Che Sa» lo chiama la Fallaci, che dice che Pasolini è caduto in un agguato organizzato per rapinarlo, e che è stato ucciso per avere reagito. «Gli volevamo rubare il portafoglio», dice il testimone ai giornalisti, prima di scappare via.

Sono dichiarazioni strane. Non reggono molto. I testimoni individuati ritrattano, uno fa risalire le sue informazioni a fonti «parapsicologiche», di altri la Fallaci e i giornalisti non vogliono rivelare l'identità.

A parte queste indagini e queste rivelazioni, qualunque cosa significhino, la spiegazione della morte di Pier Paolo Pasolini data da Pino Pelosi detto la Rana non convince molti.

Soprattutto la cugina di Pasolini, Graziella Chiarcossi, con la quale lo scrittore divideva l'appartamento, la sua amica Laura Betti, gli avvocati Nino Marazzita e Guido Calvi. Si costituiscono parte civile per poter seguire le indagini e il processo. Ci sono alcune cose, infatti, che nella ricostruzione di Pino Pelosi detto la Rana non quadrano.

Torniamo indietro, allora. Al 2 novembre del 1975. Torniamo all'inizio, a quando Pier Paolo Pasolini è nell'Alfa 2000, in piazza dei Cinquecento, davanti alla stazione.

No, ancora prima, torniamo indietro ancora.

Ore 21,30, Pier Paolo Pasolini è in un ristorante del quartiere San Lorenzo, *Il pommidoro*, e sta cenando assieme al suo amico Ninetto Davoli e alla moglie. Ninetto, che è stato l'interprete di molti film di Pasolini, gli deve chiedere consigli su una sceneggiatura. Prima di iniziare a cenare, però, era successo qualcosa.

> Aldo Bravi, proprietario del ristorante *Il pommidoro*. Dice: «Quella sera arrivò verso le nove, arrivò da solo e c'erano intorno alla sua macchina quattro, cinque ragazzi. Lui c'aveva un'Alfa grigia de quelle basse. Praticamente me domandò se poteva cenare. Io, con l'amicizia che c'era,

je dissi: ma che scherzi, Pier Pa', fermete. Poi arrivò Ninetto Davoli con la moglie e i figli. Era una serata de quelle... come se dice, un po' nervose pe' lui. Lo vidi che non c'aveva 'n'armonia. Era molto cupo, molto... e come entrò, dopo du' minuti, me disse subito: Aldo, vattene da 'sto Paese. E io je feci: 'a Pier Pa', ma 'ndo' vado? Io so fa' solo gli spaghetti, dico, non c'ho 'sta possibilità come te, che sei un regista, d'anna' de qua, de là. Dice: perché i cretini gestiranno anche la tua vita».

Chi erano i ragazzi con cui Pasolini aveva parlato prima di entrare nel ristorante? Quelli che stavano attorno alla sua macchina? Non si sa. Lasciamoli perdere, almeno per adesso.

Pasolini ha fretta. Ha da fare e se ne va.

Va alla stazione. Carica Pelosi, ma prima di andare con lui Pino la Rana torna indietro, nel bar, per consegnare le chiavi della sua auto. Ricordiamoci di questo.

Sulla base della perizia di parte eseguita dal professor Faustino Durante, dell'Istituto di Medicina legale dell'Università di Roma, emergono anche altri particolari interessanti.

Pier Paolo Pasolini è morto perché l'Alfa 2000 gli è passata sopra, schiacciandogli la cassa toracica e facendogli scoppiare il cuore. Prima, però, è stato massacrato.

Con che cosa? Con il bastone verde, cosí leggero e fradicio di umidità come è stato ritrovato? O con la tavoletta, anche quella cosí fradicia da spezzarsi al primo colpo?

L'avvocato Calvi. Dice: «Pier Paolo è stato colpito con corpi contundenti molto pesanti che non sono stati rinvenuti. Sono state rinvenute soltanto piccole tracce di bastoni di legno praticamente infraciditi e quindi assolutamente incapaci di poter dare quel colpo violento, per esempio alla testa, con cui è stato colpito. Non furono trovati neanche questi corpi contundenti. Quindi chi lo ha colpito, lo ha colpito e ha portato via questi corpi».

La camicia di Pasolini, imbrattata del suo sangue, è stata rinvenuta dietro la porta del campetto, molto lontano da dove si trova il corpo. Se le cose sono avvenute come ha raccontato Pelosi, con Pasolini che lo insegue e finisce a terra in seguito alla colluttazione, come c'è finita lí la camicia? E non c'è solo quella laggiú, ci sono anche molte altre impronte, impronte di scarpe dalla suola gommata, che non corrispondono né a quelle di Pasolini né a quelle di Pelosi. E non sono neppure dei ragazzini che giocavano a pallone, che sono arrivati durante i rilevamenti.

Poi c'è l'anello. Pelosi dice che gli è caduto dal dito durante la colluttazione con Pasolini, ma è un anello molto stretto e sembra difficile che sia andata cosí.

Pelosi, c'è qualcosa che non torna anche su di lui.

Le ferite, intanto. Pino Pelosi, praticamente, a parte l'escoriazione sulla fronte, non ne ha. Ma Pasolini è un uomo forte e dinamico, uno che pratica sport, che gioca a calcio, uno che avrebbe reagito e avrebbe saputo come difendersi, in una colluttazione. E Pino Pelosi detto la Rana non è un gigante, è un ragazzo di diciassette anni, alto un metro e settantuno, e di sessanta chili di peso. Eppure Pasolini è stato massacrato.

> L'avvocato Calvi. Dice: «Chi è che lo colpí? Io sono convinto e sostengo, e lo posso sostenere ancora oggi, che non fu Pelosi ad aggredirlo. Basta soltanto la considerazione che Pier Paolo fu trovato coperto interamente di sangue. Fu colpito violentemente al basso ventre, alla testa e perdette un'infinità di sangue, era coperto di sangue. Pelosi, che racconta questa colluttazione avuta con Pier Paolo, non aveva sui suoi vestiti, sul suo corpo la minima traccia di sangue, non una goccia di sangue. Questo significa che Pelosi certamente non toccò Pier Paolo, non aggredí Pier Paolo, non ebbe colluttazioni con Pier Paolo Pasolini».

Poco sangue su Pino Pelosi, pochissimo dentro la macchina, ma una macchiolina sul tetto dell'Alfa 2000, in corrispondenza del tetto. Come se qualcuno ci si fosse appoggiato con la mano sporca di sangue per aprire la portiera. Chi? Non certo Pasolini. Ed è difficile che l'abbia fatto Pelosi. La portiera è quella di destra, del passeggero, non quella da cui si entra per guidare.

Ci sono ancora due cose, due elementi.

Il maglione verde trovato sul sedile posteriore dell'Alfa. Non appartiene né a Pasolini né a Pelosi, e non è neanche uno straccio che serviva a pulire l'auto; è un maglione, vecchio, usato, ma di qualcuno. Chi?

E il plantare trovato nella macchina. Pasolini non lo portava, e neppure Pelosi. Di chi è?

Cosa significa tutto questo? Per la parte civile, per gli avvocati Calvi e Marazzita, significa una cosa precisa. Che Pino Pelosi, quando è morto Pasolini, non era solo.

> L'avvocato Calvi. Dice: «Quindi la tesi è che vi erano altri. Sono certo che Pelosi non li conosceva. Sicuramente Pelosi non aveva nessun rapporto con questi. Altrimenti quelle poche indagini che furono fatte avrebbero in qualche modo ricostruito questo rapporto».

Secondo la parte civile, Pino Pelosi, forse, non partecipa neppure all'omicidio di Pasolini. Arrivano altre persone, che trascinano fuori Pasolini dall'auto e lo aggrediscono, lo picchiano, lo picchiano con oggetti contundenti, lo colpiscono al basso ventre mentre lo tengono, come gesto di disprezzo. Pasolini cerca di scappare, si toglie la camicia, si asciuga il sangue, poi cade in mezzo al campo. I suoi aggressori se ne vanno, Pelosi monta in macchina per scappare e facendo manovra passa sul corpo di Pasolini, probabilmente senza volerlo, e lo uccide.

È possibile, ma perché? Per motivi politici, dice la parte civile. Ma bisogna intendersi in che senso.

> L'avvocato Calvi. Dice: «Dopo venticinque anni credo che sia giusto dare una lettura diversa di questo processo e della morte di Pier Paolo. Io sono convinto sia stato un delitto politico, certamente *sui generis*, particolare, tra virgolette. Per capire la politicità di quell'evento credo che bisogna riportarsi a che cosa avveniva a Roma, in Italia, in quel novembre, dicembre, quel tardo autunno del '75. Era la stagione del terrorismo. Vi erano morti quasi ogni giorno. Nei giorni precedenti la morte di Pier Paolo vi erano stati due assassinii, di un giovane di sinistra, di un giovane di destra. Quindi era un clima molto duro, molto feroce, di scontri politici. Pier Paolo era un bersaglio naturale».

Il primo processo per l'omicidio di Pier Paolo Pasolini si conclude il 26 aprile 1976, presso il tribunale dei minorenni di Roma. Nel rinvio a giudizio Pino Pelosi era da solo, come autore dell'omicidio, senza complici, ma durante il dibattimento il tribunale accoglie le tesi della parte civile e il processo si conclude con la condanna di Pelosi a nove anni, sette mesi, dieci giorni e trentamila lire di multa, per atti osceni, furto aggravato e omicidio volontario. Attenzione: omicidio volontario «in concorso con altre persone rimaste ignote».

L'imputato e il procuratore generale si appellano alla sentenza. Il 4 dicembre 1976 la sezione per i minorenni della Corte d'appello di Roma assolve Pino Pelosi dall'imputazione di atti osceni e furto aggravato, ma conferma la condanna per omicidio. È stato lui a uccidere Pier Paolo Pasolini. Però da solo, senza piú il concorso di ignoti.

Il 26 aprile del 1979 la Corte di cassazione conferma la prima sentenza, ma ritiene poco probabile il concorso di altre persone.

Caso chiuso. Tanti dubbi ma caso chiuso, come succede spesso a un «delitto italiano», come lo chiamerà un bel film di Marco Tullio Giordana, *Pasolini, un delitto italiano*.

> Aldo Bravi. Dice: «Discussi un po' con quelli del Pci, perché dissi che a loro gli era scomodo come personaggio per la vita sua privata. Allora me permisi da di': il partito nun gli è stato addosso come quando succede una cosa a un personaggio importante come era uno scrittore. Ma no... me trovarono delle scuse. Ma la verità era quella: lui era omosessuale e pertanto ar partito nun je faceva piacere 'sta cosa. In Italia se devono sogna' ancora de averce un uomo dall'intelligenza cosí. Riescono solo a condannarlo per la vita sua privata. Solo quello riescono a fa'. Nun so' boni a fa' altro. Ma tutto quello che ha detto so' tutte verità sacrosante».

È vero, Pier Paolo Pasolini è uno di quegli intellettuali che lasciano il segno. Le sue riflessioni, espresse con le parole secche di un saggio o con quelle poetiche di un verso o nell'immagine di un film, hanno quasi trent'anni, ma mantengono un'attualità straordinaria. Viene da chiedersi cosa penserebbe ora, Pasolini, della televisione, della situazione politica, della globalizzazione... ne aveva già parlato allora, trent'anni fa.

> Le immagini di repertorio sono di un programma televisivo condotto da Enzo Biagi che in quel momento volge le spalle alla telecamera. Bianco e nero. Tra gli ospiti c'è Pier Paolo Pasolini. La sua immagine è riportata anche da uno schermo gigante alle spalle di due ospiti.
>
> Enzo Biagi si rivolge a lui: – Perché, cosa ci trova di anormale in questo programma?

Pasolini lo guarda assorto, poggiando il viso sulla mano, poi risponde incrociando le braccia: – Perché la televisione è un medium di massa –. La ripresa passa al primo piano. – E il medium di massa non può che mercificarci e alienarci.

Biagi: – Ma oltre... ma noi stiamo discutendo tutti con una grande libertà, senza alcuna inibizione, o no? – si gira verso qualcuno alla sua destra, fuori campo.

– No, non è vero.

– Sí, è vero. Lei non può dire tutto quello che vuole?

– No, no, no, non posso dire tutto quello che voglio.

– Lo dica.

– No, non potrei, perché sarei accusato di vilipendio dal codice fascista italiano, e quindi in realtà non posso dire tutto. Poi, a parte questo, oggettivamente, di fronte all'ingenuità o la sprovvedutezza di certi ascoltatori, io stesso non vorrei dire certe cose, quindi mi autocensuro. Ma a parte questo, non è tanto questo. È proprio il medium di massa in sé. Nel momento in cui qualcuno ci ascolta nel video, ha verso di lui un rapporto da inferiore a superiore, che è un rapporto spaventosamente antidemocratico.

Piú avanti nel programma, sempre Biagi che incalza Pasolini: – Mi pare che lei non creda piú ai partiti. Che cosa ha da proporre in cambio?

– No, perché se lei mi dice: non crede piú ai partiti, mi dà del qualunquista e io invece non sono qualunquista. Tendo piú verso una forma anarchica che verso una scelta ideologica di qualche partito, questo sí, ma non è che non credo ai partiti, ecco.

Ancora un'altra situazione. Stavolta Pasolini non è al programma di Enzo Biagi. Risponde a qualcun altro. In primo piano. È al buio, di profilo, e porta gli occhiali. Dice: – Poi non è affatto vero che io non credo nel progresso. Io credo nel progresso, non credo nello sviluppo e, nella fattispecie, in questo sviluppo –. Pasolini è in piedi sulla spiaggia e indossa un cappotto nero. I suoi capelli sono spettinati dal vento. Si vede una grossa duna con delle erbacce, e il mare, lontano. Dice: – Il regime è un regime democratico eccetera eccetera. Però quella acculturazione, quella omologazione che il fascismo non è riuscito assolutamente a ottenere, il potere di oggi, cioè il potere della civiltà dei consumi, invece riesce a ottenerle perfettamente distruggendo le varie realtà particolari. E questa cosa è avvenuta talmente rapidamente che in fondo non ce ne siamo resi conto. È avvenuto tutto in questi ultimi cinque, sei, sette, dieci anni. È stato una specie di incubo in cui abbiamo visto l'Italia intorno a noi distruggersi e sparire. Adesso, risvegliandoci forse da quest'incubo e guardandoci intorno, ci accorgiamo che non c'è piú niente da fare.

Perché è morto Pier Paolo Pasolini?

Le ipotesi restano aperte.

Ucciso da un ragazzo di borgata, cosí simile a quei «ragazzi di vita» di cui aveva scritto, per un litigio durante un rapporto sessuale clandestino. Ucciso da Pino la Rana, lui da solo.

Oppure ucciso da altri per una «lezione» da dare a una persona come lui, omosessuale e di sinistra, da attirare in una trappola. Pino Pelosi viene avvicinato da Pasolini, torna al bar per consegnare le chiavi e intanto avverte gli amici, anche loro ragazzi di borgata cosí simili ai protagonisti dei suoi romanzi. Che lo seguono, lo tirano fuori dalla macchina e lo massacrano, spinti dalla violenza cieca della nuova gioventú che Pasolini aveva già descritto, dall'odio, anche politico, nei confronti di un uomo come lui, «frocio e comunista».

Oppure ucciso con premeditazione, da qualcuno che coordina l'azione, aspetta che si presenti il momento giusto, e quando arriva raccoglie la gente e ordina il massacro, perché Pasolini è un intellettuale scomodo, uno che dà fastidio, uno che non deve esserci piú.

> Nico Naldini, poeta. Dice: «Ma che dietro la morte di Pasolini ci sia stato un complotto o che permanga un mistero, io non ho mai creduto. Ho sempre pensato che fosse uno dei tanti incidenti, delle manifestazioni di violenza dell'ambiente omosessuale. Quello che mi ha sorpreso è che Pasolini è stato, per cosí dire, il primo teorico. Quello che ha descritto minuziosamente come sarebbe scattata la violenza giovanile, come sarebbe maturata sul cinismo delle classi egemoni. Sotto questo cinismo, questo affarismo, ci sarebbe stato un dilagare di violenza nelle persone prive di cultura e specialmente nel popolo. E Pasolini è rimasto vittima proprio di questa violenza da lui teorizzata».

Il mistero rimane ed è destinato a restare tale finché chi sa qualcosa non parla. Ma a questo punto è difficile che accada.

Il mistero piú grande, però, è proprio lui, Pier Paolo Pasolini. Un uomo pieno di contraddizioni, discusso, amato, odiato, imbarazzante, anche per la sua fine, anche quella cosí contraddittoria. Un uomo capace di rappresentare l'oscenità senza essere osceno. Di criticare, di analizzare, di colpire e allo stesso tempo di farlo come un profondo atto d'amore. C'è un reportage fatto per il cinema.

Le immagini di repertorio in bianco e nero mostrano Pasolini giovane che si avvicina con un microfono a dei ragazzini raccolti in gruppo. Dice: – Sentiamo un po' cosa sanno dirmi questi malandrini… Senti, tu sai dirmi come nascono i bambini? – Avvicina il microfono a uno di loro, in canottiera. – Me lo sai dire? – Il bambino fa una smorfia, come a dire: che ne so? Qualcuno ride. – Se me lo dici bene, guarda, ti faccio un bel regalo –. Allora un bimbo a petto nudo alza un dito e urla: – Lo so io! – Adesso lo guardano tutti interessati, e lui dice: – Dalla pancia. – Come dalla pancia? – dice Pasolini. L'altro bambino, quello in canottiera, pare come risvegliarsi: – Lo fiore, fiore, la levatrice porta il fiore dint'alla borsa.

Sono interviste fatte lungo l'Italia a gente di tutti i generi e di tutte le classi sociali, studenti, operai, militari, prostitute, su argomenti per allora scabrosi, come l'educazione sessuale, il divorzio, l'omosessualità.

Appare il titolo: *Comizi d'amore*.

Una serie di volti: ragazzi che fumano guardando la telecamera, anziani che si bisbigliano qualcosa all'orecchio, donne col bimbo in braccio, bambini che saltellano per la strada… Pasolini intervista un gruppo di adolescenti. Si appoggiano l'uno all'altro a petto nudo.

– Tu pensi che una donna deve arrivare vergine al matrimonio, o no?

– Eh, vergine nun c'arriva mai –. Ridono tutti e ride anche Pasolini, portandosi il microfono alla bocca.

Una donna dice: – Un po' piú de libertà l'omo la debbe avere, ma la donna…

– Ma perché? – fa Pasolini.

– Come perché? Perché è omo!

Un ragazzo con occhiali dalla montatura pesante, nera, dice sorridendo: – Secondo me la donna… piú che altro… evangelica.

Pasolini chiede spiegazioni. – Non capisco.

– Una donna angelicata, va bene? Inteso come la intendeva Dante, per noi calabresi.

C'è una donna alla finestra appoggiata al braccio, sorride con i suoi denti larghi. Ha i capelli tirati indietro e legati. Sembrano un po' bagnati. È di una certa età, una casalinga col vestito a fiori. Pasolini le chiede: – Il matrimonio ha risolto per lei completamente i bisogni del sesso?

– Sí, io sono soddisfattissima. Lo rifarei a tutte l'ore, sa?

La gente risponde come risponde la gente, soprattutto quella di allora, ma è incredibile vedere con quanta passione, con quanto interesse e con quanta delicatezza Pier Paolo Pasolini porta avanti la sua inchiesta. Con quanta tenerezza riesce a chiedere ai bambini come nascono i bambini. Con quanta ingenuità, ingenuità di poeta. Il reportage si chiama *Comizi d'amore*, e infatti sono proprio questo, «comizi d'amore».

È uno strano mistero, quello di questo delitto. E non soltanto perché è un giallo in parte irrisolto, ma proprio perché c'è lui, Pier Paolo Pasolini. Come diceva Alberto Moravia ai suoi funerali, è morto un poeta.

> Pier Paolo Pasolini in un'intervista: «Sono direttamente interessato a quelli che sono i cambiamenti storici. Cioè: io tutte le sere, tutte le notti, la mia vita consiste nell'avere rapporti diretti immediati con tutta questa gente che io vedo che sta cambiando. E quindi questo fa parte della mia vita intima, della mia vita privata, della mia vita quotidiana. È un problema mio».

C'è una canzone che cantava Domenico Modugno in un film, scritta da Pier Paolo Pasolini. Si chiama *Che cosa sono le nuvole?*, e una delle strofe dice: «Ch'io possa esser dannato | se non ti amo. | E se cosí non fosse | non capirei piú niente. | Tutto il mio folle amore | lo soffia il cielo | lo soffia il cielo... cosí».

Beppe Alfano

Questa è la storia di un giornalista.

Uno di quei giornalisti che si vedono nei film, come *Prima pagina* di Billy Wilder o *L'ultima minaccia* con Humphrey Bogart, quelli che osservano, intuiscono, sentono che c'è qualcosa, e allora si fissano, indagano, chiedono, non mollano, non ci dormono la notte, e alla fine scoprono che davvero qualcosa c'è, e allora la scrivono, la dicono, costi quel che costi. Non sono soltanto nei film o nei romanzi, quei giornalisti, ci sono anche nella vita, nella realtà, ma nella realtà, quando si trovano a lavorare in un luogo difficile, in un momento difficile, per raccontare cose difficili, a volte non ci riescono, perché li ammazzano prima che possano farlo.

Questa è la storia di uno di loro.

Questa è la storia di Beppe Alfano.

Inizia a Barcellona Pozzo di Gotto, in provincia di Messina, l'8 gennaio 1993. E inizia proprio come in un film.

Sono le 22,30.

In via Marconi, accostata al marciapiede, c'è una macchina, una Renault rossa. È strana, quella macchina, perché è ferma da un po', come se fosse parcheggiata, ma ha il motore acceso, che romba, su di giri. Dallo scappamento, nel freddo di quella notte d'inverno, illuminata dall'insegna di un'agenzia di pompe funebri che si trova di fronte, esce una nuvola di gas di scarico che l'ha avvolta, quasi avesse preso fuoco.

La gente che si trova nella strada non capisce, c'è qualcosa di inquietante in quella macchina, e cosí chiama il 113. Gli agenti arrivano e vedono che dentro l'auto c'è un uomo che sembra essersi addormentato contro il sedile, e col piede sta premendo l'acceleratore, come davvero dormisse e non se ne fosse accorto.

Ma l'uomo non dorme.

Quell'uomo è morto, gli hanno sparato in testa tre colpi di pistola.

Cambiamo scena, proprio come in un film. Torniamo indietro.

Pochi minuti prima, un giornalista che si chiama Beppe Alfano era arrivato a casa con la moglie.

Era andato a prenderla alla stazione di Barcellona, dove aveva dovuto aspettarla, perché era arrivata in ritardo. Poi l'aveva portata a casa, aveva parcheggiato, aveva chiuso le serrature dell'auto con la chiusura centralizzata e l'aveva accompagnata fino al portone, per salire con lei, ma all'improvviso si era fermato, come se avesse visto qualcosa. Senza dire niente, era corso fino all'angolo della strada, per guardare verso una piazzetta che si trovava là dietro. Poi Beppe Alfano torna indietro, dice alla moglie: – Vai a casa e chiuditi dentro! – apre le serrature, corre in macchina e parte, via, svoltando all'angolo.

Perché? Dove va?

La signora non lo sa, non ha capito. Sale di sopra, a dirlo alla figlia.

> Sonia Alfano è la figlia di Beppe Alfano. Dice: «Io mi spaventai. Forse perché ormai vivevamo con questo incubo, con questa paura che dovesse succedere da un momento all'altro. Mio padre ci aveva preparato, se è possibile preparare dei familiari, alla sua morte. Mi agitai, cominciai a fare il suo numero di cellulare nella speranza che lui mi rispondesse. E invece il suo cellulare squillava a vuoto. Chiamai il giornale dove mio padre lavorava. Chiamai in redazione e chiesi se avevano notizie di mio padre. Loro mi dissero che non ne avevano, e che comunque avevano appena saputo che c'era stato un morto ammazzato. Mentre io ero in linea con questa persona, fuori campo un'altra voce disse a questo collega: "C'è un morto a Barcellona, hanno ammazzato Alfano". Seppi cosí della morte di mio padre».

Dopo essere salito in macchina, Beppe Alfano ha fatto pochi metri. Ha svoltato all'angolo, ha infilato un senso unico ed è arrivato in via Marconi. E lí gli hanno sparato in testa tre colpi di pistola calibro 22, uccidendolo sul colpo. Siamo tornati alla scena iniziale del nostro film. Solo che questo non è cinema, questa è la realtà, e Beppe Alfano è morto davvero, morto ammazzato.

Perché? Sua figlia ha parlato di un incubo, un incubo che durava da parecchi giorni. Quale incubo?

Chi è quel giornalista, quell'uomo ucciso nella Renault rossa?

A dire la verità, Beppe Alfano non è un vero giornalista. O meglio, non lo è ufficialmente, non ha il tesserino dell'iscrizione all'ordine. Ha quarantasette anni ed è un professore di Educazione tecnica in una scuola media di Terme Vigliatore, un paese vicino, oltre che un militante politico che viene dall'estrema Destra ed è approdato al Msi di Giorgio Almirante.

Ma anche se non lo è ufficialmente, Beppe Alfano fa il giornalista, lo fa meglio di molti altri e lo fa da sempre. Ha cominciato con le radio private alla fine degli anni Settanta, a Messina, piccole emittenti che si chiamano Radio Peloro, Radio Canale 30, Radio Milazzo, poi, negli anni Ottanta, le televisioni locali, TeleCity e Telenews, piccoli network di Barcellona con bacino d'utenza lungo la fascia tirrenica. E i giornali, anche. Da tre anni è il corrispondente locale di un quotidiano di Catania, «La Sicilia».

Beppe Alfano si occupa di sport, dei problemi della città, di politica, anche di cronaca. Un giornalista, un giornalista locale.

Sí, ma un giornalista di un certo tipo.

Sonia Alfano. Dice: «Mio padre era un cane sciolto. Era una via di mezzo fra un investigatore e un giornalista, e riusciva a conciliare benissimo queste due particolarità. Lui la notizia se l'andava a cercare. Bastava avesse il minimo dubbio, lui era capace di stare addosso a una determinata situazione anche per mesi. E il piú delle volte era lui che arrivava per primo sul luogo del delitto, o comunque sui luoghi oggetto di varie attenzioni. E spesso e volentieri le Forze dell'ordine usavano le sue fotografie o usavano anche determinati suoi pezzi per cercare di far collimare, di mettere insieme determinate situazioni».

Sonia Alfano ha parlato di un incubo. Inizia alla fine del 1992. Un giorno, parlando con i familiari di quello che sta succedendo in città, delle notizie, degli omicidi che avvengono, Beppe Alfano dice che succederà qualcosa anche a lui. Non è uno che si fa spaventare facilmente, Alfano, e infatti non è spaventato. È preoccupato, è consapevole del pericolo, e lo dice chiaramente.

– Mi uccideranno entro la fine di dicembre.

Del resto, lui non poteva saperlo, ma aveva detto la stessa cosa anche Pippo Iannello, un personaggio importante della criminalità organizzata di Barcellona, a un altro pregiudicato, Maurizio Bonaceto. Beppe Alfano, aveva detto Iannello, era da considerarsi un uomo morto.

Ma perché? Solo perché era bravo?

Fabio Repici è l'avvocato della famiglia Alfano. Dice: «Alfano aveva un grande intuito, proprio tipico del giornalista d'inchiesta. Alfano riusciva a capire la logica di tutto ciò che accadeva a Barcellona. Questo dipendeva da un lato proprio dal suo intuito, e dall'altro dalla capacità che Alfano aveva avuto di crearsi una rete di confidenti che gli davano sempre la dritta giusta. Pur essendo una persona molto irruenta di carattere, in realtà riusciva con la sua curiosità, con il suo desiderio di arrivare a capire, riusciva sempre ad avere contatti con gli ambienti giusti. Spesso anche nelle sue inchieste giornalistiche sugli enti pubblici riusciva spesso ad avere notizie dall'interno. Poi, cosa che lo rendeva unico a Barcellona, oltre che capire, scriveva e diceva in pubblico di avere capito».

A Telenews, assieme al proprietario dell'emittente, Antonio Mazza, conduce un «filo diretto» tra telespettatori e amministratori pubblici, cui seguono interviste pressanti a politici locali, senza domande concordate e senza guardare in faccia a nessuno, amministrazione o opposizione.

Fino al '92, a Barcellona, la scena politica è dominata dal senatore Carmelo Santalco, della Democrazia cristiana, corrente Andreotti, in Parlamento fino dagli anni Sessanta. Lo considerano il padre padrone della politica locale, lo dicono capace di far nominare e far destituire sindaci in una notte, le malelingue lo chiamano «Mister dieci per cento». Un sistema di potere che Alfano non ha timore di attaccare e criticare, denunciando decisamente quello che gli sembra che non torni. Un giornalista e un politico tutto d'un pezzo, un uomo di destra, di una certa Destra che ha idee ben precise sull'ordine, sulla legge e sullo Stato, e che non scende a compromessi.

Figlio di un aderente alla Repubblica sociale italiana, Beppe Alfano inizia l'attività politica negli anni Sessanta, prima nella Giovane Italia, poi si avvicina a un'organizzazione di estrema destra, Ordine nuovo. C'è gente molto diversa da lui, in Ordine nuovo, gente che si intende di bombe. C'è un uomo, per esempio, che si chiama Pietro Rampulla, e che molti anni dopo diventerà famoso per essere l'artificiere della strage di Capaci, dove moriranno il giudice Falcone con la moglie e tre agenti della scorta. Gente diversa. E infatti Alfano se ne allontana, per entrare nel Msi di Giorgio Almirante.

Sonia Alfano. Dice: «Ricordo che mi raccontava di quando Almirante lo chiamò a Lenico Terme per dirgli che era arrivato il momento di ritirarsi, di ritornare all'interno del partito, e gli chiese anche di fondare, di avviare una nuova sede del Movimento sociale a Trento. Cosí lui fece insieme a mia madre, anche lei militante nella Destra. E quando ritornò a Messina nel '76, lui incominciò la sua collaborazione all'interno del partito in Sicilia, a Messina, con Giovannello Davoli. Successivamente con l'onorevole Ragno, con l'onorevole Mimmo Nania, con tutta quella gente che comunque fa parte tuttora di Alleanza nazionale e che ai tempi faceva parte del Movimento sociale italiano a Messina. Fu in alcuni momenti piú che un'evoluzione, un'involuzione, perché non era ben visto, mio padre, in alcuni momenti, all'interno del suo partito. Proprio perché non era una persona che si faceva piegare, che scendeva a compromessi».

Nel 1990, alle elezioni comunali, Beppe Alfano lascia il Msi per candidarsi in una lista civica, Alleanza democratica progetto Barcellona, capeggiata da Antonio Mazza, il proprietario di Telenews. Non è una campagna elettorale facile. Alla chiusura dell'ultimo comizio una bomba carta scoppia sotto il palco, e un'altra sotto la macchina di Alfano. La lista prende pochissimi voti, Alfano non viene eletto e qualche tempo dopo si riconcilia con il Msi, da cui era stato sospeso.

Ma Sonia, la figlia di Alfano, aveva parlato di un incubo. «Mi uccideranno prima di dicembre», aveva detto Beppe Alfano. Dicembre passa, passa Natale, passa Capodanno, ma l'incubo non svanisce. Beppe Alfano non è spaventato, non si ferma, ma sa il rischio che corre.

– Ormai è questioni di giorni, – dice agli amici. – Non mi hanno ucciso a dicembre, lo faranno prima della festa di San Sebastiano.

> Sebastiano Teramo è un gionalista. Dice: «In quel periodo, siamo alla metà degli anni Ottanta, Barcellona è stata interessata da una lotta fratricida di mafia che fu scatenata dal fatto che venne realizzato tra Milazzo e Terme Vigliatore, quindi attraversando Barcellona, il raddoppio ferroviario. Questo portò a Barcellona ingenti finanziamenti, si parla di centinaia di miliardi, e quindi si ruppe l'equilibrio delle famiglie criminali che c'era».

Beppe Alfano inizia a collaborare con il quotidiano «La Sicilia» dal 27 luglio 1991. È stato ammazzato un uomo, quel giorno, e lui come al solito è tra i primi a correre sul luogo del delitto, ed è tra i primi a farsi un'idea di come sono andate le cose. Chiama la redazione di Messina e dice che ha una notizia, loro gli dicono di fare il pezzo, e cosí comincia la collaborazione.

L'uomo ucciso è un ragazzo che stava su una moto assieme a un amico, quando gli si è avvicinato qualcuno che gli ha sparato. Un agguato, e un agguato mafioso, perché il ragazzo si chiama Lorenzo Chiofalo ed è figlio di un boss di Cosa nostra. In quei giorni, infatti, a Barcellona, è in corso una guerra di mafia.

È un posto particolare, Barcellona, come lo è tutta la provincia di Messina. Dal punto di vista criminale, Messina è sempre stata considerata una provincia «babba», un po' tonta, perché lí la mafia non c'è, non ha saputo organizzarsi per sfruttare illegalmente le risorse del territorio, come in tutto il resto della Sicilia, e anche dell'Italia.

Ma non è vero. Cosa nostra a Messina c'è, eccome, solo che non si vede molto. E come emergerà dalle indagini successive, dal processo *Mare nostrum*, da quello che verrà chiamato il processo al «verminaio di Messina», da quello che segue all'omicidio di una ragazzina di paese che forse aveva visto troppo e che si chiama Graziella Campagna, la mafia c'è. Solo che si è messa d'accordo con esponenti politici, ha fatto amicizia con magistrati ed esponenti delle Forze dell'ordine per gestire indagini e processi, e per garantire una latitanza dorata a boss ricercati. Si è anche messa in società con alcuni imprenditori per inserirsi nell'economia, pure quella illegale. E si è fusa perfino con la cosca del boss Nitto Santapaola, che sta a Catania.

Una mafia cosí ci tiene a far credere di non esistere, a tenere tutto tranquillo e sottotono, a sembrare «babba». Ma non è vero.

Barcellona, per esempio, è un piccolo centro, ha quarantacinquemila abitanti, ma è sempre stato un posto importante per Cosa nostra, e fino dagli anni Settanta. Da lí passavano le rotte del contrabbando di sigarette, che poi si sono trasformate in quelle della droga verso il Continente, direttamente gestite dai boss delle famiglie palermitane. Là vicino, a Furnari, c'era una raffineria di eroina controllata da Francesco Marino Mannoia, e proprio a Barcellona c'era un importante manicomio giudiziario, controllato da Cosa nostra, nel quale, grazie a perizie psichiatriche compiacenti, erano finiti boss della mafia come Agostino Badalamenti, boss della 'ndrangheta e anche capi della mafia americana. Naturalmente, lí la vita era molto diversa da quella che normalmente si svolgeva in un manicomio criminale, ed era facile anche evadere, quando lo si voleva.

A Barcellona poi ci sono i soldi, c'è da realizzare il raddoppio della linea ferroviaria, c'è l'autostrada Messina-Palermo, ci sono gli appalti, i subappalti.

Tutto questo, tutta questa tranquillità che sembra avere il suo garante nel boss Francesco Rugolo e il suo simbolo in un ricco imprenditore, Francesco Gitto, presidente della squadra di calcio locale, amico di uomini politici e anche parente di gente importante come Mario Cuomo, il sindaco di New York, tutto questo viene improvvisamente sconvolto alla metà degli anni Ottanta.

Nel 1986, a Terme Vigliatore, vicino a Barcellona, torna Pino Chiofalo, detto «'u siccu». 'U siccu si è fatto tanti anni di galera, ma adesso è tornato e vuole la sua parte.

L'avvocato Repici. Dice: «Pino Chiofalo torna a Terme Vigliatore, e con un gruppetto di fedelissimi cerca di dare l'assalto al gruppo mafioso dominante. Comincia a incidere fortemente. Passa alle vie di fatto e colpisce sostanzialmente tutti i leader del clan mafioso contrapposto».

Pino Chiofalo è a capo di una cosca che vuole emergere, al di fuori delle regole e del controllo di Cosa nostra, e quello che compie con i suoi duecento uomini è un vero e proprio bagno di sangue.

Girolamo Petretta, storico referente della famiglie palermitane, ammazzato nel novembre dell'86. Francesco Rugolo, ammazzato nel febbraio dell'87. Franco Emilio Iannello in marzo, Carmelo Pagano in luglio, Francesco Gitto in dicembre... sí, un vero e proprio bagno di sangue, quello di Pino Chiofalo.

Scorrono le immagini di repertorio. Automobili crivellate dai colpi, parabrezza frantumati, corpi riversi in laghi di sangue, nell'abitacolo delle auto, con la faccia sull'asfalto. Si vedono un paio di sirene lampeggiare, una mano che raccoglie con le pinzette un proiettile. Infine una bara che viene chiusa.

Un bagno di sangue che viene interrotto.

Quindici giorni dopo la morte di Francesco Gitto c'è un blitz della polizia. Pino Chiofalo è a Pellaro, in provincia di Reggio Calabria, impegnato in un summit con i suoi luogotenenti, praticamente tutto lo stato maggiore della sua «famiglia». La polizia arriva, a colpo sicuro. E li arresta tutti.

Pino Chiofalo finisce dentro di nuovo, si prende l'ergastolo e resta in carcere fino al '95, quando comincia a collaborare con la giustizia. Ammette la responsabilità di tutti gli omicidi di quella sanguinosa guerra di mafia, ma accusa alcuni magistrati e alcuni esponenti delle Forze dell'ordine di essere d'accordo con la cosca avversaria, sostenuta direttamente dal boss catanese Nitto Santapaola. Che li avrebbe utilizzati per toglierlo di mezzo in maniera pulita.

L'avvocato Repici. Dice: «Nel 1991, poi, con l'uccisione del figlio di Chiofalo, la situazione si è ormai tranquillizzata a Barcellona. Il clan barcellonese ha il pieno controllo della situazione, non ha piú ostacoli all'interno del mondo criminale, perché gli avversari sono stati tutti fatti fuori e in piú sono stati rinsaldati i legami con il potere ufficiale. Questo è il momento in cui nel 1991, Beppe Alfano comincia a scrivere come corrispondente da Barcellona per il giornale "La Sicilia", mirando subito agli interessi decisivi nella vita del sistema barcellonese».

Tolto di mezzo Chiofalo, la situazione si normalizza. Molti dei suoi passano con lo schieramento vincente, e arrivano gli appoggi dalla cosca catanese del boss Nitto Santapaola.

C'è un giovane di Barcellona, un ragazzo di buona famiglia, figlio di un tassista conosciuto da tutti in città, uno studente universitario iscritto a Giurisprudenza. Si chiama Giuseppe Gullotti. I suoi amici lo chiamano «l'avvocaticchiu». I suoi amici... Un momento. Quali amici?

L'avvocato Repici. Dice: «Giuseppe Gullotti è un po' il figlio vero di Barcellona. È un ragazzo di normale famiglia che a diciott'anni si iscrive perfino all'università, a Giurisprudenza, da qui anche il soprannome con il quale viene conosciuto pure negli anni successivi, quello di "avvocaticchiu". Fa un salto di qualità fidanzandosi con la figlia di uno dei boss barcellonesi, il boss Ciccio Rugolo. Da lí cambia la sua vita. Giuseppe Gullotti quindi diventa, dalla fine degli anni Ottanta, l'uomo di fiducia, il referente di Nitto Santapaola a Barcellona. L'uomo che dirige, coordina l'ala criminale della mafia barcellonese. E però Giuseppe Gullotti è un personaggio particolare, perché, a differenza di tanti altri boss di provincia, ha accesso ai migliori salotti barcellonesi. È un personaggio che riesce ad avere pubblicamente rapporti con rappresentanti dei poteri istituzionali, con rappresentanti dell'ordine giudiziario, con ufficiali delle Forze dell'ordine. Addirittura viene anche fatto entrare in un circolo culturale molto élitario barcellonese, il circolo *Corda fratres*, del quale diventa uno dei soci».

Giuseppe Gullotti è il referente di Nitto Santapaola, il capo dell'ala militare, l'uomo forte di Barcellona. Mettiamolo da parte e torniamo a Beppe Alfano.

Per Beppe Alfano è questione di giorni. Mi uccideranno prima della festa di San Sebastiano, aveva detto.

La festa di San Sebastiano si tiene il 20 gennaio. L'8, la sua macchina accosta in via Marconi. Alfano abbassa il finestrino. Alza una mano per coprirsi il volto, perché il primo proiettile è lí che lo ha colpito, ma una mano non basta di fronte a una pistola. Un colpo in bocca, uno alla tempia destra e uno al torace. Tre colpi calibro 22, un calibro piccolo, da professionisti.

Perché? Cosa ha scoperto quel giornalista? Quel «cane sciolto» che sa fare bene il suo mestiere? Cosa sta succedendo a Barcellona?

Dal 25 maggio 1992 anche a Barcellona c'è il tribunale. Prima non c'era, prima le indagini venivano coordinate da Messina, dove si tenevano anche i processi, ma adesso pure Barcellona ha il suo tribunale, con i suoi giudici e i suoi sostituti procuratori. Tra questi ce n'è uno, in particolare, che viene dal Nord, da Monza, e si chiama Olindo Canali. E il dottor Canali lo dice subito, appena arriva, e chiaramente, che per lui Barcellona è un avamposto della mafia nella Sicilia orientale. Dice che quel tribunale è una trincea, e che lui quella guerra la vuole combattere fino in fondo.

> Il dottor Olindo Canali. Dice: «Io ho conosciuto Beppe Alfano forse lo stesso giorno in cui sono arrivato a Barcellona. Si presentò dicendomi che lui era il cronista giudiziario della "Sicilia". E direi che da quel momento, dal maggio '92, si è sviluppato un rapporto... direi ordinario. Beppe Alfano veniva quasi tutti i giorni a cercare le novità da pubblicare, e a poco a poco questo rapporto è diventato piú stretto... ci si dava rigorosamente del lei, anche fino all'ultimo giorno in cui l'ho sentito».

Tra il giornalista, il cane sciolto che non guarda in faccia a nessuno e si lancia contro tutti per seguire il suo ideale di verità e di giustizia, tra il giornalista e il magistrato d'assalto si stabilisce subito un rapporto molto stretto.

> Il dottor Canali. Dice: «Poi Alfano incominciò a parlare, ma proprio con molta *non chalance*, si direbbe quasi chiacchiere tra persone che si conoscono, a dire che a Barcellona si muovevano grossi interessi, a dire che

Barcellona era stata un po' sottovalutata come realtà mafiosa. Aveva alcune idee ricorrenti. Mi tracciava quello che era stata la mafia – o i fatti di mafia – barcellonese tra la fine degli anni Ottanta e l'inizio degli anni Novanta. Insomma, un rapporto che diventò quasi di... come dire, con lui che mi dava delle griglie di riferimento di quello che era successo prima che si istituisse il tribunale di Barcellona».

Un magistrato e un cronista. Ma Beppe Alfano, lo abbiamo visto, è un cronista particolare. Il magistrato, appena arrivato in una realtà complessa come quella di Barcellona, della Sicilia, trova in lui un valido aiuto.

L'avvocato Ugo Colonna. Dice: «Io credo che l'omicidio Alfano sia maturato nel contesto di talune indagini che egli sostanzialmente portava avanti e riferiva al suo amico dottor Olindo Canali. Penso anche che era un omicidio che difficilmente si sarebbe potuto evitare, perché in quel momento l'associazione mafiosa barcellonese entrò in forte fibrillazione proprio per la vicinanza dell'Alfano con il dottor Canali. Ed era meno destabilizzante per l'associazione eliminare l'Alfano e non il dottor Canali».

A un certo punto succede qualcosa. Beppe Alfano vuole parlare con il magistrato. Vuole incontrarlo a pranzo.

Il dottor Canali. Dice: «Quella mattina mi chiamò quasi preoccupato. Io ero tornato due giorni prima dalle ferie, dalle vacanze di Natale. Mi disse: ho bisogno di parlarle, possiamo vederci a pranzo da me, domani? Era il 5 di gennaio. Guardi, professore, non posso, perché ho un altro impegno. Ho delle cose importanti da dire... Vabbe', ci vediamo sabato. E invece non ci siamo visti...»

Non c'è piú tempo. Due giorni dopo Beppe Alfano viene ucciso. Tempo scaduto. L'incubo è arrivato.

Ma perché? Cosa aveva scoperto il giornalista? Di cosa si stava occupando in quei giorni?

L'avvocato Colonna. Dice: «Alfano in quel periodo, dopo l'estate del '92, si occupava di tre obiettivi, sostanzialmente. Primo: la vicenda della erogazione dei contributi Aima. Il modo in cui venivano gestiti, le truffe che sottendevano a questa erogazione e i rapporti di cointeressenza tra Cosa nostra e uomini barcellonesi. Il secondo era la questione del raddoppio ferroviario. Il terzo riguardava appunto tutta una serie di rapporti che si erano instaurati tra taluni di questi soggetti, che già gestivano queste due vicende di cui ho detto, e l'Aias nel periodo giugno-luglio '92, dicembre '92».

L'Aias è un'associazione che si occupa di assistenza agli spastici. Ha sedi in tutta la Sicilia, e la sede di Milazzo è la piú ricca e meglio finanziata, con centinaia e centinaia di dipendenti, un ingentissimo patrimonio immobiliare e un giro di miliardi. Nei suoi articoli, Beppe Alfano scrive di acquisti gonfiati, di assunzioni facili, di interessi privati. Si rivolge anche ai politici che conosce, prima all'onorevole Ragno, del Msi, poi all'onorevole Tano Grasso, del Pds. E naturalmente racconta tutto al dottor Canali.

Sonia Alfano. Dice: «Negli ultimi anni della sua vita lui aveva cominciato a fare delle indagini anche piuttosto interessanti, piuttosto serie. Aveva chiesto l'aiuto, per portare fuori, per far sí che queste situazioni venissero attenzionate dalle istituzioni... Aveva chiesto proprio ai suoi amici che militavano nel suo partito e che ricoprivano determinati ruoli nell'ambito di cariche istituzionali, di essere aiutato. Queste persone o non capirono... o forse non vollero aiutarlo. Lui venne abbandonato dal suo partito e dai suoi amici di partito. A nulla è valso vedere la chiesa, il giorno dei suoi funerali, piena di gente, delle piú alte cariche del partito. Non è valso assolutamente a nulla. Perché loro l'avevano lasciato solo quando lui aveva bisogno di far riferimento a qualcuno, di essere aiutato da qualcuno. La sua collaborazione, la sua militanza politica si concluse nel peggiore dei modi. Lui capí di essere stato lasciato solo. Era troppo scomodo».

Un'altra delle fissazioni di Alfano, in quei giorni, è la presenza di Nitto Santapaola a Barcellona. È convinto che il boss di Catania sia nascosto lí.

E ha ragione. Lui non lo saprà, perché verrà ucciso prima, ma il boss per un po' di tempo è stato nascosto proprio a Barcellona. In via Trento, a pochi metri da casa sua.

L'avvocato Repici. Dice: «L'ultima fissazione, se cosí possiamo dire, di Alfano prima di essere ucciso è probabilmente il collante tra tutte le possibili ragioni che hanno condotto alla sua uccisione. La convinzione di avere scoperto la presenza a Barcellona di una loggia massonica che vedeva al suo interno sia i rappresentanti del potere ufficiale sia i rappresentanti del potere criminale. Tutti insieme a decidere le sorti di quella città».

Beppe Alfano sembra convinto di aver scoperto l'esistenza di una loggia massonica deviata a Barcellona. Lo racconta in famiglia, anche alla figlia Sonia. A Barcellona, però, non c'è una loggia massonica. C'è un circolo culturale molto antico che si chiama *Corda fratres*.

Il professor Santi Lombardo è il presidente dell'associazione culturale *Corda fratres*. Dice: «In Italia noi troviamo questa associazione già nel 1898, quindi alla fine del XIX secolo, anche a Torino e a Roma. Dal 1994 ai nostri giorni si è sempre distinta per raggiungere obiettivi quali quello della educazione, della cultura, di combattere tutte le forme di criminalità, e negli ultimi anni in modo particolare si è distinta nella lotta alla mafia».

Della *Corda fratres* fanno parte molti nomi noti e rispettati della città. Ma c'è anche un personaggio molto particolare, di cui al momento non si sa niente, ma che in seguito salirà alla ribalta della cronaca.

Il boss Giuseppe Gullotti.

Il professor Santi Lombardo. Dice: «Noi abbiamo saputo dell'appartenenza di Gullotti alla mafia nel 1993, subito dopo l'omicidio Alfano. Perché a Barcellona, proprio il 21 gennaio di quell'anno, venne la Commissione antimafia presieduta dall'allora presidente Luciano Violante. Il quale fece il nome di Gullotti che aveva sentito dire da un pentito. In virtú di questo fatto è stato espulso dalla *Corda fratres* immediatamente».

L'avvocato Colonna. Dice: «Gullotti è stato socio della *Corda fratres* e abituale frequentatore fino a quando si diede alla latitanza nel '93. Era un fatto notorio chi fosse Gullotti. Ma non nel '93, quando ce lo venne a dire il presidente Violante, ma anche precedentemente si sapeva la connotazione mafiosa di questo soggetto».

Il 18 novembre 1993, su richiesta dei pubblici ministeri Olindo Canali e Gianclaudio Mango, vengono emesse tre ordinanze di custodia cautelare in carcere.

Una è per Nino Mostaccio, il presidente dell'Aias, accusato di essere il mandante dell'omicidio di Beppe Alfano, perché era finito nei guai per l'inchiesta che era seguita agli articoli del giornalista. L'altra è per Giuseppe Gullotti, accusato di essere l'organizzatore dell'omicidio. La terza è per Nino Merlino, considerato uno dei killer del clan di Gullotti.

Ad accusare Merlino è un collaboratore di giustizia, Maurizio Bonaceto, che dice di essere passato per via Marconi poco prima del delitto e di aver visto Merlino che parlava con Alfano. Dice che Merlino ha alzato gli occhi e l'ha visto, e per questo Bonaceto si è deciso a parlare, per paura di essere ucciso.

Insomma, un omicidio di mafia.

Sonia Alfano. Dice: «Come da sempre fa la mafia, prima uccide fisicamente le persone, poi le uccide moralmente. Infanga la memoria. Tira fuori delle cose incredibili. Cosí anche per mio padre tentarono, perché questi furono tentativi che morirono immediatamente, di tirare fuori la pista passionale. Tentarono di fare di mio padre un pedofilo. Mio padre era un insegnante di scuola media e quindi aveva obbligatoriamente a che fare con i ragazzi. La mafia agisce sempre cosí, quando non riesce a portare a termine un determinato piano eliminando fisicamente la persona che dà fastidio, ne infanga la memoria».

Il 15 maggio 1996, la Corte d'assise di Messina condanna Nino Merlino a ventuno anni e sei mesi, e assolve Nino Mostaccio e Giuseppe Gullotti. Maurizio Bonaceto ha ritrattato tutto, e cosí anche un altro testimone chiamato in causa, Lelio Coppolino. I pubblici ministeri e la difesa di Merlino ricorrono in appello.

Il 6 febbraio 1998 la Corte d'appello conferma la condanna a Merlino e capovolge la sentenza per Gullotti, condannandolo a trent'anni. Nino Mostaccio esce dal processo, completamente scagionato.

La Corte di cassazione invece annulla la condanna di Merlino, per cui deve essere rifatto il processo. Il 17 aprile 2002 la Corte d'assise di Reggio Calabria assolve Nino Merlino. In carcere resta Giuseppe Gullotti, condannato a trent'anni per aver organizzato l'omicidio di Beppe Alfano.

Sonia Alfano. Dice: «Non possiamo assolutamente essere contenti di un *iter* che ormai va avanti da tanti, troppi anni, e che vede soltanto un mandante in carcere con sentenza definitiva condannato a trent'anni. Ma ci sono altre persone che andrebbero cercate. C'è qualcosa di molto diverso da quello che poi in realtà è stato preso in esame. Secondo noi la magistratura non ha volto lo sguardo verso quella che viene definita la mafia di terzo livello. Noi pensiamo che ci sia tanto ancora sotto, e soprattutto persone molto piú importanti e influenti di un capomafia».

C'è un collaboratore di giustizia che si chiama Maurizio Avola. È di Catania, e fa parte della cosca di Nitto Santapaola. È un uomo importante, che faceva parte del gruppo di fuoco che uccise un altro giornalista, Giuseppe Fava, a Catania, e quando collabora confessa almeno cinquanta omicidi. Parla anche di Alfano, raccontando tutto a un giornalista, Roberto Gugliotta, in un'intervista che fa riaprire le indagini.

Roberto Gugliotta, chiede: – Ma perché è stato ucciso Alfano?

Maurizio Avola, è di spalle, in primo piano, si vedono solo gli occhiali e un po' di barba. Dice: – Alfano, Alfano stava indagando in una cosa che porta miliardi.

– Quindi non c'entra niente l'Aias, la prima pista...

Avola scuote la testa: – Stava indagando, aveva delle prove dove la mafia aveva un bel giro di soldi...

– La mafia lei intende anche il suo capo, Benedetto Santapaola?

– Sí, non lo so questo omicidio Alfano perché dovevo partecipare all'inizio... poi se l'è voluta sbrigare Gullotti, tutta fai da te.

– Quindi il killer è anche messinese o catanese?

– No, no, no, messinese, del paese. Non l'ho conosciuto mai.

Maurizio Avola dice che Alfano è stato ucciso su ordine di Cosa nostra, perché aveva scoperto che dietro il commercio degli agrumi si nascondevano gli interessi di Nitto Santapaola e di insospettabili imprenditori legati alla massoneria. Riciclaggio di denaro sporco attraverso i fondi della Comunità europea, grosse quantità di denaro sparite nel nulla. Un'attività che ha il suo centro a Barcellona.

Su questo esiste un'indagine della Procura distrettuale antimafia di Messina, ancora in corso e di cui non si conoscono gli sviluppi.

L'avvocato Repici. Dice: «Il giorno dopo l'omicidio ci fu un po' di scuotimento della coscienza barcellonese. Non durò piú di qualche mese. In realtà l'eliminazione di Alfano per quelli che l'hanno decisa si è rivelata quasi a costo zero. L'unico costo è stato quello di sacrificare il capo dell'esercito militare, Giuseppe Gullotti. Se si valuta il deserto che si è creato attorno alla figura eroica di quel giornalista e dei suoi familiari... Possiamo dire che quel vuoto lasciato da Beppe Alfano a Barcellona non si è mai ricolmato, per la semplice ragione che nessuno lo ha voluto ricolmare. Alfano in realtà era l'unico granello di sabbia in un ingranaggio quasi perfetto. Andava rimosso, cosí è stato fatto. Da quel momento Barcellona ha vissuto in pace».

A Beppe Alfano il tesserino di giornalista è stato dato postumo, in una cerimonia di commemorazione. Quando è stato ucciso, è stato ucciso da precario, da semplice collaboratore.

Sonia Alfano. Dice: «Spesso si sbaglia, quando si dice: era un eroe. No. Lui diceva sempre: è meglio vivere un giorno da leone che cento da codardi. Lui forse ha vissuto dieci minuti da leone, però la sua è stata una vita splendida. Io penso che non abbia avuto rimpianti, che non si sia rimproverato nulla. E se lui tornasse indietro e se lui potesse ritornare in vita e chiedermi, cosí come ha fatto nel novembre del '92, che cosa ne pensassi delle minacce e di tutto il resto, io gli direi esattamente quello che gli ho detto dieci anni fa», si commuove e le si incrina la voce, ma è solo un momento, «di rifare quello che ha fatto».

Ce ne sono molti altri di giornalisti, professionisti o meno, uccisi da Cosa nostra. Ci sono Mauro De Mauro, Cosimo Di Cristina e Giovanni Spampinato, dell'«Ora» di Palermo. C'è Mario Francese del «Giornale di Sicilia». C'è Giuseppe Fava di «I siciliani». Ci sono Giuseppe Impastato di Radio Out e Mauro Rostagno, che teneva una rubrica in una Tv privata.

Anche Antonio Mazza, l'editore di Telenews amico di Beppe Alfano, è stato ucciso. Era nel giardino di casa sua assieme a degli amici quando due uomini gli hanno sparato, il 13 luglio 1993, a Gian Moro, vicino a Barcellona.

Ma gli omicidi di mafia non colpiscono soltanto chi muore.

Sonia Alfano. Dice: «Subito dopo la morte di mio padre attorno a noi c'è stato, e c'è tuttora, un vuoto incredibile e fa ancora piú male. Perché se i suoi amici, se i suoi colleghi avessero continuato a starci vicino ma anche con poco, con una telefonata, con qualche parola d'affetto, forse avremmo sopportato in maniera diversa il vuoto incolmabile che mio padre ha lasciato in noi. Invece c'è la desolazione piú totale. Molte persone è come se non ci avessero mai conosciuto. I suoi stessi amici di partito, i suoi colleghi, se ci vedono e proprio non possono fare a meno di salutarci, ci salutano, ma altrimenti... dà fastidio ancora da morto. E quindi non abbiamo avuto l'aiuto di molte persone. Le persone che ci sono state vicine, sono state pochissime in tutti questi anni ...»

Sappiamo proprio tutto sull'omicidio di Beppe Alfano? O resta anche questo uno dei tanti misteri italiani? Misteri di mafia... ombre, brutte storie, macchie che sicuramente una terra come la Sicilia non si merita.

Le immagini di repertorio mostrano il funerale di Beppe Alfano. All'interno della chiesa, gremita di persone, si distinguono i familiari. Si odono alcune parole pronunciate dal sacerdote durante la funzione: «Vendetta e odio, perché anche l'odio...» Scrosciano gli applausi durante il trasporto della cassa al di fuori della chiesa. Si sente il suono della campana.

Sonia Alfano. Dice: «La Sicilia è una terra incredibilmente bella, piena di controsensi. È bella ed è brutta. Ti fa ridere e ti fa piangere. Vedi il sole, vedi il mare, ti fa ridere. Pensi a questa grande piovra, che condiziona alla luce del giorno la vita un po' di tutti i siciliani, e ti viene da piangere. Ma è una terra della quale non si può fare a meno. Io penso che ogni siciliano abbia nel sangue, nel suo Dna questo amore per questa terra».

Una foto di repertorio ritrae Beppe Alfano che sorride naso a naso con un bambino... poi si vedono le luci accese della sua auto rossa, nel buio della sera.

Si intravede il suo corpo riverso sul sedile...

La strage di Bologna

Ci sono storie che per tante ragioni colpiscono piú di altre. Per chi vive o è nato a Bologna, per esempio, la storia della strage della stazione è sicuramente la piú straziante di tutte. Ma non c'è bisogno di amare Bologna per sentirsi particolarmente colpiti dall'evento. Quello che è successo alla stazione il 2 agosto del 1980 è qualcosa di incredibile, di enorme, al limite dell'impensabile. I morti, i mutilati e i feriti sono talmente tanti che corrono il rischio di sembrare una statistica, di spersonalizzarsi. Non è cosí, basta guardarci dentro con attenzione, focalizzare per un momento lo sguardo sulla stazione sventrata e si può avere con concreta nettezza la sensazione di cosa significhi la parola *strage*.

Poi, un momento dopo, passato l'impatto sconvolgente dell'orrore, si può cominciare ad avere paura. Mica per la bomba. Per tutto quello che è successo dopo.

Questa è la storia di una strage.

Questa è una storia che fa piangere, fa rabbia e fa paura. È la storia di una valigia, di una stazione e di ottantacinque morti.

Questa è la storia della strage alla stazione di Bologna.

Sala d'aspetto di seconda classe.

2 agosto 1980.

Ore 10,25.

Se ci fosse stato un fotografo sulla porta della sala d'aspetto, magari un pubblicitario per un dépliant sulle Ferrovie dello Stato, o un reporter del «Carlino» per un articolo su Bologna d'estate, avrebbe fermato nel tempo l'immagine di una grande sala quasi quadrata, piena di gente e con molti bambini. In una sala d'aspetto la gente «aspetta», sta seduta sulle poltroncine, sulle valigie, e anche in terra. Legge, parla, dorme, fuma, studia i tabelloni con gli orari, entra ed esce. In una sala d'aspetto ci sono bambini che corrono, bambini che dormono e bambini che piangono.

Se ci fosse stato un fotografo sulla porta di quella sala d'aspetto, non avrebbe potuto fotografare i pensieri e le sensazioni, ma a guardare bene la fotografia, forse noi saremmo riusciti a capirli, quei pensieri, a «leggerli» sulle espressioni e negli atteggiamenti. Caldo, un caldo infernale e afoso come sa esserci a Bologna in una mattina d'agosto, soprattutto in centro, e soprattutto in stazione. Fastidio per la confusione e i ritardi, perché tutta l'Italia sta andando in vacanza. La tranquillità di chi non ha fretta. L'ansia di chi deve andare in un posto in cui non vuole andare o di chi al contrario vorrebbe arrivarci al piú presto.

A seconda di dove avesse puntato la macchina, di quale angolazione avesse dato al suo obiettivo, il fotografo avrebbe avuto alcune persone in primo piano e altre sullo sfondo. Se avesse puntato la sua macchina verso la parete accanto alla porta, per esempio, avrebbe avuto in primo piano una donna con una bambina.

La donna si chiama Maria Fresu, e va in vacanza con la figlia e alcune amiche. Viene da Firenze, ha cambiato a Bologna e adesso aspetta il treno per Verona, perché va in vacanza sul lago di Garda. Due settimane, in agosto, perché fa l'operaia in una fabbrica di confezioni di Empoli, e tutta l'Italia che lavora, quasi tutta almeno, va in vacanza in agosto.

Probabilmente il fotografo avrebbe ripreso Maria Fresu mentre tiene gli occhi su Angela, sua figlia, che non sta mai ferma. Magari l'avrebbe fissata mentre le afferra il braccio e lei si torce per divincolarsi come fanno i bambini, perché ha caldo anche lei, e non ne può piú di aspettare il treno. Poi ha tre anni, è piccolissima, ed è naturale che non stia ferma nella rovente e affollatissima sala d'aspetto di seconda classe della stazione di Bologna, il 2 agosto del 1980, alle ore 10,25.

Una fotografia ferma il tempo per un attimo, giusto il tempo che si chiuda l'otturatore della macchina, poi il tempo continua, va avanti. Le azioni bloccate riprendono. Maria Fresu lascia Angela che corre lontano, verso la porta, e lei deve alzarsi in fretta per correrle dietro, come si fa con i bambini.

Ma quella fotografia no.

Quella fotografia il tempo lo blocca per sempre.

Accanto a Maria Fresu, su un tavolino proprio sotto il muro di fianco alla porta, a mezzo metro da terra, c'è una borsa valigia con la cerniera e i piedini metallici.

Lí dentro, dentro la valigia, c'è una bomba che scoppia.

Un filmato dell'epoca riprende alcuni morti tra le macerie della stazione di Bologna mentre le sirene delle autoambulanze suonano a intervalli irregolari. Un corpo viene coperto da un lenzuolo bianco, la telecamera si sposta con uno scatto e riprende il corpo di una donna anziana coperto di polvere. Alcune persone cercano di fare qualcosa, si sentono commenti disperati e bestemmie. La ripresa sbalza e inquadra un altro corpo impolverato vicino un'auto bianca. È riverso su una trave di legno. Tutti cercano di darsi da fare, vigili del fuoco, ferrovieri, polizia, comuni cittadini in maglietta e pantaloncini... Coprono con le lenzuola i corpi. Alcuni feriti vengono portati via insanguinati e anneriti su tavole di legno, barelle improvvisate, sedie tenute a braccio.

La sala d'aspetto, gli uffici al piano di sopra, il ristorante e il bar, tutta un'intera ala della stazione di Bologna si alza e ricade su se stessa. Il muro portante della sala d'aspetto crolla, trascinando con sé le lamiere delle pensiline e i mattoni del tetto. Fiamme, schegge di metallo e pezzi di cemento si infilano giú nel sottopassaggio: da una parte investono il treno straordinario Ancona-Chiasso che sosta sul primo binario, e dall'altra, fuori dalla stazione, spazzano via i taxi che attendono sul piazzale.

Il boato si sente in tutta la città.

Da centinaia di metri di distanza si vede una colonna di fumo. È gialla, arancione e nera, e si alza da quello che resta della stazione di Bologna.

Si vede un'ambulanza arrivare curvando verso la piazza della stazione. Un uomo urla al megafono: «Una bombola d'ossigeno, è urgente, una bombola! » La telecamera riprende ciò che rimane dell'intera ala della sala d'aspetto, lacerata dal boato. Le sirene continuano a suonare. È tutto coperto di polvere, i taxi hanno i vetri rotti e sono coperti da mattoni, le persone si muovono indaffarate, alcuni hanno una mascherina. L'autobus numero 37, adibito a infermeria, è fermo nel piazzale, le persone salgono e scendono.

La prima ambulanza è già in arrivo alle 10,27, due minuti dopo l'esplosione. Anche i taxi che aspettavano sul piazzale si dànno da fare per trasportare i feriti all'ospedale. L'autobus 4030 della linea 37 si trasforma in un'infermeria viaggiante. Arrivano tutti, tassisti, viaggiatori, vigili del fuoco, infermieri, carabinieri, poliziotti, militari, gente di passaggio.

C'è un uomo che lascia la macchina contro il marciapiede, grida: – C'è bisogno di un dottore? – e si getta anche lui in quell'inferno rovente di macerie, polvere, fumo e morte.

Nelle immagini di repertorio un giornalista intervista una ragazza. Dice: – Era finita sotto un mucchio di altre persone?

– Persone, cose, vetri, polvere... urla e un boato, un gran vento che era lo spostamento d'aria, poi ho sentito male, ho iniziato a toccarmi, ho detto: sono viva, mi sono alzata e mi sono messa a correre, sono uscita.

– Intorno a sé cosa ha visto in un primo momento, se lo ricorda?

– In un primo momento, una persona che non aveva la testa... l'unica cosa, poi non ho piú visto niente.

Un portabagagli dice al cronista: – A raccontarla fa terrore: i bimbi che ci si scioglieva la faccia, si scioglieva proprio. I piú li abbiam portati fuori. Sono stato qui un'ora, un'ora e mezza a soccorrerli, poi sono andato via perché non ne potevo piú.

Si vede il presidente della Repubblica, Sandro Pertini. È attorniato da gente, poliziotti, giornalisti, cammina con la testa bassa e dice con voce rotta dalla commozione: – Come posso esprimere lo stato d'animo mio, voi lo immaginate. Ho visto adesso dei bambini laggiú nella sala di rianimazione, ma... due stanno morendo ormai, una bambina, un bambino... una cosa straziante!

Il primo autobus che si allontana dalla stazione devastata porta all'obitorio dell'Ospedale maggiore i corpi di otto persone. Poco dopo ne parte un altro con dodici. Tutte le volte che si scava, si alza una trave o si sposta un blocco di cemento salta fuori un corpo, poi un altro ancora. Ma quanti sono?

Ottantacinque.

Saranno ottantacinque i morti della stazione di Bologna. Piú duecento feriti. I passeggeri della sala d'aspetto, quelli del treno sul primo binario, gli impiegati negli uffici, la gente al ristorante, persone che passavano per caso, i tassisti, i bambini... è la strage piú grande mai avvenuta in Italia in tempo di pace.

E non finisce lí, con quei morti e quei feriti. C'è un altro aspetto altrettanto straziante.

Ci sono i parenti.

Nelle immagini di repertorio si vede una donna che fuma nervosa una sigaretta, una signora anziana che si stringe a una donna piú giovane trattenendo a fatica le lacrime. Siamo davanti all'obitorio dell'Ospedale *Sant'Orsola*.

Appena si diffonde la notizia della strage, a Bologna, in Italia, in tutto il mondo, chiunque abbia qualcuno che stava viaggiando quel giorno, si preoccupa. Cerca di rintracciarlo, cerca notizie, e se non ne ha, ha paura.

Chi aveva un figlio in viaggio, una moglie che lo aspettava alla stazione, un fratello che aveva perso il treno e attendeva il prossimo, ha paura.

Chi telefona all'Ufficio assistenza del Comune di Bologna per avere notizie, ha paura.

Chi è stato chiamato, chi aspetta davanti all'obitorio e spera che si siano sbagliati, che il nome sulla lista non corrisponda alla persona che vedrà, ha paura.

Una bara viene trasportata fuori dall'obitorio da alcuni militari, è la numero 41, altri caricano la numero 86 sul camioncino, si sentono delle grida di disperazione. Alcuni parenti arrivano con i volti preoccupati. Un signore anziano gira senza meta sconvolto dal dolore, è trattenuto a stento da un'infermiera...

Tra le persone che vengono chiamate a Bologna c'è un signore di Roma che si chiama Torquato Secci. Gli hanno detto che suo figlio Sergio è ricoverato all'Ospedale maggiore. Quando arriva in taxi, gratuitamente, perché per quei giorni i taxi, gli alberghi, tutta la città è a disposizione dei parenti delle vittime, Torquato Secci trova il figlio Sergio in un letto del reparto rianimazione.

È ustionato e gonfio, coperto di ferite, ha perso un polmone e gli hanno amputato una gamba. Cinque giorni dopo, muore.

> Paolo Bolognesi è il presidente dell'Associazione dei familiari delle vittime della strage alla stazione di Bologna del 2 agosto 1980, fondata da Torquato Secci. Dice: «Il 2 agosto dell'80 io tornavo dalla Svizzera con mia moglie, e a Bologna dovevano esserci ad attenderci mio figlio, mia madre e i genitori di mia moglie. La cosa fu subito molto preoccupante col fatto che ad attenderci al treno non c'era nessuno delle quattro persone che noi attendevamo. Al primo binario abbiamo visto questa distruzione immane. C'era chi diceva che era stata un'esplosione, che era stato un attentato dinamitardo. Poi una radio locale ci informò che un bambino rimasto ferito dalla strage si trovava all'Ospedale maggiore. Andai io a riconoscere mio figlio in una situazione molto... animata, quanto meno. Riconobbi mio figlio, anche perché era messo piuttosto male, lo riconobbi da una voglia alla pancia, poi ci fu la ricerca nei vari obitori per trovare l'altra persona che non era da nessuna parte».

Il bambino ferito ha sei anni e si chiama Marco. È ancora vivo. L'altra persona invece è morta. Si chiamava Vincenzina e aveva cinquant'anni.

E Maria Fresu?

Maria non si trova. Si trovano le amiche che dovevano partire in vacanza con lei, e sono morte, c'è Angela, tre anni, morta anche lei, in una delle bare bianche che si usano per i bambini, ma Maria non c'è. Dov'è? Il suo corpo non si trova.

Qualche mese dopo, analizzando qualche frammento trovato sotto il treno che andava a Chiasso, arriverà la risposta. I periti balistici, gli esperti di esplosivo, non ci volevano credere che fosse possibile disintegrare una persona, e invece è possibile, è successo. Di Maria Fresu è rimasto soltanto qualche frammento che viene messo in un'urna e consegnato ai parenti. Una strage come quella della stazione di Bologna può fare anche questo. Non uccide soltanto, può anche far sparire una persona, come se non fosse mai esistita. Almeno materialmente.

Ottantacinque morti e duecento feriti.

Perché?

Come?

Le immagini di repertorio mostrano il ministro Rognoni che entra in auto. Un giornalista lo avvicina e gli chiede: – Si sa nulla? Attentato o no? – Il ministro, con tono secco: – Non sappiamo ancora nulla.

La prima ipotesi che viene formulata, la prima voce che si diffonde, è che sia scoppiata una caldaia sotto il ristorante. Ci sono anche alcune persone che sembrano molto informate, oltre che dotate di una certa autorità, che lo dicono ai giornalisti: è stato un incidente, non mettete in testa alla gente che è stato un attentato.

Non ci crede nessuno.

Nel repertorio c'è una giornalista che intervista alcune persone nei dintorni della stazione, poche ore dopo.

– Lí per lí non si sapeva se era un aereo caduto sopra, poi l'odore della polvere da sparo s'è sentito.

– Ah, s'è sentito...

– Eh. Sí, nel modo piú assoluto.

– Quindi insomma, la caldaia...

– Non c'entra la caldaia, niente, questo è un attentato vero e proprio.

Interviene un'altra persona che dice: – L'unica caldaia che abbiamo è là sotto, è là tranquilla... sta benissimo.

La caldaia sotto il ristorante è ancora lí, e un'esplosione di quel genere non può essere stata frutto di un incidente. Ventiquattro ore dopo, il 3 agosto, il presidente del Consiglio Francesco Cossiga tiene una conferenza stampa presso il palazzo del Comune di Bologna, e parla di «deflagrazione dolosa». Il procuratore della Repubblica di Bologna, Ugo Sisti, apre un fascicolo per gli articoli 285 e 422 del Codice penale.

Sono quelli di strage.

La perizia balistica, eseguita dal dottor Marino della polizia scientifica di Bologna e dal colonnello Ignazio Spampinato, accerta che nella valigia con la cerniera e i piedini lasciata sul tavolino portabagagli della sala d'aspetto di seconda classe c'erano ventitre chili di esplosivo.

Diciotto chili di nitroglicerina per uso civile e cinque chili di Compound B, una miscela di tritolo e T4, un esplosivo che si trova nelle ogive e nei proiettili di uso militare. Non sono dettagli, sono partcolari importanti.

Esplosivo ad alto potenziale e la bomba proprio sotto il muro portante di quell'ala della stazione. Alle 10,25 del 2 agosto. E proprio nella sala d'aspetto di seconda classe della stazione di Bologna, dove tutta l'Italia sta passando per andare al mare. È una strage studiata per uccidere il maggior numero di persone. È una strage studiata per fare almeno ottantacinque morti e duecento feriti.

Chi è stato?

Fin dall'inizio le indagini si orientano su un'area politica precisa nella quale trovare almeno gli esecutori, se non i mandanti: l'estremismo neofascista.

A guidare i giudici in quella direzione un voluminoso rapporto depositato dalla Digos di Bologna il 22 agosto, che contiene documenti come i «fogli d'ordini» di Ordine nuovo, *La disintegrazione del sistema* di Franco Freda, *Guerra rivoluzionaria*, documenti che dimostrano la vocazione stragista di certa destra neofascista.

Poi ci sono i precedenti: la strage di piazza Fontana (sedici morti e ottantotto feriti), la strage di Peteano (tre morti e due feriti), la strage della Questura di Milano (quattro morti e quarantacinque feriti), la strage del treno Italicus (dodici morti e quarantaquattro feriti), la strage di Brescia (otto morti e centotre feriti).

Ci sono voci e confidenze, e discorsi fatti in carcere da detenuti di estrema destra, raccolti dalla polizia. E ci sono anche le indagini di un magistrato di Roma che si chiama Mario Amato, e che, da solo, stava mettendo a fuoco l'arcipelago dei gruppi del terrorismo neofascista, soprattutto i suoi rapporti con la criminalità organizzata ed esponenti del mondo economico e politico, quando è stato ucciso. La mattina presto del 26 giugno del 1980 stava aspettando alla fermata dell'autobus, quando Gilberto Cavallini gli ha sparato alla nuca con l'aiuto di un altro estremista di destra, Luigi Ciavardini.

Va bene, la matrice della strage sembra quella. Ma fisicamente chi ha messo la bomba? Chi ha dato l'ordine?

Il 28 agosto la Procura della Repubblica di Bologna emette ventotto mandati di cattura a carico di molti dei protagonisti dell'estremismo di destra di quegli anni. A questi se ne aggiungeranno altri per un totale di oltre cinquanta. Le accuse, per adesso, sono di associazione sovversiva, banda armata ed eversione dell'ordine democratico.

È qui che comincia il secondo grande mistero che avvolge la strage alla stazione di Bologna. Il primo è chi e perché, ma un altro grande e inquietante mistero riguarda tutto ciò che accade attorno alle indagini. Sí, perché appena l'inchiesta parte, appena la Procura di Bologna si muove, ecco che arriva una serie infinita di confidenze, pentimenti, scoperte, depistaggi che allargano e restringono le indagini, che si orientano ora su questo ora su quello, nel tentativo di afferrare qualcosa, fermare quanto c'è di vero in mezzo a tante menzogne.

Libero Mancuso era il giudice istruttore presso il tribunale di Bologna che si è occupato della strage. Dice: «Mai nessun processo come quello della strage del 2 agosto 1980 ha subito tante deviazioni, tanti tentativi di allontanare i giudici dalla verità come quello di cui stiamo parlando».

La prima fonte di confusione è una telefonata che attribuisce la responsabilità ai Nar, i Nuclei armati rivoluzionari, un gruppo terrorista di estrema destra. È una telefonata molto simile a quella che in precedenza aveva attribuito la strage di Ustica a un neofascista italiano legato ai Servizi segreti francesi, Marco Affatigato, che doveva essere morto nella strage e invece è vivo, a Nizza. Si scoprirà in seguito che a fare le due telefonate è stato l'ufficio Sismi di Firenze, i nostri Servizi segreti. Un depistaggio.

Poi ci sono le dichiarazioni di un detenuto, Giorgio Farina.

Il giudice Mancuso. Dice: «In quel momento era detenuto il vicecapo del Sisde, il dottor Russomanno, il quale nel carcere era entrato in contatto con un personaggio molto ambiguo che era un certo Farina, il quale Farina rivelerà ai giudici i nomi di due esecutori materiali della strage che poi risulteranno del tutto estranei a questo attentato. Però quella è certamente la prima incursione che viene fatta da parte dei Servizi per impedire la verità».

Nel carcere di Champ Dollon, in Svizzera, c'è un detenuto per reati comuni legato al Servizio segreto francese che si chiama Elio Ciolini. Ciolini dice di avere importanti dichiarazioni da fare, e racconta a un capitano dei carabinieri che la strage è stata ordinata da una loggia massonica, la Loggia di Montecarlo, di cui fanno parte esponenti del mondo economico italiano. A organizzare la strage, secondo Ciolini, sarebbero stati Stefano Delle Chiaie, fondatore di Avanguardia nazionale, in quel momento in Sudamerica, e due mercenari internazionali di fede nazista, Olivier Danet e Joakim Fielbekorn. Pista internazionale, quindi. Ciolini verrà condannato a nove anni per calunnia.

Ancora: un giornalista di «Panorama» che si chiama Andrea Barberi. Barberi si trova negli uffici del Sismi, invitato da Francesco Pazienza. Chi è Francesco Pazienza? È un medico che è stato a lungo all'estero poi è tornato in Italia, dove è diventato, improvvisamente, un collaboratore del Sismi.

Immagini di repertorio. All'interno di un'aula di tribunale viene ascoltato Francesco Pazienza, che dice: «Entrai a far parte del Sismi come direttamente dipendente dal generale Santovito. Io avevo una vasta rete di conoscenze in giro per il mondo, parlavo perfettamente quattro lingue e avevo una entratura ottima alla segreteria di Stato del Vaticano, dove all'epoca Santovito neanche aveva mai messo piede, cioè i Servizi segreti italiani neanche avevano mai messo piede..».

Non ha un incarico ufficiale, Francesco Pazienza, ma è molto influente, si dice che abbia addirittura ispirato la creazione di un Servizio segreto parallelo, il Supersismi. Si dice.

Nell'aula del tribunale alla domanda: – Il Super Esse lo diresse lei, allora?

Pazienza risponde: – Il Super Esse ero io, signor presidente.

I giornali conieranno per lui la definizione di «faccendiere». Si dice anche che sia un membro importante della P2 di Licio Gelli. Si dice.

Pazienza, in tribunale: «Il sottoscritto Licio Gelli non l'ha mai visto e conosciuto. Vorrei capire come potevo mettermi a disposizione di un personaggio che non avevo mai visto e conosciuto. È un dato di fatto che il mio nome non è apparso negli elenchi della P2, perché non ero della P2».

Andrea Barberi dice che Pazienza lo porta nell'ufficio del direttore del Sismi, generale Santovito, anche lui nella P2. Dice che si comporta come se fosse il vero capo e non un generale, poi gli mette in mano una serie di documenti. Da questi e da altre informazioni raccolte in precedenza nasce un articolo dal titolo *La grande ragnatela*. A mettere la bomba fisicamente sarebbero stati due giovani neonazisti tedeschi del gruppo Hoffmann per conto di Delle Chiaie e di altri neofascisti italiani. Pista internazionale. Un altro depistaggio?

Di piú: ci si mette Licio Gelli in persona, il capo della loggia massonica P2.

Nella hall dell'hotel *Excelsior* Licio Gelli parla con Elio Cioppa, capo del centro Sisde II di Roma, anch'egli nella P2. – Ma voi avete sbagliato tutto, – gli dice, – senz'altro la pista è quella internazionale.

Ancora: una giornalista che si chiama Rita Porena sul «Corriere del Ticino» raccoglie un'intervista ad Abu Ayad, capo dei Servizi segreti dell'Olp, che attribuisce la strage a neofascisti italiani che studiano nei campi di addestramento per terroristi in Libano, e a tedeschi del solito gruppo Hoffmann. Arrivano anche le informative dei nostri Servizi segreti, tante, sicure e confuse: la pista è libanese, no, la pista è spagnola, sono stati gli stessi che hanno fatto saltare una sinagoga a Parigi.

Poi accade un altro fatto, forse il piú grave di tutti.

Il 13 gennaio 1981, alle 9,26 della mattina, in uno scompartimento di seconda classe dell'Espresso 514 Taranto-Milano, i carabinieri trovano una valigia sospetta. Dentro ci sono un mitra Mab con due caricatori, un fucile da caccia calibro 12, due passamontagna di colore blu, due guanti di gomma e soprattutto otto lattine piene di esplosivo.

Attenzione, non un esplosivo qualunque: una miscela di gelatinato piú tritolo e T4, il Compound B, identica a quella che ha fatto saltare la stazione di Bologna.

I carabinieri non ci sono andati per caso, su quel treno. Hanno seguito una serie di informative che iniziano quattro giorni prima, il 9 gennaio, quando il generale Santovito e Francesco Pazienza hanno consegnato al generale Musumeci, vicecapo del Sismi, un rapporto che si chiama *Terrore sui treni*. Nel rapporto c'è scritto che inizieranno una serie di attentati alle linee ferroviarie, organizzati da neofascisti italiani e terroristi francesi e tedeschi.

Ancora la pista internazionale.

Tutte le questure, i comandi dei carabinieri e gli uffici di polizia ferroviaria si allarmano. L'indomani e il giorno dopo ancora, nuove informative del Sismi. I terroristi francesi e tedeschi sono due, il primo si chiama Raphael Legrand, il secondo Martin Dimitris. C'è anche la descrizione, uno è grosso e l'altro è un po' calvo.

Informazioni incredibilmente precise, e infatti, assieme alle armi e all'esplosivo, nella borsa si troveranno anche due giornali francesi e uno tedesco, addirittura i biglietti aerei, intestati proprio a Raphael Legrand e Martin Dimitris.

Incredibile precisione. Troppa.

> Il giudice Mancuso. Dice: «Quest'ulteriore vicenda rimase senza responsabili fino al 1984, quando si accertò che a mettere quell'esplosivo era stato materialmente un sottufficiale dell'Arma dei carabinieri che era stato avvicinato dagli agenti del Sismi e dai suoi superiori, che erano il maresciallo Sanapo e il generale Musumeci».

Un altro depistaggio. A contattare il sottufficiale è stato un colonnello del Sismi, Giovanni Belmonte, che ha agito per conto del suo superiore, il generale Pietro Musumeci, vicecapo del Sismi. Tutti e due sono nella P2 di Licio Gelli.

In questa ragnatela di piste che fanno correre i magistrati in tutte le direzioni, che fanno aggiungere alla lista degli indagati sempre nomi nuovi e nuove spiegazioni, le indagini sulla strage alla stazione di Bologna rischiano di perdersi. I magistrati rimbalzano tra i vari elementi, e quando toccano la verità rischiano di non riconoscerla o di non trovare sufficienti elementi per provarla. Inoltre, ogni volta che una pista crolla, rivelandosi un depistaggio, finisce per togliere credibilità anche al resto.

Il giudice Mancuso. Dice: «Avremo il giudice istruttore che inseguirà le piste piú incredibili, che si riveleranno, a distanza di tempo, le piú fantasiose e assurde. Ma che vedono tutte quante il giudice istruttore portato per mano, dietro queste piste fantasiose, da esponenti dei nostri Servizi di sicurezza».

I cinquanta, e oltre, indagati dall'inizio dell'inchiesta vengono scagionati. Il 15 settembre 1981, presso il tribunale di Bologna, si discute per ore se sia il caso o no di archiviare la vicenda. Senza colpevoli, senza mandanti, senza verità.

In un filmato dell'epoca si vede il presidente della Repubblica Sandro Pertini che si ferma davanti alla bara bianca di un bambino.

Ma i magistrati, alcuni almeno, non ci stanno. Non ci sta Bologna. E soprattutto non ci stanno Torquato Secci, Paolo Bolognesi e quelli che hanno perso qualcuno nella strage.

Il primo giugno 1981 nasce l'Associazione dei familiari delle vittime della strage alla stazione di Bologna del 2 agosto 1980.

Paolo Bolognesi. Dice: «L'Associazione, che si è costituita il primo giugno dell'81, ha avuto come obiettivo il mantenere fondamentalmente la memoria. Se non c'è una tensione nel Paese che vuole ricordare questi fatti, diventa difficile che i processi possano andare avanti. L'Associazione ha sicuramente il merito di avere tenuto viva la memoria in tutti questi anni».

Torquato Secci come presidente dell'Associazione, poi Paolo Bolognesi e gli altri, si dànno da fare, rilasciano interviste, partecipano a trasmissioni televisive, scrivono al presidente della Repubblica Sandro Pertini, fanno pressione perché l'inchiesta non si fermi. E ogni anno, il 2 agosto, sono lí, dove si tiene la commemorazione dell'anniversario della strage, a chiedere verità e giustizia. 2 agosto 1981, 2 agosto 1982, 2 agosto 1983, anno dopo anno, sempre.

Si vede la piazza della stazione di Bologna gremita di folla, e su un palco Renato Zangheri, sindaco di Bologna, affiancato da Sandro Pertini, che dice: «Alle famiglie esprimiamo la nostra solidarietà...»

L'11 dicembre 1985 c'è una svolta nelle indagini.

Su richiesta dei pubblici ministeri Libero Mancuso e Attilio Dardani, i giudici istruttori Vito Zincani e Sergio Castaldo emettono una serie di mandati di cattura.

Il 14 giugno 1986 vengono rinviati a giudizio per associazione sovversiva Licio Gelli, Francesco Pazienza, il vicecapo del Sismi, generale Pietro Musumeci, e il suo braccio destro, colonnello Giuseppe Belmonte. Per i magistrati sarebbero a capo di un gruppo che aveva il compito di sovvertire l'ordine democratico con attentati commissionati a gruppi di estrema destra. Anello di congiunzione tra la testa dell'associazione, Licio Gelli, i Servizi segreti deviati, il Supersismi e i gruppi neofascisti sarebbero Fabio De Felice, Paolo Signorelli, Roberto Rinani e Massimiliano Fachini, esperto di esplosivi, che secondo la Procura avrebbe fornito la bomba che ha fatto saltare la stazione. Presenti sul posto, alla stazione, il 2 agosto 1980, Sergio Picciafuoco e Luigi Ciavardini.

Poi Valerio Fioravanti e Francesca Mambro.

Valerio Fioravanti e Francesca Mambro sono due dei membri piú attivi dei Nar, i Nuclei armati rivoluzionari, protagonisti, nell'area del terrorismo di destra, di quello che viene definito lo «spontaneismo armato».

Vittorio Borraccetti allora era il sostituto procuratore della Repubblica di Venezia che interrogò per primo Valerio Fioravanti, dopo la sua cattura. Dice: «La novità di quest'area definita genericamente di spontaneismo armato, nel quale si situa anche il gruppo di Fioravanti, è proprio questa: contestazione delle Istituzioni, contestazione dello Stato, conflittualità anche con gli uomini dello Stato».

Giuseppe Valerio Fioravanti, detto Giusva, è un nome noto. Per il grande pubblico, perché da bambino ha fatto l'attore in uno sceneggiato televisivo di successo, *La famiglia Benvenuti*. Per l'area dell'eversione di destra e per le Forze dell'ordine, perché è uno dei terroristi piú spietati e pericolosi.

Il primo omicidio lo commette nel febbraio del 1978, a Roma. Durante un raid punitivo contro l'estrema Sinistra, Valerio Fioravanti spara e uccide un ragazzo di ventiquattro anni, Roberto Scialabba. Nel dicembre del '79 tende un agguato a un avvocato, ma sbaglia persona e uccide Antonio Leandri, ventiquattro anni, che si è trovato nel posto sbagliato al momento sbagliato. Il gruppo ha bisogno di soldi e quindi commette rapine. Ma ha anche bisogno di armi. Nel febbraio del 1980, Fioravanti dice al fratello Cristiano, anche lui nei Nar, che un poliziotto gli darà un mitra. A che prezzo?, chiede Cristiano. Gratis, dice Valerio. Poco dopo spara a Maurizio Arnesano, che ha diciannove anni e fa l'agente di pubblica sicurezza. Prima lo ferisce, poi lo insegue e lo finisce con altri cinque colpi. Davanti al liceo *Giulio Cesare*, a Roma, Fioravanti apre il fuoco assieme ad altri contro un'auto civetta della polizia e uccide l'agente Franco Evangelista, detto Serpico. Infine c'è l'omicidio del giudice Mario Amato, la cui responsabilità morale viene attribuita anche a Fioravanti.

Valerio Fioravanti sarà arrestato il 6 febbraio 1981. Viene ferito mentre cerca di recuperare alcune armi da un canale vicino a Padova, e riesce a uccidere nel conflitto a fuoco due carabinieri di vent'anni, Enea Codotto e Luigi Maronese.

Prima dell'arresto, compie almeno otto omicidi, oltre alle rapine, ai sequestri e agli attentati.

In una riunione del Movimento sociale italiano, Valerio Fioravanti conosce una ragazza, Francesca Mambro.

Nei primi mesi del 1980 Valerio e Francesca diventano inseparabili, sia nella vita che nelle azioni criminali. C'è anche lei quando vengono uccisi l'agente Evangelista e i carabinieri Codotto e Maronese, anche lei ha la responsabilità morale per l'omicidio del giudice Amato. Poi, dopo che Fioravanti è stato arrestato, ci sono i neofascisti Giuseppe De Luca e Marco Pizzari, uccisi per regolamenti interni e sospetti di delazione. E il capitano di polizia Francesco Straullu e l'agente Ciriaco Di Roma, massacrati a colpi di fucili d'assalto di grosso calibro. E Renato Mancini, figlio del titolare di una gioielleria, che si è opposto a una rapina. E Alessandro Caravillani, un ragazzo di sedici anni, finito per caso in mezzo alla sparatoria seguita dopo la rapina a una banca. Anche Francesca Mambro è rimasta ferita. I suoi la lasciano in una Ritmo bianca davanti all'ospedale e chiamano l'Ansa perché la trovino.

Fino a quel momento, quando viene arrestata dalla polizia, di omicidi a carico di Francesca Mambro ce ne sono otto.

Ma su Bologna, contro di loro, che cosa c'è?

La testimonianza di Massimo Sparti, un pregiudicato a metà tra criminalità comune ed estremismo di destra, sempre pronto a fornire documenti falsi e ospitalità ai neofascisti che ne hanno bisogno.

Nelle immagini di repertorio Massimo Sparti è in un'aula di tribunale. Il giudice gli chiede: – Si ricorda se dal 2 al 4 è avvenuto qualcosa?

E lui risponde: – Sí, il 4.

– Che cosa è avvenuto?

– La visita di Giusva Fioravanti.

– Era solo o era insieme con...

– Era insieme con la Mambro –. La telecamera riprende Mambro e Fioravanti seduti nella gabbia. Parlano tra loro. – Quella mattina è venuto e una delle prime frasi che m'ha detto è stata: hai sentito che botto! Poi mi chiese subito i documenti, che gli servivano i documenti per la Mambro, perché diceva che loro stavano la mattina del 2 alla stazione di Bologna... Certo, non mi ha detto: ho messo la bomba. Questo io non l'ho mai detto.

Sparti dice che il 4 agosto 1980, due giorni dopo la strage, Valerio Fioravanti e Francesca Mambro sono a casa sua, a Roma. Sarebbe stato Valerio a parlagli della strage, gli avrebbe detto: «Hai sentito che botto!», e gli racconta che c'era, vestito da turista tedesco, e che c'era anche Francesca. Ha paura che qualcuno possa averla riconosciuta e per questo sono lí, perché vuole per lei documenti falsi, una patente e una carta d'identità. Sparti ha paura, questa volta non è una rapina o un omicidio, questa è una strage, e allora Valerio lo avrebbe minacciato: attento a non parlare, o Stefanuccio tuo, che è suo figlio, piangerà. Sparti procura i documenti.

È una versione che sarà in parte contraddetta dalla famiglia di Sparti.

Fioravanti e la Mambro invece negano.

La Mambro dice al giudice in aula: «Che senso aveva aver bisogno di un documento falso per metterci la stessa foto, cioè la stessa faccia? Al limite avrei dovuto cambiare il volto, quindi piú che di un documento falso avrei avuto bisogno di una plastica facciale».

Fioravanti: «Sparti non inventa, Sparti semplicemente ricuce in maniera diversa alcuni episodi che sono reali. Ricolloca al 2 agosto episodi che sono avvenuti in epoche antecedenti e successive».

Che cosa c'è contro di loro?

La mancanza di un alibi, dicono i magistrati. Valerio Fioravanti dice che il 2 agosto si trovavano a Treviso, ospiti di Gilberto Cavallini e della sua compagna. Francesca Mambro dice che erano a Padova. Poi Fioravanti si corregge, erano a Treviso in mattinata, poi a Padova, dove Cavallini aveva un altro appuntamento: doveva incontrare il fantomatico zio Otto, che alcuni ritengono sia Carlo Digilio, l'armiere di Ordine nuovo in Veneto, che verrà condannato per la strage di piazza Fontana.

La compagna di Cavallini prima nega la presenza dei due, poi cambia idea e conferma. C'è un po' di confusione, sull'alibi di Valerio e Francesca.

Fioravanti in tribunale: «Un latitante non può avere un alibi. Perché il latitante, come dicevamo anche ieri, fa di tutto per farsi notare il meno possibile. Insomma non frequenta gente rispettabile e cerca di non farsi vedere, cerca di non farsi notare. Per cui non mi piace che si parli di questa giornata, del fatto che noi per caso ci siamo trovati con la Flavia Sbrojavacca, che ha avuto il coraggio di confermare che lei alle nove di mattina ci ha visto, insomma. Però la nostra posizione rispetto a ottantacinque morti non può poggiare sulle spalle della Flavia Sbrojavacca o della madre. Ritengo al contrario che sia compito di una sentenza dimostrare l'inverso».

Poi c'è l'omicidio di Ciccio Mangiameli.

Francesco Mangiameli è un neofascista di Terza posizione e sta a Palermo. Dal 14 al 30 luglio Valerio Fioravanti e Francesca Mambro sono a casa sua. Tre giorni prima della strage. Poi ripartono. Mangiameli li rivedrà soltanto un mese dopo.

Il 9 settembre, però, lo convocano a Roma, lo caricano in macchina, lo portano in una pineta vicino al mare e lo uccidono. Poi lo spogliano, lo appesantiscono con alcune cinture da sub e lo gettano in un laghetto.

Perché lo hanno fatto? Perché era un ladro, dicono loro: si era appropriato dei soldi che servivano per far evadere il neofascista Pierluigi Concutelli. E perché era completamente inaffidabile.

> Fioravanti, in tribunale: «Se questa sentenza passa in definitiva chiarisce che non ci sono moventi occulti. Tanto è vero che c'è stata addirittura cancellata l'aggravante del terrorismo. La definisce uno dei tanti episodi di faida interna. Voglio far presente alla corte, che lo ricordi bene, che nello stesso periodo, ascrivibile sempre al nostro gruppo, sono avvenuti altri casi di, tra virgolette, eliminazione di camerati per motivi molto simili a quelli di Mangiameli».

Ma allora, dicono i magistrati, perché nascondere cosí il corpo di Mangiameli invece di lasciarlo per la strada, come facevano con i traditori? Per non insospettire gli altri traditori, dicono Fioravanti e la Mambro. Per i magistrati invece la spiegazione è un'altra. Non è che Ciccio Mangiameli sapeva troppo? Non è che nel mese che hanno passato a Palermo, Fioravanti e la Mambro hanno pianificato la strage, e visto che Ciccio sapeva hanno deciso di non fidarsi di uno cosí? Proprio il 24 agosto un colonnello dei Servizi segreti, Amos Spiazzi, aveva rilasciato all'«Espresso» un'intervista con la quale aveva bruciato un certo Ciccio come coordinatore dell'attività dei Nar.

Sí, però... due cosí, come Valerio Fioravanti e Francesca Mambro, cosa c'entrano con una strage come quella? Sono terroristi dello spontaneismo armato, gente che spara faccia a faccia, dicono di essere lontani dallo stragismo di una certa estrema destra. Poi hanno quasi una decina di ergastoli a testa, hanno confessato tante cose, perché non confessare anche quello?

Perché loro negano, continuano a negare, ostinatamente. Con la strage, dicono, non c'entrano.

Fioravanti e Mambro intervistati durante la trasmissione *Mixer*, di Giovanni Minoli.

Fioravanti: – Noi ci siamo sempre limitati a dire: noi non c'entriamo, vi costringiamo a tenere le indagini aperte, non vi illudete di chiudere, noi opporremo resistenza. Ma se da noi vi aspettate che noi incolpiamo qualcun altro...

Mambro: – Magari uno morto, – e sorride.

Fioravanti: – ...Uno morto o qualcuno che c'era antipatico...

Mambro: – ...E bada bene, con questo atteggiamento noi avremmo ottenuto la libertà immediatamente.

Fioravanti: – I veri stragisti, quelli che davvero in Italia mettevano le bombe, se la son cavata dicendo: sí, io ho messo delle bombe, venti chili qua, trenta chili là, però di questa non so niente, provate a guardare di là.

Mambro: – La nostra non è una mentalità stragista. Siamo stati sicuramente violenti ma non abbiamo messo le bombe. Perché ci è insopportabile, ancor prima che penalmente, l'accusa, proprio moralmente.

Se fossero stati loro, confesserebbero.

E invece no, dicono i magistrati. Una strage come quella, cosí infamante, non si confessa. Sarebbe un colpo terribile alla loro immagine, sia pubblica che processuale.

E non è vero che non ne sarebbero capaci. Hanno dei precedenti: Valerio Fioravanti che ispira l'assalto di alcuni neofascisti alla sede del Pci dell'Esquillino, a Roma, con bombe a mano, sparando alla cieca. Cinquanta feriti e la strage sfiorata.

Poi ci sono le testimonianze dei collaboratori di giustizia, Stefano Soderini, Angelo Izzo, lo stesso Cristiano Fioravanti, il fratello di Valerio. Valerio, dicono, è un pazzo capace di tutto, e Francesca gli va sempre dietro. O viceversa.

Valerio Fioravanti e Francesca Mambro. Con loro, alla stazione di Bologna, il 2 agosto 1980, dicono i magistrati, c'era anche Sergio Picciafuoco.

Picciafuoco è un pregiudicato che deve scontare una decina d'anni per reati contro il patrimonio. È scappato dal carcere di Ancona e da allora si è avvicinato all'estremismo di destra. Alle 11,39 di quel 2 agosto si fa medicare all'Ospedale maggiore di Bologna per una ferita alla testa riportata mentre era alla stazione, su un binario lontano dall'esplosione. Quando gli chiedono i documenti mostra una patente intestata a Vailati Eraclio. Secondo i magistrati, la patente è simile a un altro documento sequestrato al braccio destro di Ciccio Mangiameli. Inoltre Picciafuoco sarebbe stato in Sicilia, secondo i magistrati, fino al 25 luglio. Proprio quando c'erano anche Mangiameli, Mambro e Fioravanti.

Picciafuoco nega. Alla stazione c'era perché quella mattina il padrone di casa, a Modena, l'aveva buttato fuori. Cosí si era fatto portare a Bologna in taxi per prendere il treno per Milano. Poi, aggiunge la difesa, se davvero fosse colpevole di qualcosa, si sarebbe trovato in stazione proprio al momento dello scoppio?

Fioravanti, Mambro, Picciafuoco e Ciavardini, dicono i magistrati.

Luigi Ciavardini è un giovane neofascista dei Nar. All'epoca dei fatti ha diciassette anni, ma si ritiene che abbia partecipato agli omicidi Arnesano, Evangelista e Amato. Il 31 luglio, due giorni prima della strage, Ciavardini telefona a Roma da Treviso e avverte la sua fidanzata. Che non prenda il treno il 2 agosto, che rimandi l'appuntamento che hanno a Venezia, che parta il giorno dopo.

Perché? Perché ci sono dei problemi, dice Ciavardini, genericamente.

Qualunque cosa sia, all'improvviso, i suoi rapporti con Valerio Fioravanti e Francesca Mambro cambiano. Ciavardini sente dire che i due lo vogliono uccidere. Perché? Perché di lui non ci si può fidare, dicono i magistrati, hanno saputo che ha parlato con la fidanzata. Ciavardini da parte sua nega.

Il processo per la strage di Bologna si apre il 19 gennaio del 1987, ma riesce a partire davvero soltanto il 9 marzo, quando verranno riunificati i provvedimenti.

A seguirlo ci sono tutti: Torquato Secci, che non perderà un'udienza, i sopravvissuti, alcuni dei quali portano ancora visibili i segni delle ferite, i parenti delle vittime, anche il signor Iwao, che è venuto dal Giappone perché a Bologna ha perso un figlio di vent'anni. Presiede il processo il giudice Mario Antonacci, e non è un processo facile.

Valerio Fioravanti e il suo gruppo agivano sotto il coordinamento dell'ideologo Paolo Signorelli? Secondo Stefano Tisei, un neofascista che collabora con la giustizia, Fioravanti e Signorelli si frequentavano dal 1979, e Giusva andava spesso a cena a casa di Signorelli.

> Aula di tribunale. Paolo Signorelli parla al giudice: «Un giorno, ed ero in compagnia di mia figlia, incontrai Giusva, che non vedevo dal tempo della carcerazione. Lo invitai a casa mia a mangiare. Era una cosa a mio avviso perfettamente normale. Io non avevo frequentazione politica con Valerio Fioravanti. Io non ebbi modo di vedere piú Giusva Fioravanti». Alza il tono della voce, alterandosi. «Se qualcheduno ha da portarmi la prova che io abbia avuto a che fare con lui in altra occasione... la porti! Ma non si dica che io ho continuato a frequentare...»

E Massimiliano Fachini? Secondo i magistrati anche lui avrebbe telefonato a un'amica, avvertendola di andarsene via da Bologna perché stava per accadere «qualcosa di grosso». Poi lo indicano come uno dei capi di Ordine nuovo del Veneto, in possesso di T4 recuperato da bombe inesplose nascoste in un laghetto. È lui l'esperto di esplosivi che fornisce il materiale ai neofascisti dei Nar?

> In aula. Massimiliano Fachini al giudice: «Io non ho avuto nulla a che vedere, nulla a che fare, non hanno mai chiesto il mio parere, non hanno mai chiesto la mia opinione, se ritenevo giusto o non giusto... Anzi, se è per quello, quando si parlava in via *astratta* di attentati, di qualsiasi genere essi fossero, personalmente ritenevo che erano estremamente... al di là del fatto morale... erano controproducenti dal punto di vista politico».

Massimiliano Fachini è morto vicino a Padova, nel 2000, in un incidente stradale. Ma torniamo al processo. E Gelli? E Francesco Pazienza? E Musumeci e Belmonte?

> Licio Gelli intervistato da un giornalista:. «Bologna. Quello che è? È stata per me una tragedia da suicidio. Le pare possibile... Bologna. Al-

tri fatti in cui c'è stato il sangue, attribuirli... semplicemente, un accostamento a me. È la cosa piú assurda, che non avrei mai pensato che un essere umano arrivasse a questo punto. Perché quello che ha formulato queste accuse per me è un folle». La giornalista fa per allontanarsi, ma Licio Gelli ricomincia a parlare. Fa sempre cosí, Licio Gelli, quando parla... c'è sempre qualcos'altro che vuole dire. E infatti ricomincia: «E questa follia dovrò chiarirla, perché eventualmente non si allunghi ancora e non colpisca altre persone». Fa sempre cosí, Licio Gelli, quando parla, c'è sempre qualcos'altro che vuole dire, e questo qualcosa sembra sempre un messaggio per qualcuno.

L'11 luglio del 1988, la seconda Corte d'assise di Bologna condanna all'ergastolo per strage Valerio Fioravanti, Francesca Mambro, Massimiliano Fachini e Sergio Picciafuoco. A dieci anni per calunnia pluriaggravata – il depistaggio – Licio Gelli, Francesco Pazienza, il generale Musumeci e il colonnello Belmonte. Luigi Ciavardini è minorenne, e di lui si occupa un altro processo. Lo vedremo dopo.

Il 12 luglio 1990 la Corte d'assise d'appello annulla tutti gli ergastoli per strage, annulla la condanna a Licio Gelli e abbassa le condanne per il depistaggio. L'Associazione dei parenti delle vittime è sconvolta. Il presidente della Repubblica Francesco Cossiga e alcuni esponenti del Movimento sociale italiano chiedono che dalla lapide alla stazione, accanto alla parola «strage», venga cancellata la parola «fascista».

Il 12 febbraio 1992 la Corte di cassazione ritiene la sentenza illogica e priva di fondamento, «tanto che in alcune parti i giudici hanno sostenuto tesi inverosimili che neppure la difesa aveva sostenuto». Si rifà tutto da capo. Dal processo escono definitivamente Stefano Delle Chiaie, Paolo Signorelli e Fabio De Felice, che non vengono rinviati a giudizio.

Il 16 maggio 1994 la prima Corte d'assise d'appello condanna nuovamente all'ergastolo per strage Valerio Fioravanti, Francesca Mambro e Sergio Picciafuoco. Assolve Massimiliano Fachini e Roberto Rinani. Condanna per calunnia aggravata da finalità di terrorismo – il depistaggio – Licio Gelli, Francesco Pazienza, il generale Musumeci e il colonnello Belmonte.

Torquato Secci, il primo presidente dell'Associazione familiari delle vittime, muore nel 1996. Pochi mesi prima, nel novembre del 1995, la Corte di cassazione aveva confermato tutte le condanne e tutte le assoluzioni, rinviando Sergio Picciafuoco a un altro processo che lo avrebbe assolto, il 18 giugno del 1996. Anche lui esce definitivamente dalle responsabilità per la strage.

Il 4 aprile del 2002 Luigi Ciavardini, dopo essere stato assolto in primo grado, viene condannato in appello a trent'anni per strage. Il 17 dicembre 2003, la prima sezione penale della Corte di cassazione annulla la condanna e rinvia Luigi Ciavardini alla Corte d'assise d'appello per un nuovo processo.

Dal punto di vista giudiziario, la strage della stazione di Bologna ha una sentenza definitiva.

Manca qualcosa?

Il giudice Mancuso. Dice: «Mancano i nomi appunto dei mandanti e degli strateghi. Vi sono i nomi, i cognomi, le condanne di chi ha utilizzato i Servizi segreti per impedire l'accertamento della verità in una maniera cosí ostinata, protratta nel tempo e anche cosí fantasiosa, perché sono stati mobilitati i personaggi piú squallidi del sottobosco dei Servizi, da stabilire una cosa con certezza, che la P2 era assolutamente interessata a impedire l'accertamento della verità».

Perché? Per molte stragi in Italia si è parlato di «strategia della tensione». Creare il terrore per spingere il Paese a una reazione autoritaria. Vale anche per Bologna?

Il senatore Giovanni Pellegrino è stato presidente della Commisisone stragi. Dice: «La situazione dell'Italia del 1969 e la situazione dell'Italia del 1980 erano completamente diverse. Da un lato eravamo già entrati in una fase di stabilizzazione politica con la fine del Governo della solidarietà nazionale. Poi al Quirinale c'era una figura come Pertini... Se è vero che negli anni '69-'80 si pensava di sequestrare il presidente della Repubblica o comunque di condizionarlo, non era realistico pensare che questo potesse avvenire con una figura come Sandro Pertini, soprattutto per l'estrema popolarità di cui godeva. Però, ecco, con il tempo, che cosa volevano nascondere i depistaggi che hanno riguardato piazza Fontana o il *Fatebenefratelli* siamo riusciti a capirlo. E invece per la strage di Bologna non è cosí. Noi registriamo le intensità e la forza dei depistaggi, riusciamo a leggerli in quanto riusciamo a capire chi ne sono gli autori: la P2 e il Servizio segreto militare. Però che cosa c'era che quei depistaggi non volevano fare apparire circa le motivazioni politiche della strage, cioè come quel gesto politico – perché le stragi sono gesti politici – si inseriva nella situazione italiana e internazionale del periodo, questo francamente non siamo riusciti a capirlo».

Dopo ventiquattro anni la strage della stazione di Bologna ha una sua verità storica: la strage è fascista. E una sua verità giudiziaria: sono stati Valerio Fioravanti e Francesca Mambro.

I misteri però restano tanti. Ci sono alcune parole pronunciate il 2 agosto del 1981, ancora al primo anniversario della strage. Sono parole importanti.

«Un Paese che rinuncia alla speranza di avere giustizia ha rinunciato non soltanto alle proprie leggi, ma alla sua storia stessa. Per questo severamente, ma soprattutto ostinatamente, aspettiamo».

Aspettiamo.

Indice

Stampato per conto della Casa editrice Einaudi
presso Mondadori Printing S.p.A., Stabilimento N.S.M., Cles (Trento)

C.L. 16740

Edizione							Anno			
6	7	8	9	10	11		2007	2008	2009	2010